D0328127

ANDREA CAMILLERI

Né en 1925, cet ami de Leonardo Sciascia a derrière lui une longue carrière à succès de metteur en scène pour le théâtre, la radio, et aussi la télévision, pour laquelle il a adapté Maigret. Auteur de poèmes et de nouvelles, Camilleri s'est mis sur le tard à écrire dans la langue de cette Sicile qu'il a quittée très tôt pour y revenir sans cesse. Depuis de nombreuses années, le bouche à oreille d'abord, et l'intérêt des médias ensuite, ont donné naissance au « phénomène » Camilleri en Italie où ses livres sont régulièrement en tête des ventes. Il a écrit de nombreux romans, dont une série de romans policiers qui l'ont rendu célèbre. Son héros, Salvo Montalbano, un concentré détonnant de fougue méditerranéenne et d'humeur bougonne, évolue avec humour et gourmandise au fil de ses enquêtes : entre autres, *La forme de l'eau* (prix Mystère de la Critique 1999), *Le tour de la bouée* (2005), *Un été ardent* (2009), *Les ailes du sphinx* (2010), *La piste de sable* (2011) et *Le champ du potier* (2012), lauréat du CWA International Dagger Award. Tous ont paru au Fleuve Noir.

**Retrouvez l'actualité de l'auteur sur son site
www.andreacamilleri.net**

UN MOIS
AVEC MONTALBANO

DU MÊME AUTEUR
CHEZ POCKET

LES ENQUÊTES DU COMMISSAIRE MONTALBANO :

ANDREA CAMILLERI

UN MOIS
AVEC MONTALBANO

Traduit de l'italien (Sicile)
par Serge Quadruppani
avec l'aide de Maruzza Loria

Texte proposé par Serge Quadruppani

Fleuve Noir

Cet ouvrage est paru sous le titre

UN MESE CON MONTALBANO

Publié pour la première fois
par Mondadori, Milan, Italie

Pocket, une marque d'Univers Poche,
est un éditeur qui s'engage pour la
préservation de son environnement et
qui utilise du papier fabriqué à partir
de bois provenant de forêts gérées de
manière responsable.

Le Code de la propriété intellectuelle n'autorisant, aux termes de l'article L. 122-5 (2e et
3e a), d'une part, que les « copies ou reproductions strictement réservées à l'usage
privé du copiste et non destinées à une utilisation collective » et, d'autre part, que les
analyses et les courtes citations dans un but d'exemple ou d'illustration, « toute représentation ou reproduction intégrale ou partielle faite sans le consentement de l'auteur
ou de ses ayants droit ou ayants cause est illicite » (art. L. 122-4). Cette représentation
ou reproduction, par quelque procédé que ce soit, constituerait donc une contrefaçon
sanctionnée par les articles L. 335-2 et suivants du Code de la propriété intellectuelle.

© 1998, Arnoldo Mondadori Editore SpA.
© 1999, Éditions Fleuve Noir, département d'Univers Poche,
pour la traduction française.

ISBN : 978-2-266-23830-4

AVERTISSEMENT DU TRADUCTEUR

Sur le style de Camilleri, sa langue italo-sicilienne, sa syntaxe particulière, son usage du passé simple, on aura intérêt à se reporter à la préface de *La Forme de l'eau*, premier volet des aventures du commissaire Montalbano, chez le même éditeur, où l'on trouvera aussi nombre de personnages qui réapparaissent ici. De plus, on a tenté de rendre la morphologie particulière de certains mots par des déformations volontaires.

La lettre anonyme

Annibale Verruso a découvert que sa femme lui met les cornes et veut la faire tuer. Si ça arrive, ce sera votre responsabilité!

Écrite en capitales au stylo noir, la lettre anonyme était partie de Montelusa avec l'adresse vague « Commissariat de Sécurité publique de Vigàta ». L'inspecteur Fazio, chargé de trier le courrier, l'avait lue et immédiatement remise à son supérieur, le commissaire Salvo Montalbano. Lequel, ce matin-là, étant donné que le vent soufflait du sud-ouest, était d'humeur aigrie, fâché à <u>mort</u> avec lui-même et avec la création entière.

— Putain, qui c'est, ce Verruso ?

— J'en sais rien, *dottore*.

— Essaie de te renseigner et puis viens me le raconter.

Deux heures plus tard, Fazio se présenta de nouveau et, sur un coup d'œil interrogatif de Montalbano, attaqua :

— Verruso Annibale, fils de Carlo et de Castelli Filomena, né à Montaperto le 3/6/1960, employé à la coopérative agricole de Montelusa mais résidant à Vigàta, 22, rue Alcide de Gasperi…

Le gros annuaire de Palerme et de sa province qui, par hasard, se trouvait sur la table du commissaire, s'éleva dans les airs, traversa toute la pièce, et alla s'abattre contre le mur d'en face, entraînant la chute du calendrier aimablement offert par la pâtisserie Pantanaro & Torregrossa. Fazio souffrait de ce que le commissaire appelait le « complexe de l'état civil », chose qui lui faisait venir les nerfs même par beau temps, alors quand le vent du sud-ouest soufflait…

— Excusez-moi, dit Fazio en allant ramasser l'annuaire. Posez-moi des questions, j'y réponds.

— C'est quel genre de type ?

— Casier judiciaire vierge.

Montalbano saisit l'annuaire d'un air menaçant.

— Fazio, je te l'ai répété mille fois. Casier judiciaire vierge, ça ne veut rien dire du tout. Je répète : quel genre ?

— On m'a dit que c'était un homme tranquille, qui cause peu et n'a pas beaucoup d'amis.

— Le jeu ? La boisson ? Les femmes ?

— Rien, pour autant qu'on sache.

— Depuis quand est-il marié ?

— Depuis cinq ans. Avec une d'ici, Serena Peritore. Elle a dix ans de moins que lui. Belle nana, à ce qu'on dit.

— Elle lui met les cornes ?

— Mmm.

— Elle les lui met, oui ou non ?

— Si elle les lui met, elle est assez maligne pour ne pas le lui faire comprendre. Il y en a qui disent une chose, il y en a qui disent une autre.

— Ils ont des enfants ?

— Oh que non. On raconte que c'est elle qui n'en veut pas.

Le commissaire le considéra avec admiration.

— Comment tu as fait pour savoir même ces détails intimes ?

— En causant, chez le coiffeur, répondit Fazio en passant une main sur sa nuque rasée de frais.

Donc, à Vigàta, le salon était encore le grand point de rencontre, comme autrefois.

— Qu'est-ce qu'on fait ? s'enquit Fazio.

— On attend qu'il la tue et après, on verra, dit Montalbano, amorphe, en le congédiant.

Avec Fazio, il avait fait l'antipathique et l'indifférent, alors qu'en fait, cette lettre anonyme l'avait intrigué.

À part le fait que depuis qu'il se trouvait à Vigàta, il n'y avait jamais eu de « crime d'honneur », comme on dit, l'affaire, à vue de nez, à fleur de peau, le laissait perplexe. Primo, pour répondre à la question de Fazio, il avait dit qu'il fallait attendre que Verruso tue sa bonne femme. Et il avait commis une erreur. Dans la lettre, en fait, on prétendait que Verruso voulait *faire* tuer la traîtresse, ce qui signifiait qu'il avait l'intention de recourir à une autre personne pour se faire laver son honneur. Et ça, ce n'était pas habituel. Pour commencer, un mari à qui il lui arrive des rumeurs de trahison, il se met à l'affût, il suit, il épie, il surprend, il tire. Tout de lui-même, il ne tire pas le lendemain et il ira encore moins chercher un étranger pour lui ôter ce tracas. Et puis, cet étranger, qui est-ce que ça peut être ? Un ami, assurément, il s'en serait pas mêlé. Un tueur à gages ? À Vigàta ? Vous voulez rigoler ? Bien sûr, qu'il en existait, des tueurs, à Vigàta, mais ils n'étaient pas libres pour des petits extras parce que tous avaient un emploi fixe et un salaire régulier versé par l'employeur local. Secundo, c'était qui, qui avait écrit la lettre ? Mme Serena, pour parer le coup ? Mais si vraiment, elle subodorait que son mari, tôt ou tard, allait la faire tuer, tu parles qu'elle aurait perdu son temps à écrire des lettres anonymes ! Elle aurait appelé à la rescousse son père, sa mère, le curé, l'évêque, le cardinal ou alors elle aurait mis les voiles avec son amant et bonjour chez vous.

Non, qu'il la prenne par un bout ou par un autre, l'histoire ne tenait pas.

Mais il lui vint une idée. Et si le mari avait connu à la coopérative un client peu scrupuleux qui, dans un premier temps avait dit oui à la proposition criminelle et puis, s'étant repenti, avait écrit la lettre anonyme pour se tirer d'affaire ?

Il ne perdit pas de temps là-dessus, il téléphona à la coopérative de Montelusa, en utilisant une méthode qu'il avait déjà expérimentée avec succès dans les administrations publiques.

— Allô ? Qui est à l'appareil ? demanda quelqu'un à Montelusa.

— Passez-moi le directeur.

— Oui, mais qui est à l'appareil ?

— Seigneur ! beugla Montalbano et comme au téléphone, il y avait pas mal d'écho, il s'assourdit lui-même. Est-il possible que vous ne reconnaissiez jamais ma voix ? Le président, je suis ! Vous avez compris ?

— Oh que oui, monsieur, dit l'autre, atterré.

Cinq secondes passèrent.

— À vos ordres, président, dit la voix obséquieuse du directeur qui n'essaya pas même de demander quelle présidence présidait son interlocuteur.

— Je suis effaré par votre coupable retard ! commença Montalbano en tirant plus ou moins au jugé. Plus ou moins : parce que, comment imaginer que dans un bureau, il n'y ait pas des dossiers placardisés ou, comme on disait en bureau langue, restés sans suite.

— Président, pardonnez-moi, mais je ne comprends…

— Vous ne comprenez pas ? Je vous parle des fiches, sapristi !

Montalbano distinguait nettement le visage éperdu du directeur, les gouttelettes de sueur sur son front.

— Les fiches du personnel que j'attends depuis plus d'un mois ! aboya le président et il poursuivit, implacable : Tout, je veux savoir d'eux ! Ancienneté, grade, fonction, position contributive, tout ! Le cas Sciaretta ne doit jamais plus se répéter !

— Jamais plus, approuva fermement en écho le directeur, qui ignorait absolument qui était Sciaretta.

Lequel était également inconnu de Montalbano, qui avait mentionné ce nom au hasard.

— Et qu'est-ce que vous me racontez, sur Annibale Terruso ?

— Verruso, avec un V, monsieur le président.

— Peu importe, c'est lui. Il y a des plaintes, des doléances, voilà. Il paraît qu'il a l'habitude de fréquenter…

— Des calomnies ! Rien que des calomnies infâmes ! l'interrompit le directeur, avec un courage inattendu. Annibale Verruso est un employé modèle ! Si on pouvait en avoir d'autres comme lui ! Il est employé à la comptabilité interne, mais n'a aucun rapport avec…

— Ça suffit comme ça, coupa le président, impérieux. J'attends les fiches sous vingt-quatre heures.

Il raccrocha. Si le directeur de la coopérative mettait la main au feu pour défendre l'employé Annibale Verruso, comment celui-ci avait-il pu se procurer si facilement un tueur ?

Il appela Fazio.

— Écoute, je m'en vais manger. Je rentre au bureau vers quatre heures. À cette heure-là, tu devras tout savoir sur la famille Verruso, et me le faire connaître. De l'arrière-grand-père jusqu'à la septième génération future.

— Et comment je fais ?

— Tu vas chez un autre coiffeur.

L'arbre généalogique des Verruso plongeait ses racines dans un terrain nourri de respectabilité, de vertus domestiques et civiles : un oncle colonel des carabiniers, un autre, lui aussi colonel, mais de la garde des Finances et on effleurait la sainteté avec un frère de l'arrière-grand-père, moine bénédictin, pour lequel était en cours un procès en béatification. Difficile de trouver un tueur niché entre les feuilles de cet arbre.

— Il y a quelqu'un, parmi vous, qui connaît un certain Annibale Verruso ? demanda le commissaire à ses hommes convoqués tout exprès.

— Celui qui travaille à la coopérative de Montelusa ? demanda Germanà, craignant l'homonymie.

— Oui.

— Ben, oui, je le connais.

— Je veux voir à quoi il ressemble.

— Facile, commissaire. Demain, c'est dimanche ; comme toujours, il ira à la messe de midi avec sa dame.

— Les voilà, dit Germanà à midi moins cinq pile, alors que les cloches avaient déjà sonné le dernier appel.

Selon certains, Annibale Verruso aurait dû avoir trente-sept ans, mais il en faisait bien cinquante. Un peu moins grand que la moyenne, bide proéminent, avec une calvitie qui ne lui avait épargné qu'une couronne de cheveux au bas du crâne, pieds et mains minuscules, lunettes à monture d'or, comportement plein de compoction.

« Il doit ressembler comme deux gouttes d'eau au futur bienheureux, le moine bénédictin frère de l'arrière-grand-père », pinsa Montalbano. Mais surtout, de cet homme émanait un petit air d'imbécillité patiente. « Méfie-toi du cornard patienteux », disait toutefois le proverbe. Quand le cornard patienteux perd patience, alors, il devient périlleux, prêt au pire. Était-ce le cas d'Annibale Verruso ? Non. Parce que, quand on perd la patience, on la perd d'un coup, on ne médite pas de la perdre en différé, comme le dénonçait la lettre anonyme.

Sur la femme, Mme Serena Peritore épouse Verruso,

le commissaire eut en revanche une certitude foudroyante : celle-là, les cornes, elle les mettait à son mari et même, d'abondance. Elle portait ça sur elle, c'était écrit dans sa manière de bouger le cul, dans le mouvement brusque avec lequel elle rejetait ses très longs cheveux noirs mais surtout dans le regard qu'elle jeta sans crier gare sur Montalbano, tandis qu'il l'observait, dans les pupilles vertes changées en l'âme des deux canons d'une lupara[1].

Elle, brune, belle et infidèle, comme dit la chanson.

— On dit qu'elle le trompe.

— Certains disent que oui, d'autres que non, avança Germanà, en homme prudent.

— Et ceux qui disent que oui, ils savent avec qui la dame le ferait ?

— Avec le géomètre Agrò. Mais…

— Parle.

— Vous comprenez, commissaire, il ne s'agit pas d'un cocufiage simple. Serena Peritore et Giacomino Agrò se plaisaient depuis qu'ils étaient minots et…

— … et ils jouaient au docteur.

Germanà fut visiblement agacé. Peut-être que l'histoire entre Serena et Giacomino le passionnait comme un feuilleton télé.

— Mais sa famille à elle a voulu qu'elle se marie avec Annibale Verruso, qui était un parti solide.

— Et après le mariage, Giacomino et Serena ont continué à se fréquenter.

— Il paraît.

— Mais en faisant les choses qu'on fait d'habitude quand on est grand, conclut Montalbano, mauvais.

Germanà ne répondit pas.

---

1. Lupara : fusil de chasse à canon scié. Instrument traditionnel de règlement des conflits dans l'économie semi-clandestine sicilienne. *(N.d.T.)*

Le lendemain matin, il se réveilla tôt, avec une idée qui lui rongeait la cervelle. La réponse, il l'obtint, de l'ordinateur de la questure[1] de Montelusa, une demi-heure après son arrivée au bureau.

Cinq jours avant la réception de la lettre anonyme, Annibale Verruso s'était acheté un 7,65 Beretta, avec la boîte de balles assorties. Dans sa déclaration, comme il ne possédait pas de permis de port d'arme, il avait assuré qu'il garderait l'arme dans un tiroir d'une petite maison de campagne, très solitaire, dans le quartier Monterussello.

À ce point, un homme doué de logique aurait conclu qu'Annibale Verruso, dans l'incapacité d'embaucher un tueur, avait décidé de pourvoir en pirsonne au nettoyage de son honneur souillé par la belle traîtresse.

Mais Salvo Montalbano avait une logique qui parfois quittait la route, pour se mettre à tourner follement. Voilà pourquoi il fit téléphoner par Fazio à la coopérative agricole de Montelusa : M. Annibale Verruso, dès qu'il en aurait fini de sa besogne matinale, devrait se présenter au commissariat de Vigàta sans perdre de temps.

— Que fut-il ? Que se passa-t-il ? demanda Verruso, très inquiet.

Opportunément instruit par Montalbano, Fazio galéja.

— Il s'agit d'établir que vous n'êtes pas lui. Je me suis fait comprendre ?

— À vrai dire, non…

— Peut-être que vous êtes lui. Dans le cas contraire, non. Je me suis fait comprendre ?

Il raccrocha, sans savoir qu'il avait déchaîné une angoisse pirandellienne dans la tête du pôvre employé à la coopérative.

---

1. Questure : équivalent d'une préfecture de police. Questeur : équivalent d'un préfet de police. (N.d.T.)

— Monsieur le commissaire, on m'a demandé d'accourir ici et moi, je suis venu dès que j'ai pu, haleta Verruso dès qu'il se fut assis devant le bureau de Montalbano, mais je n'y comprends rien.

Le moment difficile était arrivé, celui où se jouait la partie, où on lançait les dés. Le commissaire hésita un instant, puis entama son bluff.

— Vous le savez que, pour le citoyen, existe l'obligation de déclarer les crimes ?

— Oui, je crois.

— C'est comme ça et pas autrement, ça ne dépend pas de ce que vous croyez. Pourquoi n'avez-vous pas dénoncé le vol survenu dans votre maison de campagne à Monterussello ?

Annibale Verruso rougit, s'agita sur son siège devenu épineux. Alors, dans la tête de Montalbano, les cloches se déchaînèrent, sonnant un gloria. Il avait mis dans le mille, le bluff avait réussi.

— Étant donné la modicité du dommage subi, mon épouse a estimé qu'il n'était pas…

— Votre épouse n'avait rien à estimer, mais à déclarer le vol. Allons, racontez-moi ce qui s'est passé. Nous devons enquêter. Il y a eu d'autres vols dans la zone.

Le ton sec du commissaire avait asséché la gorge d'Annibale Verruso, qui fut pris d'un accès de toux. Puis il raconta ce qui s'était passé.

— Il y a quinze jours, c'était samedi, nous sommes allés, mon épouse et moi-même, dans notre maison de Monterussello pour y séjourner jusqu'au dimanche soir. À notre arrivée, nous avons remarqué que la porte de la maison avait été forcée. Ils ont volé le téléviseur mais il était vieux, en noir et blanc, et une belle radio portable, celle-là, oui, elle était neuve. J'ai arrangé au mieux la porte, mais Serena, ma femme, n'avait pas confiance, elle avait peur, et elle a voulu rentrer à Vigàta. Et même, elle a dit qu'elle ne mettrait plus les pieds dans cette maison si je ne trouvais pas un moyen de défense. Elle m'a fait acheter un pistolet.

Montalbano fit apparaître des rides sur son front.

— Vous l'avez déclaré ? demanda-t-il, très sévère.

— Certainement, je l'ai fait tout de suite, dit l'autre avec un petit sourire de citoyen respectueux de la loi, et il se permit d'ajouter une remarque légère : Et le plus beau, c'est que je ne sais même pas comment on s'en sert.

— Vous pouvez aller.

Il fila comme un lièvre après que le premier coup de feu l'a raté.

À sept heures et demie le lendemain matin, Annibale Verruso sortit du porche du 22, rue De Gasperi, se glissa dans sa voiture, et partit, sans aucun doute vers la coopérative agricole de Montelusa.

Le commissaire Montalbano descendit de sa voiture, scruta le tableau de l'interphone : « Verruso, porte 15 ». À vue de nez, l'appartement devait se trouver au troisième. La grande porte ne fermait pas bien, il suffit de la forcer un peu pour ouvrir : il entra, prit l'ascenseur. Il avait bien calculé, les Verruso habitaient au troisième. Il sonna.

— Mais on peut savoir qu'est-ce que t'as oublié, cette fois ? lança de l'intérieur une rageuse voix féminine.

La porte s'ouvrit. En découvrant un inconnu, Mme Serena se porta une main à la hauteur de la poitrine, pour tenir bien serrée sa robe de chambre. Un instant plus tard, elle tentait de refermer la porte, mais le pied du commissaire bloqua la manœuvre.

— Qui êtes-vous ? Que voulez-vous ?

Nullement effrayée ni inquiète. Splendide, les yeux verts en lupara, elle répandait une telle odeur de femme et de lit que Montalbano en éprouva un très léger vertige.

— Ne vous inquiétez pas, madame.

18

— Je ne m'inquiète de rien, je voudrais seulement qu'on me casse pas les couilles à cette heure.

Peut-être Mme Verruso n'était-elle pas vraiment une dame.

— Je suis le commissaire Montalbano.

Pas la moindre frousse, à peine un geste irrité.

— Ouf, qu'est-ce qu'on nous gonfle, avec ça! Encore? Vous venez pour ce vol de rien du tout?

— Oui, madame.

— Mon mari hier au soir, il m'a cassé la tête avec cette histoire que vous, vous l'avez convoqué. Il s'est pris une telle frousse qu'il a failli s'en chier aux braies.

Toujours plus délicate, Mme Serena.

— Je peux entrer?

La dame se mit sur le côté avec une grimace, puis le conduisit dans un petit salon d'un faux XVIIIᵉ horripilant, le fit asseoir sur un fauteuil incommode rutilant d'or. Elle prit place sur celui d'en face.

Soudain, elle sourit, les yeux incrustés de veines de lumière noire, de celles qui rendent le blanc violet. Les dents étaient un éclair retenu.

— J'ai été impolie et vulgaire, excusez-moi.

À l'évidence, elle avait décidé de suivre une ligne stratégique différente. Sur la table basse entre eux, étaient disposés une boîte à cigarettes et un briquet colossal d'argent massif. Elle s'inclina, prit la boîte, l'ouvrit, la tendit au commissaire. Dans ce mouvement parfaitement contrôlé, la partie supérieure de la robe de chambre s'élargit, découvrant complètement deux nichons petits mais d'apparence si ferme que Montalbano arrêta qu'on y pouvait aisément casser des noix.

— Que voulez-vous de moi? demanda-t-elle d'une voix basse, en le regardant dans les yeux et en lui tendant toujours la boîte à cigarettes ouverte.

Ce qu'elle ne disait pas avec des mots était néanmoins clair : Quoi que tu veuilles, je suis prête à te le donner.

Montalbano refusa d'un geste, et il ne refusait pas seulement les cigarettes. Elle ferma la boîte, la reposa sur la table, continua à observer le commissaire par en dessous, la robe de chambre toujours ouverte.

— Comment avez-vous fait pour savoir qu'à Monterussello, nous avions eu un vol ?

Crânement, elle était allée poser le doigt sur le point le plus faible du bluff que Montalbano avait monté à son mari.

— J'ai tiré au hasard, répondit le commissaire, et votre mari a marché.

— Ah, fit-elle en se redressant.

Les nichons disparurent comme par un tour de prestidigitation. Un instant, et un instant seulement, le commissaire eut une pensée émue en leur honneur. Peut-être valait-il mieux qu'il s'attarde le moins possible dans cette maison.

— Dois-je d'abord vous expliquer par le menu comment j'en suis arrivé à comprendre que vous aviez l'intention de tuer votre mari ? Ou je peux m'épargner cette peine ?

— Vous pouvez vous l'épargner.

— Vous aviez imaginé une belle mise en scène, non ?

— Ça pouvait marcher.

— Corrigez-moi si je me trompe. Une des prochaines nuits que vous dormiriez à Montelusa, vous réveilleriez votre mari en lui disant que vous avez entendu au-dehors un bruit suspect. Vous le convainquez de s'armer, de sortir. Dès qu'il est dehors, vous, par-derrière, vous lui flanquez un grand coup sur la tête. Le géomètre Agrò, quittant sa casquette de faux voleur, coiffe celle de vrai assassin. Il tire sur votre mari avec le pistolet que vous lui avez fait acheter, le tue et disparaît. Vous raconterez ensuite que votre pôvre mari a été roué de coups, désarmé et tué par le voleur. Grosso modo, c'est comme ça que ça devait se passer, non ?

— Plus ou moins.

— Vous avez compris aussi que ce que je dis, c'est juste du bavardage, du vent. Je n'ai rien de concret pour vous envoyer au trou.

— Bien sûr que je l'ai compris.

— Et vous aurez aussi compris que s'il arrive quelque chose à Annibale Verruso, la première personne qui plonge, c'est vous, suivie de votre petit ami Giacomino. Vous devrez prier votre Dieu qu'il n'ait même pas un léger mal de ventre, parce que moi, je vous accuserai de vouloir l'empoisonner.

Chez Mme Serena, l'avertissement de Montalbano eut pour effet d'entrer par une oreille et de sortir par l'autre.

— Vous pouvez me dire quelque chose, par curiosité, commissaire ?

— Certainement.

— Où est-ce que je me suis trompée ?

— L'erreur, vous l'avez faite en m'envoyant la lettre anonyme.

— Moi ?! se récria-t-elle, hurlant presque.

Tout de suite, Montalbano se sentit mal à l'aise.

— De quelle lettre anonyme parlez-vous ?

Elle était complètement, sincèrement abasourdie. Le commissaire aussi l'était : comment ça, ce n'était pas elle ?

Ils échangèrent un regard perplexe.

— La lettre anonyme dans laquelle il était dit que votre mari voulait vous faire tuer parce qu'il avait découvert votre trahison, expliqua à grand-peine Montalbano.

— Mais moi, je n'ai jamais…

Mme Serena s'interrompit soudain, se leva d'un bond, la robe de chambre s'ouvrit en grand, Montalbano entrevit de douces collines, de secrètes vallées, de luxuriantes prairies. Il ferma les yeux, mais dut les rouvrir aussitôt au fracas du cendrier mastodonte balancé contre un petit tableau représentant des montagnes enneigées.

— C'est cette grosse tête de con de Giacomino! se
mit à hurler la... disons la dame. Il a eu la frousse, ce
trou du cul merdeux!

La boîte à cigarettes brisa un vase sur le *tanger*[1].

— Il a reculé, ce grand connard, et il a monté l'histoire de la lettre anonyme!

Quand la table basse fit exploser les vitres du balcon,
le commissaire était déjà dehors et refermait derrière lui
la porte de la maison Verruso.

---

1. *Tanger* : du français *étagère*, petit meuble du type vitrine. (*N.d.T.*)

L'art de la divination

À Vigàta, la fête de carnaval n'a jamais eu de sens. Pour les grands, naturellement, qui n'organisent pas de réveillons ni ne font de dîners spéciaux. Pour les minots, en revanche, c'est une tout autre musique, ils remontent et redescendent le cours en se pavanant dans leurs costumes désormais sous influence télévisuelle. Aujourd'hui, on ne trouve plus, même à prix d'or, de costume de Pierrot ou de Mickey, Zorro survit, mais ce sont Batman et de hardis cosmonautes en étincelantes tenues spatiales qui font fureur.

Toutefois, cette année là, la fête de carnaval eut un sens au moins pour un adulte : le professeur Gaspare Tamburello, proviseur du lycée local Federico Fellini, très récemment ouvert, comme le laissait deviner le nom qui lui avait été attribué.

— La nuit dernière, on a tenté de me tuer ! proclama le proviseur en entrant, et en s'asseyant dans le bureau de Montalbano.

Le commissaire le regarda, estourbi. Non pas à cause de la déclaration dramatique, mais en raison du curieux phénomène en cours sur le visage de ce type qui passait, sans transition, du jaune de la mort au rouge du poivron.

« Celui-là, il va se choper un symptôme », pinsa Montalbano, et il dit :

— Monsieur le proviseur, racontez-moi tout. Vous voulez un verre d'eau ?

— Je ne veux rien ! rugit Gaspare Tamburello.

Il s'essuya le visage avec un mouchoir et Montalbano s'étonna que les couleurs de la peau n'aient pas déteint sur l'étoffe.

— Ce super grand cornard l'a dit et il l'a fait !

— Écoutez, monsieur le proviseur, vous devez vous calmer et tout me raconter dans l'ordre. Dites-moi exactement comment ça s'est passé.

Le proviseur Tamburello fit un effort visible pour se contrôler, puis attaqua.

— Vous le savez, commissaire, que nous avons un ministre communiste à l'Éducation nationale ? Celui qui veut qu'on étudie Gramsci à l'école. Mais moi, je demande : pourquoi Gramsci oui, et Tommaseo[1] non ? Vous pouvez m'expliquer, vous, pourquoi ?

— Non, dit sèchement le commissaire qui en avait déjà plein le dos. Si on en venait au fait ?

— Donc, pour conformer l'institut, que j'ai la charge et l'honneur de diriger, aux nouvelles normes ministérielles, je suis resté à travailler dans mon bureau jusqu'à minuit passé.

Au pays, on savait pour quelle raison le proviseur trouvait toutes les excuses possibles pour ne pas rentrer chez lui : là, comme un tigre à l'affût, l'attendait son épouse Santina, mieux connue à l'école sous le nom de Santippe[2]. Le moindre prétexte suffisait à déchaîner Santippe. Et alors, les voisins commençaient à entendre les cris, les

---

1. Nicolò Tommaseo (1802-1874), philologue, auteur de monumentaux dictionnaires de la langue italienne. *(N.d.T.)*
2. Santina : « petite sainte ». Santippe : épouse de Socrate, archétype de la mégère. *(N.d.T.)*

offenses, les insultes que la terrible femelle infligeait à son mari. En rentrant à minuit passé, Gaspare Tamburello espérait la trouver endormie et éviter la scène habituelle.

— Poursuivez, je vous en prie.

— J'avais à peine ouvert la porte de l'immeuble que j'ai entendu une détonation très forte et vu un éclair. J'ai aussi entendu, distinctement, quelqu'un qui ricanait.

— Et vous, qu'avez-vous fait ?

— Qu'est-ce que je devais faire ? Je me suis mis à grimper l'escalier en courant, j'ai oublié de me prendre l'ascenseur, j'avais les sangs retournés.

— Vous l'avez dit à votre dame ? demanda le commissaire qui, quand il s'y mettait, savait être vraiment mauvais.

— Non. Et pourquoi ? Elle dormait, pauvre femme !

— Et vous auriez même vu la flamme ?

— Bien sûr que je l'ai vue. (Montalbano eut une moue dubitative, le proviseur la remarqua.) Qu'est-ce qu'il y a, vous ne me croyez pas ?

— Je vous crois. Mais c'est étrange.

— Pourquoi ?

— Parce que si par hasard quelqu'un vous tire dans le dos, vous entendez la détonation, certes, mais vous ne pouvez pas voir la flamme. Vous comprenez ?

— Et moi, au contraire, je l'ai vue. Ça va comme ça ?

Le jaune de la mort et le rouge du poivron se fondirent dans un vert olive.

— Vous, proviseur, vous m'avez laissé entendre que vous connaîtriez la personne qui vous a tiré dessus.

— N'utilisez pas le conditionnel, je sais très bien qui l'a fait. Et je suis ici pour déposer une plainte en bonne et due forme.

— Attendez, ne vous précipitez pas. D'après vous, c'était qui ?

— Le professeur Antonio Cosentino.

Net, décidé.

— Vous le connaissez ?

— Quelle question ! Il enseigne le français à l'institut !

— Pourquoi l'aurait-il fait ?

— Encore ce conditionnel ! Parce qu'il me hait. Il ne supporte pas mes rappels à l'ordre incessants, mes blâmes. Mais moi, qu'est-ce que j'y peux ? Pour moi, l'ordre et la discipline sont des impératifs catégoriques ! Le professeur Cosentino, en revanche, s'en fiche éperdument. Il arrive en retard aux conseils des professeurs, conteste presque toujours ce que je dis, prend des airs supérieurs, monte ses collègues contre moi.

— Et vous le pensez capable d'un homicide ?

— Ah ! Ah ! Vous voulez me faire rire ? Ce type-là est capable non seulement de tuer, mais de bien autre chose encore !

« Et qu'est-ce qu'il peut bien y avoir de pire que de tuer ? » pinsa le commissaire. Peut-être dépecer le cadavre du tué et se le manger moitié en pot-au-feu et moitié au four avec des patates.

— Et vous savez ce qu'il a fait ? poursuivit le proviseur. Je l'ai vu, moi, de mes yeux vu, offrir à fumer à une élève !

— De l'herbe ?

Gaspare Tamburello sursauta, se troubla.

— Mais non, de l'herbe ! Pourquoi devraient-ils fumer de l'herbe ? Il lui donnait une cigarette.

Il vivait hors du temps et de l'espace, monsieur le proviseur.

— Il me semble avoir compris que vous avez affirmé tout à l'heure que le professeur vous a menacé.

— Pas précisément. Une menace qu'on peut appeler une menace à proprement parler, il n'y en a pas eu. Il me l'a dit comme ça, en faisant semblant de plaisanter.

— Dans l'ordre, je vous en prie.

— Donc, il y a une vingtaine de jours, la professeure Lopane a invité tous ses collègues au baptême d'une de ses petites-filles. Je n'ai pas pu m'y soustraire, vous comprenez ? Pourtant, je n'aime pas que les chefs et les subordonnés fraternisent, il faut toujours maintenir une certaine distance. (Montalbano regretta que le tireur, si vraiment il avait existé, n'ait pas mieux visé.) Puis, comme il arrive toujours dans ce cas, tous ceux de l'institut se sont retrouvés réunis dans une pièce. Et là, les enseignants les plus jeunes ont voulu organiser quelques jeux. Tout d'un coup, le professeur Cosentino a dit qu'il possédait l'art de la divination. Il a affirmé qu'il n'avait pas besoin d'observer le vol des oiseaux ou les viscères d'un animal quelconque. Il lui suffisait de regarder intensément une personne pour voir distinctement son destin. Une petite sotte, la professeure Angelica Feracota, une suppléante, l'a interrogé sur son avenir. Le professeur Cosentino lui a prédit un grand changement amoureux. Quel exploit ! Tout le monde le savait que la suppléante, fiancée à un dentiste, le trahissait avec le prothésiste dentaire et que le dentiste, tôt ou tard, il s'en apercevrait ! Au grand amusement

Au mot « amusement », Montalbano n'y tint plus.

— Ah non, monsieur le proviseur, là, on va y passer la nuit ! Communiquez-moi seulement ce que le professeur vous a dit. Ou plutôt, vous a prédit.

— Comme tout le monde le pressait pour qu'il devine mon avenir, lui, il m'a regardé fixement, si longtemps qu'un silence de tombe s'est installé. Vous voyez, commissaire, il s'était créé une atmosphère qui, sincèrement...

— Laissez tomber l'atmosphère, sapristi !

Homme d'ordre, le proviseur obéissait aux ordres.

— Il m'a dit que le 13 février j'échapperais à une attaque, mais que d'ici trois mois je ne serais plus parmi eux.

— Ambigu, vous ne trouvez pas ?

— Comment ça, ambigu ! Hier, c'était le 13, non ? On

27

m'a tiré dessus, oui ou non ? Et donc, il ne s'agissait pas d'une attaque d'apoplexie, mais d'une vraie attaque au pistolet.

La coïncidence troubla le commissaire.

— Écoutez, proviseur, mettons-nous d'accord comme ça. Moi, je mène quelques enquêtes et puis, si nécessaire, je vous prierai de porter plainte.

— Si vous m'ordonnez d'agir ainsi, j'agirai ainsi. Mais moi, j'aimerais le savoir tout de suite en taule, ce voyou. Au revoir.

Et enfin, il décarra.

— Fazio ! appela Montalbano.

Mais au lieu de Fazio, il vit le proviseur réapparaître sur le seuil. Le visage, cette fois, tirait sur le jaune.

— J'oubliais la preuve la plus importante !

Derrière le professeur Tamburello apparut Fazio.

— À vos ordres.

Mais le proviseur continua, imperturbable :

— Ce matin, en venant ici déposer ma plainte, j'ai vu que sur la porte de mon immeuble, en haut, à gauche, il y a un trou qui n'y était pas avant. C'est là que le projectile a dû se ficher. Enquêtez là-dessus.

Et il sortit.

— Tu le sais, où habite le proviseur Tamburello ? demanda le commissaire à Fazio.

— Oh que oui.

— Va donner un coup d'œil à ce pertuis dans la porte puis tu me rends compte. Attends, avant tu téléphones au lycée, tu te fais passer le professeur Cosentino et tu lui dis que cet après-midi, vers les cinq heures, je veux le voir.

Montalbano revint au bureau à quatre heures moins le quart légèrement alourdi par un kilo et quelque de poissons grillés, si frais qu'ils avaient recommencé à nager dans son estomac.

— Pour y être, le pertuis, il y est, rapporta Fazio,

mais il est tout neuf, le bois est vif, il n'y a pas de marque de projectile, on le dirait fait au canif. Et pas trace de balle. Je me suis fait une opinion.

— Dis-la.

— Je pense pas qu'on lui ait tiré dessus, au proviseur. Nous sommes en période de carnaval, peut-être qu'un petit chenapan a eu envie de déconner et lui a balancé un pétard ou une fusée.

— Plausible. Mais comment tu l'expliques, le pertuis ?

— Le proviseur l'aura fait lui-même, pour faire croire aux conneries qu'il est venu vous raconter.

La porte s'ouvrit à la volée, battit contre le mur, Montalbano et Fazio sursautèrent. C'était Catarella.

— Il y aurait qu'il y a le prifisseur Cosentino qui dit qu'il faudrait parler avec vous pirsonnellement en pirsonne.

— Fais-le entrer.

Fazio sortit, entra Cosentino.

Une fraction de seconde, le commissaire fut désarçonné. Il s'attendait à un type en T-shirt, jean et grosses Nike aux pieds, en fait le professeur portait un complet gris et une cravate. Il avait même un petit air mélancolique, la tête légèrement penchée sur l'épaule gauche. Mais ses yeux malins frétillaient. Sans circonlocutions, Montalbano lui rapporta l'accusation du proviseur et l'avertit que ce n'était pas une affaire sur laquelle on pouvait plaisanter.

— Pourquoi ça ?

— Parce que vous avez deviné que le 13, le proviseur serait victime d'une espèce d'attentat et que c'est ce qui s'est ponctuellement passé.

— Mais, commissaire, s'il est vrai qu'on lui a tiré dessus, comment pouvez-vous penser que moi, j'aurais été assez stupide pour annoncer que je le ferais, et devant vingt témoins ? Autant tirer et m'en aller directement en prison ! Il s'agit d'une malheureuse coïncidence.

— Attention, que votre raisonnement ne tient pas.

— Et pourquoi ?

— Parce vous auriez pu être non pas assez stupide, mais assez malin pour le dire, le faire et puis venir me soutenir que vous n'avez pu le faire puisque vous l'avez dit.

— C'est vrai, admit le professeur.

— Alors, qu'est-ce qu'on fait ?

— Mais vous croyez vraiment que je possède des dons de devin, que je suis capable de faire des prédictions ? Au mieux, en ce qui concerne le proviseur, je pourrais faire, comment dire, des « rétro-dictions ». Et ça oui, certainement, c'est sûr comme la mort.

— Expliquez-vous.

— Si notre cher proviseur avait vécu durant la période fasciste, vous ne voyez pas quel beau secrétaire de fédération il aurait fait ? De ceux qui portaient l'orbace[1], avec les guêtres et l'oiseau sur le béret, qui sautaient à travers des cercles de feu. Garanti.

— On pourrait parler sérieusement ?

— Commissaire, vous ne connaissez peut-être pas un délicieux roman du XVIIIe siècle qui s'intitule *Le Diable amoureux de*…

— Cazotte, dit le commissaire. Je l'ai lu.

Le professeur surmonta bien vite un léger étonnement.

— Donc, un soir, Jacques Cazotte, se trouvant avec quelques amis célèbres, en devina exactement la mort. Eh bien…

— Écoutez, professeur, moi aussi, je la connais, cette histoire, je l'ai lue dans Gérard de Nerval.

Le professeur en resta bouche bée.

---

1. Orbace : tissu de laine brute, d'origine sarde, utilisé pour l'uniforme fasciste. *(N.d.T.)*

— Seigneur ! Mais comment faites-vous pour savoir ces choses ?

— En lisant, répondit le commissaire avec brusquerie puis, encore plus sérieux, il ajouta : Cette affaire n'a ni queue ni tête. Je ne sais même pas si on a tiré sur le proviseur ou si c'était un pétard.

— Un pétard, un pétard, assura le professeur d'un air méprisant.

— Mais je vous mets formellement en garde. Si d'ici trois mois, il arrive quelque chose au proviseur Tamburello, je vous en tiendrai personnellement responsable.

— Même s'il attrape la grippe ? demanda Antonio Cosentino, nullement effrayé.

Et en fait, ce qui était écrit qui arriverait arriva.

Le proviseur Tamburello se vexa beaucoup de ce que le commissaire n'ait pas accepté sa plainte et n'ait pas passé les menottes à l'individu, selon lui, responsable. Et il se lança dans une série de faux pas. Au conseil des professeurs suivant, en alternant une mine sévère et celle du martyr, il communiqua à l'auditoire ébahi qu'il avait été victime d'un guet-apens auquel il avait miraculeusement échappé, grâce à l'intercession (dans l'ordre) de la Madone et du Devoir moral dont il était l'infatigable champion. Durant son discours, il ne cessa d'envoyer des coups d'œil lourds de sous-entendus au professeur Cosentino qui ricanait sans se cacher. Le deuxième faux pas consista à se confier au journaliste Pippo Ragonese, présentateur à Televigàta, qui en voulait au commissaire. Ragonese raconta l'affaire à sa manière, affirma que Montalbano, en n'entamant pas de poursuites contre celui qui lui avait été signalé comme l'exécuteur matériel de l'attentat, se rendait objectivement coupable de complicité de crime. Le résultat fut simple : tandis que Montalbano riait de bon cœur, tout

Vigàta en vint à savoir que quelqu'un avait tiré sur le proviseur Tamburello.

Entre autres, en allumant la télévision à douze heures trente pour le journal, la nouvelle parvint aux oreilles de la conjointe de l'intéressé, qui jusque-là était demeurée dans l'ignorance de tout. Ignorant quant à lui qu'à présent sa femme savait, le proviseur se présenta à treize heures trente pour manger. Les voisins étaient tous aux fenêtres et aux balcons pour savourer la suite. Santippe injuria son mari, en l'accusant de lui avoir caché quelque chose, elle le définit comme un con qui se faisait tirer dessus comme n'importe qui, reprocha au tireur inconnu de, littéralement, « tirer comme une merde ». Au bout d'une heure de ce tambourinement, les voisins virent le proviseur déguerpir par la porte de l'immeuble, comme un lapin débusqué de son terrier par un furet. Il retourna à l'école, se fit porter un sandwich au bureau.

Vers six heures de l'après-midi, comme ils le faisaient toujours, au café Castiglione se réunirent quelques-uns des esprits les plus spéculatifs du pays.

— Comme cornard, il se pose un peu là, attaqua le pharmacien Luparello.

— Qui ? Tamburello ou Cosentino ? demanda le comptable Prestìa.

— Tamburello. Il ne dirige pas l'institut, il le gouverne, c'est une espèce de monarque absolu. Celui qui ne se plie pas à son bon vouloir, il le baise. Rappelons-nous que l'an dernier, il a recalé toute la seconde C parce qu'ils ne se sont pas levés immédiatement quand il est entré dans la classe.

— Tout à fait vrai, c'est ! s'exclama Tano Pisciotta, commerçant en gros de poissons, et il ajouta, baissant la voix jusqu'à un simple souffle : Et n'oublions pas que parmi les jeunes recalés de la Seconde C, il y avait le fils de Giosuè Marchica et la fille de Nenè Gangitano.

Un silence méditatif et inquiet s'installa.

Marchica et Gangitano étaient des pirsonnes de poids, auxquelles on ne pouvait faire de mauvaise manière. Et recaler leurs enfants, ce n'était pas une mauvaise manière, peut-être ?

— C'est autre chose qu'une antipathie entre le proviseur et le professeur Cosentino ! Là, oui, la chose est très sérieuse ! conclut Luparello.

Juste à ce moment, le professeur entra. Ignorant comment le vent commençait à tourner, il prit un siège et s'assit à la table commune, commanda un café.

— Désolé, mais il faut que je rentre à la maison, dit immédiatement le comptable Prestìa. Ma femme a un peu de fièvre.

— Moi aussi, je dois y aller, j'attends un coup de fil au bureau, enchaîna Tano Pisciotta.

— Ma femme aussi a la fièvre, assura le pharmacien, qui avait peu d'imagination.

Vire, tourne, en un instant le proviseur se retrouva seul à table. Pour une raison ou une autre, il valait mieux ne pas se montrer en sa compagnie. On risquait que Marchica et Gangitano se méprennent sur l'étendue de leur amitié pour le professeur Tamburello.

Un matin, devant Mme Tamburello, qui faisait son marché, se présenta la femme du pharmacien Luparello.

— Que vous êtes courageuse, ma bonne dame ! Moi, à votre place, je me serais enfuie ou j'aurais foutu mon mari dehors, sans perdre de temps.

— Et pourquoi ?

— Comment, pourquoi ? Et si ceux-là qui lui ont tiré dessus et qui l'ont manqué décident de pas courir de risques et mettent une bombe derrière la porte de votre appartement ?

Le soir même, le proviseur déménagea à l'hôtel. Mais l'hypothèse de Mme Luparello fit si bien son chemin que les familles Pappacena et Lococo, qui habitaient sur le même palier, changèrent de logement.

À bout de résistance physique et mentale, le proviseur Tamburello demanda et obtint son transfert. Avant trois mois, il ne fut « plus parmi eux », comme l'avait deviné le professeur Cosentino.

— Vous pouvez me dire quelque chose, par curiosité ? demanda le commissaire. La détonation, c'était quoi ?

— Un pétard, répondit tranquillement Cosentino.

— Et le trou dans la porte ?

— Vous me croirez si je vous dis que ce n'est pas moi qui l'ai fait ? C'est sans doute un hasard ou bien c'est lui-même qui l'a fait pour donner de la consistance à sa plainte contre moi. C'était un homme destiné à se brûler de ses propres mains. Je ne sais pas si vous savez qu'il y a une comédie, grecque ou romaine, je ne me souviens pas, qui s'intitule *Le Punisseur de soi-même*, dans laquelle…

— Je sais seulement une chose, coupa Montalbano, que je ne voudrais pas vous avoir comme ennemi.

Et il était sincère.

Le sigle

Calòrio ne s'appelait pas Calòrio, mais tout Vigàta le connaissait sous ce nom. Une vingtaine d'années auparavant, il était arrivé au pays d'on ne sait où, portant des braies faites plus de pertuis que d'étoffe, serrées à la taille par une corde, et une veste toute rapiécée comme un costume d'Arlequin, les pieds nus mais très propres. Il vivait en dimandant l'aumône mais avec discrétion, sans ennuyer le monde, sans effrayer les femmes ni les minots. Il tenait bien le vin, quand il pouvait s'acheter une bouteille, au point que personne ne l'avait vu même pompette : et on peut dire qu'il y avait eu des occasions de fêtes où, du vin, il s'en était envoyé des litres.

Il avait pas fallu attendre longtemps avant que Vigàta l'adopte. Le père Cannata lui fournissait chaussures et vêtements usés ; au marché, personne ne lui refusait un peu de poisson et de légumes, un médecin de temps en temps l'examinait gratis et lui passait en douce les médicaments dont il avait besoin. La santé, en général, ça allait, même si, comme ça, à vue de nez, il devait avoir passé la soixantaine. La nuit, il allait dormir sous le portique de l'hôtel de ville ; l'hiver, il se défendait contre le froid avec deux vieilles couvertures qu'on lui avait offertes. Mais depuis cinq ans, il avait changé de logement. Sur la solitaire plage ouest, du côté opposé à celui où les gens allaient prendre leur bain, on avait tiré à sec les restes d'un bateau de pêche à moteur. Promptement dépouillé en peu de temps, il n'en subsistait plus que la carcasse. Calòrio en avait pris possession et installé ses quartiers dans l'ex-compartiment moteur. De jour, si le temps était beau, il se mettait à couvert. Il lisait. Voilà pourquoi les gens du pays l'avaient appelé Calòrio : le saint protecteur de Vigàta, très aimé de tous, croyants ou pas, était un religieux à la peau noire, avec un livre à la main. Les livres, Calòrio se les faisait prêter par la bibliothèque communale ; Mlle Melluso, la directrice, soutenait que personne ne savait mieux que Calòrio comment on tenait un livre et que personne n'était plus ponctuel que lui à les restituer. Il lit de tout, racontait Mlle Melluso : Pirandello ou Manzoni, Dostoïevski ou Maupassant…

Le commissaire Salvo Montalbano, qui avait l'habitude de faire de longues promenades tantôt sur le môle, tantôt sur la plage ouest, laquelle présentait l'avantage d'être toujours déserte, un jour s'était arrêté pour lui parler.

— Qu'est-ce qu'on lit de beau ?

L'homme, visiblement agacé, n'avait pas levé les yeux du livre.

— L'*Urfaust*, avait été l'ébahissante réponse.

Et vu que l'importun non seulement n'avait pas dégagé, mais qu'il ne s'était même pas étonné, Calòrio s'était enfin décidé à le regarder.

— Dans la traduction de Liliana Scalero, avait-il courtoisement ajouté. Un peu vieillotte, mais à la bibliothèque, ils n'en ont pas d'autre. On doit s'en contenter.

— Moi, je l'ai dans la version de Manacorda, dit le commissaire. Si vous voulez, je vous la prête.

— Merci. Voulez-vous vous asseoir ? proposa l'homme en lui faisant de la place sur le sac où il était assis.

36

— Non, je dois rentrer travailler.

— Où ça?

— Je suis le commissaire de la Sécurité publique d'ici, je m'appelle Salvo Montalbano.

Et il lui tendit la main. L'autre se leva, avançant la sienne.

— Je m'appelle Livio Zanuttin.

— À votre façon de parler, on vous prend pour un Sicilien.

— Je vis en Sicile depuis plus de quarante ans, mais je suis né à Venise.

— Permettez-moi une question : pourquoi un homme comme vous, cultivé, avec des bonnes manières, il est tombé dans une vie pareille ?

— Vous faites le policier et donc vous êtes curieux de nature et de métier. Ne dites pas « tombé », il s'agit d'un choix libre. J'ai renoncé. Renoncé à tout : décorum, honneur, dignité, vertu, toutes choses que les animaux, par la grâce de Dieu, ignorent dans leur bienheureuse innocence. Libéré de…

— Vous êtes en train de m'embrouiller, l'interrompit Montalbano. Vous me répondez avec les paroles que Pirandello met dans la bouche du magicien Cotrone. Et, à part tout cela, les animaux ne lisent pas.

Ils se sourirent.

Ainsi commença une étrange amitié. De temps en temps, Montalbano allait le trouver, lui apportait des cadeaux : quelques livres, une radio et, vu que Calòrio, non content de lire, écrivait, une provision de stylos et de cahiers. Quand il était surpris à écrire, Calòrio replaçait tout de suite le cahier dans un gros sac rempli à craquer. Un jour que la pluie s'était abattue à l'improviste, Calòrio l'avait accueilli dans le compartiment moteur, en fermant le sabord avec un bout de toile cirée. Là-dessous, tout était propre, en ordre. Sur un bout de ficelle tendu entre deux parois pendaient quelques cintres auxquels étaient accrochés les pauvres vêtements du mendiant, lequel avait aussi fabriqué une étagère où se trouvaient disposés livres, bougies et une lampe à pétrole. Deux sacs servaient de lit. L'unique note de désordre était apportée par une vingtaine de bouteilles vides entassées dans un coin.

Et le voilà à présent, Calòrio, le visage dans le sable, juste à côté de l'épave, une plaie profonde dans la nuque, assassiné. En rentrant chez lui au petit matin, le gardien de nuit de la cimenterie voisine l'avait découvert. L'homme avait appelé le commissaire sur son portable et n'avait plus bougé de là jusqu'à l'arrivée de la police.

Dans la chambre à coucher de Calòrio, l'ex-compartiment moteur, l'assassin avait tout pris, tout emporté, les vêtements, le sac, les livres. Seules les bouteilles vides étaient restées à leur place. Mais existait-il à Vigàta – se demanda le commissaire – des pirsonnes assez désespérées pour aller voler les misérables biens d'un autre désespéré ?

Blessé à mort, Calòrio avait tant bien que mal réussi à descendre de la carcasse du bateau de pêche et, une fois tombé sur la plage, avait tenté d'y écrire, avec l'index de la main droite, trois lettres incertaines. Heureusement, durant la nuit, il avait plu et le sable était devenu compact ; mais les trois lettres se lisaient quand même mal.

Montalbano se tourna vers Jacomuzzi, le chef de la police scientifique, homme habile quoique possédé jusqu'au trognon par des envies de vedettariat.

— T'y arrives, à me dire exactement ce que ce pôvre malheureux a essayé d'écrire avant de mourir ?

— Bien sûr.

Le Dr Pasquàno, le médecin légiste, homme au caractère difficile mais lui aussi excellent dans sa partie, contacta Montalbano par téléphone vers cinq heures de l'après-midi. Il ne pouvait que confirmer ce qu'il lui avait déjà déclaré dans la matinée sur la base d'un premier examen du cadavre.

D'après sa reconstruction des faits, entre la victime et l'assassin, il avait dû y avoir, la veille un peu avant minuit, un violent corps à corps. Frappé d'un coup de poing en plein visage, Calòrio était tombé en arrière, sa tête donnant sur le treuil rouillé qui, autrefois, servait à hisser le filet de pêche : de fait, il était souillé de sang. L'agresseur, croyant le mendiant mort, avait fait main basse sur tout ce qui se trouvait à l'intérieur et s'était enfui. Mais peu après, Calòrio s'était provisoirement repris, avait voulu descendre du bateau mais, assommé et sanglant, il était tombé sur le sable. Il avait tenu encore quatre ou cinq minutes, durant lesquelles il s'était appliqué à écrire ces trois lettres. Selon Pasquano, il n'y avait pas de doute, Calòrio était mort de coups et blessures ayant entraîné la mort sans intention de la donner.

— Je suis absolument sûr de ne pas me tromper, affirma catégoriquement Jacomuzzi. Le malheureux, en mourant, a tenté d'écrire un sigle. Il s'agit d'un P, d'un O et d'un E. Un sigle, sûr comme la mort.

Il marqua une pause.

— Ça ne pourrait pas être le Parti ouvrier européen ?

— Putain, qu'est-ce que ça pourrait bien signifier ?

— Ben, je ne sais pas, aujourd'hui, tout le monde parle de l'Europe… Peut-être un parti subversif européen…

— Jacomù, tu t'es conchié la cervelle ?

Mais quels beaux coups de génie, il avait, Jacomuzzi ! Montalbano raccrocha sans le remercier. Un sigle. Qu'avait voulu dire ou indiquer Calòrio ? Peut-être quelque chose qui concernait le port ? Point d'orientation est ? Ponton opératif externe ? Non, essayer de deviner de cette façon, ça n'avait pas de sens, ces trois lettres pouvaient tout dire et ne rien dire. En tout cas, Calòrio, à l'article de la mort, avait jugé plus important que tout d'écrire ce sigle sur le sable.

Vers deux heures du matin, alors qu'il dormait, quelqu'un lui donna un coup de poing à la tête. Il lui était déjà arrivé par le passé de se réveiller ainsi et il s'était convaincu que, tandis qu'il dormait, une partie de son cerveau veillait et réfléchissait à un quelconque problème. Et, à un certain moment, le rappelait à la réalité. Il se leva, courut au téléphone, composa le numéro du domicile de Jacomuzzi.

— Il y avait des points ?

— Mais qui est à l'appareil ? demanda Jacomuzzi, comme surpris par les Turcs.

— Montalbano, je suis. Il y avait des points ?

— Il va y en avoir, rétorqua Jacomuzzi.

— Ça veut dire quoi, il va y en avoir ?

— Ça veut dire que maintenant, je viens chez toi, je te casse les cornes et on devra te faire une dizaine de points à la tête.

— Jacomù, tu penses que moi, je t'appelle à cette heure de la nuit pour écouter tes conneries ? Il y avait des points, oui ou non ?

— Mais de quels points tu parles, Sainte Madone ?

— Entre le P, le O et le E.

— Ah ! Tu parles de ce qui était écrit sur le sable ? Non, il n'y avait pas de points.

— Et alors, putain, pourquoi tu m'as dit que c'était un sigle ?

— Et qu'est-ce que ça pouvait être ? Et puis, tu crois qu'un qui est en train de mourir, il se perd du temps avec les points d'un sigle ?

Montalbano raccrocha violemment en jurant, se précipita sur le rayon de la bibliothèque, en espérant que le livre qu'il cherchait serait à sa place. Il y était : Edgar Allan Poe, *Contes et récits*. Il ne s'agissait pas d'un sigle, mais du nom d'un auteur que Calòrio avait écrit sur la plage, lui adressant ainsi un message, à lui, Montalbano, le seul en mesure de comprendre. La première nouvelle du recueil s'intitulait « Manuscrit trouvé dans une bouteille » et cela suffit au commissaire.

À la lumière de la torche électrique, les rats fuyaient dans tous les sens, effrayés. Un fort vent froid soufflait et l'air, passant à travers les bordages disjoints, produisait à certains moments un gémissement qui semblait humain. À l'intérieur de la quinzième bouteille, Montalbano vit ce qu'il cherchait, un rouleau enveloppé de papier vert sombre, qui se confondait parfaitement avec la couleur du verre. Calòrio était un homme intelligent. Le commissaire renversa la bouteille mais le rouleau n'en sortit pas, il s'était défait. Pressé de s'en aller de cet endroit, Montalbano remonta du compartiment moteur sur le pont et se laissa tomber sur le sable comme l'avait fait, mais pas de sa propre volonté, le pôvre Calòrio.

Arrivé à sa maison de Marinella, il posa la bouteille sur la table et resta un instant à la fixer, savourant sa curiosité comme un vice solitaire. Quand il n'y tint plus, il prit un marteau dans la caisse à outils, donna un seul coup, sec, précis. La bouteille se cassa en deux morceaux, sans presque faire d'éclats. Le rouleau était enveloppé dans un bout de papier crépon vert, du type qu'utilisent les fleuristes pour couvrir les vases.

Si ces lignes doivent finir entre les mains qu'il faut, tant mieux; dans le cas contraire, tant pis. Ce sera la dernière de mes nombreuses défaites. Je m'appelle Livio Zanuttin, du moins est-ce le nom qu'on m'a attribué, étant donné que je suis un enfant trouvé. On m'a enregistré à l'état civil comme né à Venise le 5 janvier 1923. Jusqu'à l'âge de dix ans, j'ai été dans un orphelinat de Mestre. Puis on m'a transféré dans un collège de Padoue, où j'ai étudié. En 1939, j'avais seize ans, un événement bouleversa ma vie. Au collège, il y avait un garçon de mon âge, Carlo Z., qui était en tout et pour tout une fille et qui, bien volontiers, s'offrait à satisfaire nos premières envies juvéniles. Ces rencontres avaient lieu de nuit, dans un souterrain auquel on accédait par une trappe. À un seul garçon de notre chambrée, Carlo refusait opiniâtrement ses faveurs : Attilio C. lui était antipathique. Plus Carlo se refusait et plus Attilio s'enrageait de ce refus pour lui inexplicable. Un après-midi, je m'accordai avec Carlo pour le rencontrer dans le souterrain à minuit et demi (on allait au lit à dix heures du soir, les lumières étaient éteintes un quart d'heure plus tard). Quand j'arrivai, je vis, à la lumière d'une bougie que Carlo veillait à tenir toujours allumée, un spectacle terrible : le garçon gisait à terre, pantalon et slip baissés, dans une mare de sang. Il avait été poignardé à mort après avoir été possédé de force. Bouleversé d'horreur, je me tournai pour m'enfuir et me retrouvai devant Attilio, qui tenait le couteau brandi vers moi. Il perdait du sang de la main gauche, il s'était blessé en tuant Carlo.

« Si tu parles, me dit-il, tu connaîtras la même fin. » Et moi, je me tus, par lâcheté. Et le plus beau, c'est que, du pauvre Carlo, on ne sut plus rien. À tous coups, quelqu'un du collège, ayant découvert l'homicide, aura caché le cadavre : peut-être quelque gardien qui avait eu des rapports illicites avec Carlo et aura agi ainsi par peur du scandale. Qui sait pourquoi, quelques jours plus tard, quand je vis Attilio jeter aux ordures une gaze ensanglantée, je la ramassai. J'en ai collé un bout au bas de la dernière page, je ne sais pas à quoi ça pourra servir. En 1941, j'ai été appelé sous les drapeaux, j'ai combattu, j'ai été fait prisonnier par les Alliés en

Sicile en 1943. J'ai été libéré trois ans plus tard, mais désormais ma vie était marquée et la raconter ici ne servirait à rien. Un enchaînement d'erreurs l'une après l'autre : peut-être, je dis bien peut-être, le remords de cette lâcheté ancienne, le mépris envers moi-même pour m'être tu. Il y a une semaine, tout à fait par hasard, j'ai vu et immédiatement reconnu Attilio, ici, à Vigàta. C'était dimanche, il se rendait à l'église. Je l'ai suivi, j'ai demandé, j'ai tout su de lui : Attilio C. est venu trouver son fils, qui est directeur de la cimenterie. Lui, Attilio, est à la retraite, mais il reste administrateur délégué de la Saminex, la plus grande industrie de conserves d'Italie. Avant-hier, je l'ai rencontré, je me suis arrêté devant lui.

— Salut, Attilio, je lui ai dit. Tu te souviens de moi ?

Il m'a longuement regardé, puis m'a reconnu et a fait un bond en arrière. Dans ses yeux est apparu le même regard que cette nuit-là dans le souterrain.

— Qu'est-ce que tu veux ?

— Être ta conscience.

Mais il n'y aura pas cru, il se sera convaincu que j'ai l'intention de le faire chanter. Un de ces jours, ou une de ces nuits, il va sûrement se pointer.

Cinq heures du matin avaient fini par sonner, il était inutile de retourner au lit. Il se doucha très longuement, se rasa, se vêtit, s'assit sur le banc de la véranda pour contempler la mer au ressac lent comme une respiration calme. Il s'était fait une cafetière napolitaine pour quatre : de temps en temps, il se levait, allait à la cuisine, se remplissait la tasse, retournait s'asseoir. Il était content pour son ami Calòrio.

L'adresse, il l'avait dénichée dans l'annuaire. À huit heures pile, il appuya sur la touche de l'interphone du *dottor* Eugenio Comaschi. Une voix d'homme lui répondit.

— Qui est-ce ?

— Société de messagerie.

— Mon fils n'est pas là.

— N'importe, il me faut juste une signature.

— Troisième étage.

Quand l'ascenseur s'ouvrit, un vieillard distingué, en pyjama, l'attendait sur le palier. Dès qu'Attilio Comaschi vit le commissaire, le soupçon le saisit, il comprit tout de suite que cet homme n'était pas un coursier, d'autant qu'il n'avait rien à la main.

— Que voulez-vous ? demanda le vieux.

— Vous donner ceci, dit Montalbano en tirant de sa poche le carré de gaze taché de marron sombre.

— C'est quoi, cette saleté ?

— C'est un bout du pansement avec lequel vous, voilà cinquante-huit ans, vous avez bandé la blessure que vous vous étiez faite en tuant Carlo.

On dit que certaines balles, quand elles frappent un homme, le font reculer de trois ou quatre mètres. Le vieux parut touché à la poitrine par un de ces projectiles, il fut littéralement plaqué contre le mur. Puis, lentement, il se reprit, baissa la tête sur sa poitrine.

— Livio… je ne voulais pas le tuer, dit Attilio Comaschi.

Match nul

Quand Montalbano arriva, récemment nommé au commissariat de Vigàta, son collègue, en lui transmettant les consignes, porta à sa connaissance que le territoire de Vigàta et alentours faisait l'objet d'un contentieux entre deux « familles » mafieuses, les Cuffaro et les Sinagra, lesquelles tentaient, avec bonne volonté, de mettre fin à leur vieille querelle en recourant non pas au papier timbré, mais à de mortels coups de lupara.

— La lupara ? Encore ! s'étonna Montalbano, car ce système lui paraissait, comment dire, archaïque, à une époque où mitraillettes et kalachnikovs s'achetaient pour trois francs six sous sur les marchés locaux.

— C'est à cause des deux chefs de clans rivaux, des traditionalistes, expliqua le collègue. Don Sisìno Cuffaro a dépassé les quatre-vingts ans tandis que don Balduccio Sinagra vient d'atteindre les quatre-vingt-cinq. Tu dois comprendre, ils chérissent la mémoire de leur jeunesse et la lupara appartient à ces chers souvenirs. Don Lillino Cuffaro, fils de don Sisìno, qui a passé la soixantaine, et don Masino Sinagra, fils cinquantenaire de don Balduccio, rongent leur frein, ils voudraient succéder aux pères et se moderniser, mais ils ont la trouille de leurs géniteurs qui sont encore capables de leur flanquer des baffes sur la place publique.

— Tu rigoles ?

— Pas du tout. Les deux vieux, don Sisìno et don Balduccio, sont des personnes posées, ils veulent toujours égaliser. Si un de la famille Sinagra tue un de la famille Cuffaro, tu peux mettre la main au feu que, en même pas une semaine, un des Cuffaro tirera sur un des Sinagra. Un par un, seulement, fais bien attention.

— Et actuellement, ils en sont à combien ? demanda Montalbano avec un intérêt sportif.

— Six à six, répondit avec le plus grand sérieux son collègue. Maintenant, le tir au but revient aux Sinagra.

À la fin de la deuxième année de présence du commissaire à Vigàta, la partie était momentanément arrêtée au huit à huit. Étant donné que le ballon revenait aux Sinagra, le 15 décembre, à la suite du coup de fil de quelqu'un qui ne voulut pas donner son nom, on découvrit, au quartier Zagarella, le cadavre de Titìllo Bonpensiero, lequel, malgré le nom qu'il portait, « bonne pensée », en avait eu une mauvaise, celle d'aller se faire une balade matutinale et solitaire dans ce *no man's land* désolé de buissons de sorgho, de cailloux et de ravins. Un lieu idéal pour se faire tuer. Titìllo Bonpensiero, lié serré aux Cuffaro, avait trente ans, gagnait officiellement sa vie comme agent immobilier et était marié depuis deux ans avec Mariuccia Di Stefano. Naturellement, les Di Stefano étaient cul et chemise avec les Cuffaro, parce qu'à Vigàta, l'histoire de Roméo et Juliette passait pour ce qu'elle était, une légende pure et simple. L'union entre une Cuffaro et un Sinagra (ou vice versa) était une éventualité inimaginable, carrément digne de la science-fiction.

Durant sa première année à Vigàta, Salvo Montalbano, qui n'avait pas voulu embrasser l'école de pinsée du collègue qui l'avait précédé, « Laisse-les se flinguer entre eux, ne t'en mêle pas, c'est toujours ça de gagné pour nous et pour les gens honnêtes », s'était rué tête baissée dans les enquêtes sur ces meurtres, mais il était revenu les cornes cassées.

Personne n'avait vu, personne n'avait entendu, personne ne soupçonnait, personne n'imaginait, personne ne connaissait personne.

« Voilà pourquoi Ulysse, justement sur la terre de Sicile, dit au Cyclope qu'il s'appelait personne », en vint un jour à vaticiner le commissaire, devant cette brume épaisse.

Voilà pourquoi, quand on l'avisa qu'au quartier Zigarella, il y avait le cadavre d'un du clan Cuffaro, il y envoya son adjoint, Mimì Augello.

Et tous, au pays, se mirent à attendre le prochain, l'inévitable petit meurtre d'un des Sinagra.

Et en fait, le 22 décembre, Cosimo Zaccaria, qui se passionnait pour la pêche, se rendit avec canne et asticots sur la pointe du môle du ponant alors qu'il n'était même pas encore sept heures du matin. Au bout d'une demi-heure de pêche plutôt bonne, il dut sûrement s'énerver contre le bruit d'une vedette qui, depuis le large, s'approchait du port. Elle se dirigeait, la vedette, plutôt que vers l'entrée entre les deux jetées, vers la pointe de celle du couchant, dans l'intention, semblait-il, de faire fuir par son fracas les poissons que Cosimo attendait. Une dizaine de mètres avant d'aller se fracasser sur les brise-lames, la vedette vira de bord, reprit la direction du large, mais désormais Cosimo Zaccaria gisait, face contre terre, entre deux écueils, la poitrine déchiquetée par la lupara.

Dès qu'on sut la nouvelle, le pays en fut abasourdi, à l'image du commissaire Montalbano.

Comment ça ?! Cosimo Zaccaria n'appartenait-il pas

à la famille Cuffaro, tout comme Titìllo Bonpensiero ? Pourquoi les Sinagra avaient-ils tué deux Cuffaro à la suite ? Une erreur de comptabilité était-elle possible ? Et s'il n'y avait pas d'erreur, comment donc les Sinagra avaient-ils décidé de ne plus respecter la règle ?

À présent, ils menaient par dix à huit et il ne faisait aucun doute que les Cuffaro, en peu de temps, allaient égaliser. Le mois de janvier s'annonçait froid, pluvieux et avec deux Sinagra qui pouvaient déjà se considérer comme morts et enterrés. Mais on en reparlerait après les Saintes Fêtes de fin d'année, car, depuis toujours, du 24 dicembre au 6 janvier, une trêve tacite était en vigueur. Après la Piphanie, la partie recommencerait.

Le coup de sifflet de l'arbitre, entendu non par les Vigatais, mais seulement par les membres des deux équipes, devait résonner le soir du 7 janvier. De fait, le lendemain, Michele Zummo, propriétaire d'un élevage modèle de poulets du côté du quartier Ciavolotta, fut avec beaucoup de difficulté reconnu, en qualité de cadavre, au milieu d'un bon mille d'œufs fracassés soit par la décharge de la lupara, soit par le corps dudit Zummo, qui s'était effondré en plein dedans.

Mimì Augello rapporta à son supérieur que sang, cervelle, jaune et blanc s'étaient si bien mélangés qu'on pouvait en faire une omelette pour trois cents personnes sans réussir à distinguer entre l'œuf et le Zummo.

Dix à neuf ; les choses reprenaient la bonne tournure et au pays, on se rassura : Michele Zummo était des Sinagra, mort par la lupara conformément à la tradition.

C'était encore le tour d'un de l'équipe Sinagra, et puis on serait revenu à jeu égal.

Le 2 février, court et amer, Pasqualino Fichèra, commerçant en gros de poissons, rentrait chez lui vers une heure du matin quand il fut touché de côté par une décharge de lupara. Il tomba à terre, blessé, et aurait pu s'en tirer si, au lieu de faire le mort, il ne s'était pas mis à gueuler :

— Les gars, erreur, il y a ! C'était pas encore mon tour !

Dans les maisons voisines, on l'entendit, mais personne ne se pointa. Atteint de plein fouet par un deuxième coup, Pasqualino Fichèra passa, comme on dit d'ordinaire, dans une meilleure vie, avec le doute atroce qu'il y avait eu un malentendu. De fait, lui, il appartenait aux Cuffaro : l'ordre et la tradition imposaient que, pour égaliser, on trucide encore un des Sinagra. Voilà ce que, blessé, il avait voulu dire. À présent, les Sinagra avaient nettement pris l'avantage : onze à neuf.

Le pays en perdait la tête.

À Montalbano, ce dernier homicide, justement, et la phrase prononcée par Pasqualino Fichèra firent cet effet que sa tête, au contraire, se remit solidement à l'endroit. Il commença à raisonner à partir d'une conviction pourtant purement instinctive, à savoir qu'il n'y avait eu d'erreur dans les comptes, ni d'un côté, ni de l'autre. Un matin, tourne et retourne la question, il en vint à se persuader de la nécessité de passer une petite heure à barjaquer avec le Dr Pasquano, le médecin légiste qui avait son bureau à Montelusa. Le docteur était vieux, lunatique et malpoli mais Montalbano et lui s'aimaient bien : Pasquano réussit donc à se dégager un espace d'une heure le jour même, dans l'après-midi.

— Titìllo Bonpensiero, Cosimo Zaccaria, Michele Zummo, Pasqualino Fichèra, énuméra le commissaire.

— Eh bè ?

— Vous le savez que trois de ceux-là appartiennent au même clan et un seul au clan adverse ?

— Non, je ne le savais pas. Et je vous dirais que je m'en fous éperdument. Convictions politiques, foi religieuse, affiliation ne sont pas encore objet de recherche dans l'autopsie.

— Pourquoi dites-vous « pas encore » ?

— Parce que je suis persuadé que d'ici peu, il y aura du matériel assez sophistiqué pour qu'à travers l'autopsie, on réussisse à établir aussi ce qu'on pinsait en politique. Mais venons-en à nos moutons, qu'est-ce que vous voulez ?

— Vous, chez ces quatre morts, vous n'avez pas rencontré une anomalie quelconque, je ne sais pas…

— Mais qu'est-ce que vous croyez ? Que mes mains et ma tête, elles sont réservées à vos morts ? Moi, j'ai sur le dos toute la province de Montelusa ! Vous le savez, que les croque-morts d'ici, ils se sont construit la villa aux Maldives ?

Il ouvrit un gros fichier métallique, en tira quatre feuilles, les lut attentivement, en remit trois en place ; la quatrième, il la passa à Montalbano.

— Attention, que la copie exacte de cette fiche, je l'ai expédiée, en temps voulu, à votre bureau à Vigàta.

Ce qui revenait à dire : pourquoi tu te lis pas ce que je t'envoie au lieu de venir jusqu'à Montelusa me casser les burnes ?

— Merci et excusez du dérangement, lança le commissaire après un rapide coup d'œil au rapport.

À Montalbano, tandis qu'il conduisait sur le chemin du retour à Vigàta, la colère d'être passé pour un con devant le médecin légiste lui sortait par les trous de nez comme la fumée des naseaux d'un taureau furieux.

— Mimì Augello, dans mon bureau, tout de suite ! cria-t-il à peine entré dans le commissariat.

— Qu'est-ce que tu veux ? demanda Augello cinq minutes après, et immédiatement sur ses gardes à la vue de la tête du commissaire.

— Pure curiosité, Mimì. Toi, les rapports que t'envoie

50

le Dr Pasquano, tu t'en sers pour envelopper les rougets ou bien pour te torcher le cul ?

— Pourquoi ?

— Mais tu les lis, au moins ?

— Bien sûr.

— Tu peux m'expliquer, alors, pourquoi tu ne m'as rien dit de ce que le docteur avait écrit à propos du cadavre de Titìllo Bonpensiero ?

— Qu'est-ce qu'il avait écrit ? s'enquit Augello, séraphique.

— Écoute, faisons comme ça. Maintenant, toi tu vas dans ton bureau, tu prends le rapport, tu te le lis et puis tu reviens me voir. Moi, entre-temps, j'essaie de me calmer parce que, autrement, entre nous deux, ça va tourner vinaigre.

De retour chez son supérieur, Augello avait le visage assombri, alors que celui du commissaire s'était quelque peu rasséréné.

— Alors ? demanda Montalbano.

— Alors, je suis un con, admit Mimì.

— Là-dessus, il y a unanimité. (Mimì Augello ne réagit pas.) Pasquano, entama Montalbano, exprime clairement le soupçon que, étant donné la très faible quantité de sang trouvée sur les lieux, Bonpensiero a été tué ailleurs et transporté ensuite dans la friche perdue du quartier Zingarella pour y recevoir un coup de feu, alors qu'il était déjà trépassé depuis quelques heures. Décharge de lupara quasiment à bout touchant, entre poitrine et menton. Bref, un thiâtre, une mise en scène. Pourquoi ? Toujours selon Pasquano, parce que Bonpensiero a été étranglé dans son sommeil, la blessure de la lupara n'a pas réussi à effacer les traces de strangulation, comme on aurait voulu. Et alors, Mimì, quelle idée tu t'es faite, maintenant qu'enfin tu as daigné donner un coup d'œil au rapport ?

— Que si les choses sont comme ça, ce meurtre n'appartient pas au même dossier.

Montalbano lui jeta un coup d'œil en jouant l'admiration.

— Certaines fois, Mimì, ton intelligence m'effraie ! Tout est là ? Ça n'appartient pas au dossier, et voilà ?

— Peut-être… hasarda Augello, mais il se tut aussitôt.

Bouche bée, car la pinsée qui lui était venue lui semblait abasourdissante, à lui pour commencer.

— Peut-être quoi ? Parle, je vais pas te manger.

— Peut-être qu'avec le zigouillage de Bonpensiero, les Sinagra n'ont foutrement rien à voir.

Montalbano se leva, s'approcha de lui, le prit par les joues, lui baisa le front.

— Tu vois que quand on te stimule ton petit cul avec du persil, tu réussis à la faire, ta crotte ?

— Commissaire, vous m'avez envoyé dire que vous vouliez me voir un de ces jours, mais moi je me suis précipité tout de suite. Pas parce que j'aurais à me protéger de la loi, mais pour la très grande estime que, mon père et moi, nous nourrissons pour vous.

Don Lillino Cuffaro, trapu, chauve, un œil à demi fermé, habillé n'importe comment, avait, malgré son aspect modeste, une espèce de secrète séduction. C'était un homme de commandement, de pouvoir, et il ne réussissait pas bien à le dissimuler.

À l'énoncé de ce compliment, Montalbano ne broncha pas, ce fut comme s'il ne l'avait pas entendu.

— Monsieur Cuffaro, je sais que vous êtes très occupé et je ne vais donc pas vous faire perdre votre temps. Mme Mariuccia, comment elle va ?

— Qui ça ?

— Mme Mariuccia, fille de votre ami Di Stefano, la veuve de Titillo Bonpensiero.

Don Lillino Cuffaro ouvrit la bouche comme pour

dire quelque chose, puis la referma. Déconcerté, il était. Il ne s'attendait pas à une attaque de ce côté. Mais il se reprit.

— Comment voulez-vous qu'elle aille, pôvre bonne femme, mariée depuis à peine deux ans, à se retrouver avec le mari tué de cette façon…

— De quelle façon ? demanda Montalbano en se faisant une tête innocente comme celle de l'agnelet pascal.

— Mais… mais, à moi, on m'a dit qu'on lui a tiré dessus, hasarda don Lillino, conscient de marcher en terrain miné.

Montalbano ne bougea pas plus qu'une statue.

— Non ? fit don Lillino Cuffaro.

Le commissaire leva l'index droit, le bougea de gauche à droite et vice versa. Cette fois-ci, non plus, il ne parla pas.

— Et comment ce fut, alors ?

Cette fois, Montalbano condescendit à répondre.

— Étranglé.

— Mais qu'est-ce que vous me racontez ? protesta don Lillino.

Mais visiblement, il n'était pas bon comédien.

— Si c'est moi qui vous le dis, vous devez me croire, avança le commissaire, avec un sérieux extrême, même s'il s'amusait.

Le silence tomba. Montalbano fixait le stylo qu'il tenait en main comme s'il s'agissait d'un objet mystérieux qu'il voyait pour la première fois.

— Mais Cosimo Zaccaria a fait une grosse erreur, très grosse, reprit peu après le commissaire.

Il reposa le stylo sur le bureau, renonçant définitivement à comprendre ce qu'était cette chose.

— Et en quoi ça regarde le regretté Cosimo Zaccaria ?

— Ça le regarde, ça le regarde.

Don Lillino s'agita sur son siège.

— Et selon vous, pour causer, juste comme ça, quelle erreur il a commise ?

— Comme ça, pour causer, je dirais celle de refiler aux Sinagra le meurtre qu'il a commis. Mais les Sinagra ont fait savoir à qui de droit qu'eux, dans l'histoire, ils n'y étaient pour rien. Ceux d'en face, alors, convaincus que les Sinagra n'ont rien à y voir, ils mènent une enquête chez eux. Et ils découvrent une chose qui, si on vient à l'apprendre, les couvrira de vergogne. Corrigez-moi si je me trompe, monsieur Cuffaro…

— Je ne comprends pas comment je pourrais vous corriger dans une histoire où je…

— Laissez-moi finir. Donc, Mariuccia Di Stefano et Cosimo Zaccaria sont depuis longtemps amants. Ils se débrouillent si bien que personne ne soupçonne leur relation, ni dans la famille, ni au-dehors. Puis, mais ça c'est seulement une hypothèse à moi, Titìllo Bonpensiero commence à renifler quelque chose, à tendre l'oreille et fouiller du regard. Mariuccia s'en inquiète et en parle à son amant. Ensemble, ils montent un plan pour se libérer de Titìllo et faire retomber la faute sur les Sinagra. Une nuit que le mari dort profondément, la dame sort de son lit, ouvre la porte et Cosimo Zaccaria entre…

— Ça va comme ça, dit soudain don Lillino en levant la main.

Écouter cette histoire lui pesait.

Étonné, Montalbano voyait devant lui une pirsonne différente, complètement changée. Le dos droit, l'œil comme une lame de couteau, le visage dur et décidé : un chef.

— Que voulez-vous de nous ?

— C'est vous qui avez ordonné le meurtre de Cosimo Zaccaria pour remettre de l'ordre dans la famille.

Don Lillino ne prononça pas une syllabe.

— Bien, je veux que l'assassin de Cosimo Zaccaria

vienne se constituer prisonnier. Et je veux aussi Mariuccia Di Stefano comme complice du meurtre du mari.

— Vous aurez certainement les preuves de ce que vous m'avez dit.

Dernière ligne de défense que le commissaire démolit rapidement.

— En partie oui, en partie non.

— Puis-je savoir alors pourquoi vous m'avez dérangé ?

— Seulement pour vous dire que j'ai l'intention de faire pire que de sortir des preuves.

— C'est-à-dire ?

— Dès demain, je lance en fanfare une enquête sur les meurtres de Bonpensiero et de Zaccaria, je vous fais suivre pas à pas par les télévisions et les journaux, je tiens une conférence de presse tous les deux jours. Ils vont vous couvrir de merde. Les Sinagra se pisseront dessus de rire quand vous traverserez la rue. Ils vont tellement vous couvrir de merde que vous ne saurez plus où vous fourrer de la honte. Il suffira que je dise comment ça s'est passé et vous perdrez le respect de tout le monde. Parce que je dirai que, dans votre famille, il n'y a plus d'obéissance, que l'anarchie règne, que qui a envie de baiser baise avec qui lui tombe entre les mains, des bonnes femmes mariées ou des petites, qu'on peut librement tuer quand, comme et qui on veut…

— Ça va comme ça, dit de nouveau don Lillino.

Il se leva, inclina à demi la tête à l'intention du commissaire, sortit.

Trois jours plus tard, Vittorio Lopresti, de la famille Cuffaro, se constitua prisonnier en déclarant avoir tué Cosimo Zaccaria parce que, comme associé en affaires, il ne s'était pas bien comporté.

Le lendemain matin, Mariuccia Di Stefano, toute vêtue de noir, sortit tôt de chez elle et d'un pas rapide marcha jusqu'à la pointe du môle du ponant. Elle était seule, beaucoup de gens la remarquèrent. Arrivée sous le phare, comme le raconta Pippo Sutera, témoin oculaire, la femme se fit le signe de croix et se jeta à la mer. Pippo Sutera lui aussi se jeta aussitôt à l'eau, mais la mer ce jour-là était forte.

« Ils l'ont convaincue de se suicider parce qu'elle n'avait pas d'autre voie pour s'en sortir », pinsa Montalbano.

Au pays, tout le monde se convainquit que Mariuccia Di Stefano s'était tuée parce qu'elle ne supportait plus la perte de son mari adoré.

Amour

Fille de gens à qui il manquait toujours dix-neuf sous pour en faire vingt – la mère lavait les escaliers à la mairie, le père, qui faisait les saisons à la campagne, était resté aveugle de l'explosion d'une grenade pendant la guerre –, Michela Prestìa, au fur et à mesure qu'elle grandissait, devenait toujours plus une vraie beauté : les petites robes toutes trouées qu'elle portait, à peine plus que des haillons, mais très propres, ne réussissaient pas à cacher la grâce de Dieu qu'il y avait dessous.

Brune, les yeux étincelant sans cesse, malgré le besoin, d'une espèce de bonheur de vivre, elle avait appris seule à lire et à écrire. Elle rêvait de faire la vendeuse dans un de ces grands magasins qui la fascinaient. À quinze ans, déjà faite femme, elle s'enfuit de chez elle pour aller derrière un type qui virait partout dans les villages, avec un petit camion, à vendre des ustensiles de cuisine, des verres, des assiettes, des couverts. L'année suivante, elle rentra à la maison et le père et la mère firent comme si de rien n'était, ils réagirent même bien : maintenant, ils avaient une bouche de plus à nourrir. Dans les cinq ans qui suivirent, nombreux furent les hommes de Vigàta, célibataires ou mariés, qui la prirent et la quittèrent ou en furent quittés, mais toujours sans tragédies ni bagarres : la vitalité de Michela réussissait à justifier, à rendre naturel chaque changement. À vingt-deux ans, elle déménagea dans une maison appartenant au vieux Dr Pisciotta qui en fit sa femme entretenue, la couvrant de cadeaux et d'argent. La belle vie de Michela ne dura que trois ans : le docteur mourut entre ses bras. La veuve mobilisa des avocats qui, reprenant tout ce que le médecin lui avait offert, ne laissèrent à la jeune femme que ses yeux pour pleurer. Il ne se passa pas six mois avant que Michela fît la connaissance du comptable Saverio Moscato. Au début, on crut à une histoire comme les autres, mais au pays, on se rendit vite compte que ça tournait différemment des fois précédentes.

Saverio Moscato, employé à la cimenterie, était un trentenaire de belle allure, fils d'un ingénieur et d'une professeur de latin. Très attaché à sa famille, il n'hésita pas à la quitter, à la seconde où ses parents, apprenant sa relation avec une fille qui était le scandale du pays, lui firent une observation. Sans piper mot, Saverio loua une maison près du port et s'en alla y vivre avec Michela. Ils vivaient bien, le comptable n'avait pas seulement son salaire, un de ses oncles lui avait laissé des terres et des commerces. Mais surtout, ce qui ébahissait les gens, c'était l'attitude de Michela qui avait toujours manifesté, avec les autres, son goût de la liberté et de l'indépendance. Comme elle avait tourné, elle n'avait plus d'yeux que pour son Saverio, elle était pendue à ses lèvres, faisait toujours ce qu'il voulait, ne se rebellait jamais. Et Saverio se conduisait de même, attentif à ses moindres désirs, y compris ceux qui n'étaient pas exprimés par des mots, mais d'un seul regard. Quand ils sortaient de chez eux pour se promener ou aller au cinéma, ils faisaient tout le chemin serrés comme s'ils s'étreignaient avant de se quitter à jamais. Et ils s'embrassaient dès qu'ils pouvaient et même quand ils ne pouvaient pas.

— Y a pas à déconner, avait dit le géomètre Secca

qui, de Michela, avait été brièvement l'amant. Ils sont amoureux. Et ça, si vraiment vous voulez le savoir, ça me fait plaisir. J'espère que ça durera, Michela le mérite, c'est une brave fille.

Saverio Moscato, qui avait toujours remué ciel et terre pour ne pas s'éloigner de Vigàta et laisser Michela seule, dut, pour les affaires de la cimenterie, partir à Milan et y rester une dizaine de jours. Avant de s'éloigner du pays, il se présenta au seul ami qu'il avait, Pietro Sanfilippo, carrément désespéré.

— D'abord, le consola son ami, une dizaine de jours, c'est pas l'éternité.

— Pour Michela et moi, oui.

— Mais pourquoi tu l'emmènes pas avec toi ?

— Elle veut pas venir. Elle est jamais sortie de la Sicile. Elle dit qu'une grande ville comme Milan lui flanquerait la frousse, à moins qu'elle me lâche pas d'une semelle. Et comment je fais ? Je dois participer à des réunions, voir des personnes.

Durant la période que Saverio passa à Milan, Michela ne mit pas le nez dehors, on ne la vit pas en ville. Mais le fait curieux fut que même après le retour du comptable, la jeune femme ne se montra plus avec lui. Peut-être la période d'éloignement de son amour lui avait-elle fait attraper la mélancolie, ou une mélancolie.

Un mois après le retour de Saverio Moscato de Milan, au commissaire Montalbano se présenta la mère de Michela. Elle n'était pas mue par des préoccupations maternelles.

— Ma fille Michela, elle m'a pas envoyé mon mois.

— Elle vous donnait des sous ?

— Bien sûr. Chaque mois. Dans les deux ou trois cent mille lires, suivant les fois. Une fille sensée, toujours, elle fut.

— Et vous, que voulez-vous de moi ?

— J'y allai, chez elle, et j'y trouvai le comptable. Il m'a dit que Michela n'était plus là, que, quand il était retourné de Milan, il ne l'avait pas trouvée. Il me fit même voir les chambres. Rien, de Michela pas même une robe, il n'y avait, sauf votre respect, même pas une culotte.

— Qu'est-ce qu'il vous a dit, le comptable ? Comment il se l'explique, cette disparition ?

— Il se l'expliquait même pas, lui. Il dit que peut-être Michela, vu comme elle était faite, elle s'était échappée avec un autre homme. Mais moi, j'y crois pas.

— Pourquoi ?

— Passque du comptable, elle était 'namourée.

— Et moi, qu'est-ce que je devrais faire ?

— Bah, qu'est-ce que j'en sache… Parler avec le comptable, peut-être qu'à vosseigneurie, il dira viritablement comment ça s'est passé.

Pour ne pas conférer de caractère officiel aux questions qu'il voulait lui poser, Montalbano attendit une rencontre de hasard avec le comptable. Un après-midi, il le vit assis, seul, à une table du café Castiglione, en train de boire une menthe.

— Bonjour. Le commissaire Montalbano, je suis.

— Je vous connais.

— J'aimerais bavarder un instant avec vous.

— Je vous en prie, asseyez-vous. Vous prenez quelque chose ?

— Une cassate, je me la ferais volontiers.

Le comptable commanda une cassate.

— Dites-moi, commissaire.

— J'éprouve un certain embarras, croyez-moi, monsieur Moscato. L'autre jour, est venue me trouver la mère de Michela Prestìa, elle dit que sa fille a disparu.

— En fait, c'est comme ça.

— Vous voudriez m'expliquer mieux ?

— À quel titre ?

— Vous vivez, ou vous viviez, avec Michela Prestìa, oui ou non ?

— Mais là, je ne parlais pas de moi ! Je vous demandais à quel titre, vous, vous vous intéressiez à cette affaire.

— Eh ben, comme sa mère est venue me voir...

— Mais Michela est majeure, il me semble. Elle est libre de faire ce qui lui passe par la tête. Elle est partie, voilà tout.

— Pardonnez-moi, je voudrais en savoir davantage.

— Je suis parti pour Milan et elle n'a pas voulu venir avec moi. Elle affirmait qu'une métropole comme Milan lui faisait peur, la mettait mal à l'aise. Maintenant, je pense qu'il s'agissait d'une excuse pour rester seule et préparer sa fuite. En tout cas, pendant les sept premiers jours où j'étais parti, nous nous sommes téléphoné, matin et soir. Le matin du huitième jour, elle m'a répondu de mauvaise humeur, elle m'a dit qu'elle n'en pouvait plus de rester là sans moi. Le soir même, quand je l'appelai, elle ne répondit pas. Mais je ne me suis pas inquiété, j'ai pensé qu'elle avait pris un somnifère. Le lendemain, même chose, et là je me suis mis en souci. J'ai téléphoné à mon ami Sanfilippo, qu'il aille la voir. Il m'a rappelé peu après, pour me dire que la maison était fermée, qu'il avait tambouriné longtemps, sans réponse. Je me suis convaincu qu'elle avait eu quelque chose, un malaise. Alors, j'ai appelé mon père, auquel en partant j'avais laissé un double des clés. Il a ouvert la porte. Rien, non seulement il y avait pas trace de Michela, mais il manquait ce qui lui appartenait, toutes ses affaires. Même le rouge à lèvres.

— Et vous, qu'avez-vous fait ?

— Vous tenez vraiment à le savoir ? Je me mis à pleurer.

Mais pourquoi, alors, tandis qu'il parlait de la fuite de la femme aimée et de ses larmes de désespoir, le fond de son œil, non content de ne pas s'attrister, s'éclairait-il d'une petite lueur de satisfaction ? Il s'efforçait, certainement, de présenter une tête de circonstance, mais sans y parvenir complètement : des cendres dont il tentait de voiler son regard jaillissait, par traîtrise, une flammèche joyeuse.

— Mon cher commissaire, dit Pietro Sanfilippo, qu'est-ce que vous voulez que je vous dise ? Je me sens comme surpris par les Turcs. Rien que pour vous donner une idée : quand Saverio est revenu de Milan, je me suis fait donner trois jours de congé. Vous pouvez demander au bureau, si vous ne me croyez pas. J'ai pensé qu'il serait désespéré que Michela ait décanillé, je voulais être à côté de lui à chaque instant, j'avais peur qu'il fasse une bêtise. Il était trop amoureux. J'étais allé à la gare, il est descendu du train qu'il pétait la forme. Je m'attendais à des larmes, des plaintes, et en fait…

— En fait ?

— Pendant qu'on allait en voiture de Montelusa à Vigàta, il s'est mis à chanter à mi-voix. Il a toujours aimé l'opéra, il a un beau timbre, il chantonnait *Tu che a dio spiegasti l'ali*. Moi, j'étais pétrifié, j'ai pensé que c'était le choc. Le soir, on est allés dîner ensemble, il a mangé tranquille comme Baptiste. Moi, le lendemain, je suis retourné au bureau.

— Vous avez parlé de Michela ?

— Tu parles ! C'était comme si cette bonne femme n'avait jamais existé dans sa vie.

— Vous avez entendu parler de disputes quelconques entre eux, que sais-je, d'une discussion…

— Mais jamais de la vie ! Toujours amoureux et d'accord !

— Ils étaient jaloux l'un de l'autre ?

Là, Pietro Sanfilippo ne répondit pas aussitôt, il dut réfléchir un moment.

— Elle, non. Lui, l'était, à sa manière.

— En quel sens ?

— Dans le sens qu'il n'était pas jaloux du présent, mais du passé de Michela.

— Mauvais, ça.

— Eh oui. La pire jalousie, celle pour laquelle il n'y a pas de remède. Un soir qu'il était particulièrement de mauvaise humeur, il lui est sorti une phrase que je me rappelle parfaitement : « Tous, ils ont déjà tout eu de Michela, il ne reste plus rien qu'elle puisse me donner à neuf, plus rien de vierge. » Moi, je voulais lui répondre que si ça se présentait comme ça, il était vraiment allé se chercher la femme qu'il fallait pas, avec trop de passé. Mais j'ai jugé qu'il valait mieux se taire.

— Vous, monsieur Sanfilippo, vous étiez ami de Saverio aussi avant qu'il rencontre Michela, n'est-ce pas ?

Bien sûr, nous avons le même âge, nous nous connaissons depuis l'école élémentaire.

— Réfléchissez bien. Si nous considérons la période de Michela comme une parenthèse, vous avez noté une différence quelconque chez votre ami, entre avant et après ?

Pietro Sanfilippo réfléchit là-dessus.

— Saverio n'a jamais été un type ouvert, porté à exprimer ce qu'il ressent. Il est taiseux, souvent mélancolique. Les seules fois où je l'ai vu heureux, ça a été quand il était avec Michela. Maintenant, il s'est encore plus renfermé, il m'évite même moi ; le samedi et le dimanche, il les passe à la campagne.

— Il a une maison de campagne ?

— Oui, du côté de Belmonte, sur le territoire de Trapani, c'est l'oncle qui la lui a laissée. Avant, il ne voulait pas y mettre les pieds. Maintenant, vous me permettez une question, par curiosité ?

— Allez-y…

— Pourquoi vous vous intéressez tant à la disparition de Michela ?

— Sa mère me l'a demandé.

— Celle-là ? ! Mais elle s'en fout. Ce qui l'intéressait, c'était juste les sous que Michela lui donnait !

— Et ça ne vous paraît pas un bon motif ?

— Commissaire, vous savez, je suis pas un crétin. Vous posez plus de questions sur Saverio que sur Michela.

— Vous voulez que je sois sincère ? J'ai un soupçon.

— Lequel ?

— J'ai la curieuse impression que votre ami Saverio s'y attendait. Et peut-être, peut-être, qu'il connaissait aussi l'homme avec lequel Michela s'est enfuie.

Pietro Sanfilippo mordit à l'hameçon. Montalbano s'en félicita, il avait improvisé une réponse convaincante. Pouvait-il lui dire que ce qui l'avait rendu perplexe et inquiet, c'était une petite flamme brillant au fond d'un œil ?

Il ne voulait mettre aucun de ses hommes sur ce coup-là, il avait peur de paraître ridicule à leurs yeux. C'est pourquoi il se donna la peine d'interroger les locataires de l'immeuble où habitait le comptable. Dans cette enquête, tout était faible, quasi inexistant même, mais le point de départ de ses questions était léger comme une toile d'araignée. Si ce que lui avait raconté Saverio Moscato était vrai, à l'appel du matin, Michela avait répondu, à celui de la nuit, non. Donc, si elle était partie, elle l'avait fait de jour. Et quelqu'un pouvait s'être aperçu de quelque chose. L'immeuble avait six étages, avec quatre appartements par étage. Scrupuleusement, le commissaire commença par le dernier. Personne n'avait rien vu, personne n'avait rien entendu. Le comptable habitait au deuxième, appartement n° 8. Maintenant découragé, le commissaire appuya sur la sonnette du n° 5. La plaque annonçait : « Maria Costanzo veuve Diliberto. » Et ce fut précisément elle qui vint lui ouvrir, une petite vieille bien propre, aux yeux vifs et pénétrants.

— Que voulez-vous ?

— Le commissaire Montalbano, je suis.

— Suisse, vous êtes suisse ?

Elle était sourde à un point impossible.

— Il y a quelqu'un à la maison ? s'égosilla le commis-saire.

— Pourquoi vous criez comme ça ? s'indigna la petite vieille. Je suis pas si sourde !

Attiré par les cris, un quadragénaire émergea de l'appartement.

— Dites-moi ce qu'il y a, je suis son fils.

— Je peux entrer ?

Le quadragénaire le fit asseoir au salon, la petite vieille s'installa sur le fauteuil devant Montalbano.

— Moi, je n'habite pas là, je suis venu voir maman, annonça tout de suite l'homme.

— Comme vous devez certainement le savoir, Mlle Michela Prestìa qui vivait dans l'appartement n° 8 avec le comptable Saverio Moscato s'en est allée sans donner d'explications, pendant que le comptable se trouvait à Milan et précisément du 7 au 16 mai.

La petite vieille donna des signes d'impatience.

— Qu'est-ce qu'il dit, Pasqualì ? demanda-t-elle à son fils.

— Attends, répondit Pasquale Diliberto d'une voix normale.

Manifestement, sa mère s'était habituée à lui lire sur les lèvres.

— Maintenant, je voudrais savoir si madame votre

mère a, durant cette période, entendu, vu quelque chose qui…

— J'en ai déjà parlé avec maman. Sur la disparition de Michela, elle ne sait rien.

— En fait, si, intervint la vieille dame. Moi, je l'ai vu. Et je te l'ai dit, aussi. Mais toi, tu dis que non.

— Qu'est-ce que vous avez vu, madame ?

— Commissaire, je vous avertis, s'interposa le quadragénaire, ma mère n'est pas seulement sourde, mais elle n'a plus toute sa tête.

— Moi, je n'ai plus toute ma tête ? se récria Mme Maria Costanzo veuve Diliberto en se levant d'un bond. Fils dénaturé, *porcu* qui m'offense devant les étrangers !

Et elle s'en alla en claquant la porte du salon.

— Racontez-moi, vous, dit sèchement Montalbano.

— Le 13 mai, c'est l'anniversaire de maman. Le soir, je suis venu la voir avec ma femme, nous avons mangé ensemble, partagé un gâteau, bu quelques verres de spumante. À onze heures, on est rentrés à la maison. Maintenant, ma mère soutient, peut-être parce qu'elle a un peu exagéré sur le gâteau, elle est gourmande comme une chatte, qu'elle n'arrivait pas à s'endormir. Vers trois heures du matin, elle s'est souvenue qu'elle n'avait pas sorti les ordures. Elle a ouvert la porte, l'ampoule du palier était grillée. Elle dit que devant l'appartement n° 8, qui est juste en face, elle a vu un homme avec une grosse valise. Il lui a semblé qu'il ressemblait au comptable. Mais moi, j'y ai dit : Sainte femme, tu te rends compte de ce que tu dis ? Si le comptable est revenu de Milan trois jours plus tard !

— Monsieur le commissaire, dit Angelo Liotta, directeur de la cimenterie, j'ai fait toutes les vérifications que vous m'avez demandées. Le comptable a, conformément à la règle, présenté ses billets de transport et ses justificatifs de frais. Donc : il est parti dimanche de l'aéroport de Palerme à dix-huit heures trente sur un vol direct pour Milan. Il a passé la nuit à l'hôtel Excelsior, où il est resté jusqu'au matin du 17, quand il est rentré par le vol de sept heures trente de Linate. Il m'apparaît qu'il a participé à toutes les réunions, qu'il a fait toutes les rencontres pour lesquelles il est allé à Milan. Si vous avez d'autres questions, je suis à votre complète disposition.

— Vous avez été tout à fait exhaustif, je vous remercie.

— J'espère qu'un de mes employés comme le comptable Moscato, que j'estime pour son efficience, n'est pas mêlé à une sale histoire.

— Je l'espère aussi, dit Montalbano en le congédiant.

Dès que le directeur fut sorti, le commissaire prit l'enveloppe avec toutes les pièces du voyage que l'autre lui avait laissée sur le bureau et, sans même l'ouvrir, la glissa dans un tiroir.

Par ce geste, il se glissait lui aussi hors d'une enquête qui n'en avait jamais été une.

Six mois plus tard, il reçut un appel ; au début, il ne comprit même pas qui était à l'autre bout du fil.

— Excusez-moi, comment dites-vous ?

— Angelo Liotta. Vous vous rappelez ? Je suis le directeur de la cimenterie. Vous m'avez convoqué pour savoir…

— Ah oui, je m'en souviens très bien. Dites-moi ce que je peux pour vous.

— Vous voyez, comme nous sommes en train de faire le bilan, je voudrais récupérer les reçus que je vous ai laissés.

Mais de quoi parlait-il ? Puis le commissaire se rappela l'enveloppe qu'il n'avait pas ouverte.

— Je vous les fais porter dans la journée.

Il prit tout de suite l'enveloppe, il craignait d'oublier, la mit sur le bureau, la regarda, et lui-même ne sut jamais pourquoi il l'ouvrit. Un par un, il examina les reçus, les remit dans l'enveloppe. Il s'appuya au dossier du fauteuil, et, les yeux fermés, réfléchit quelques minutes. Puis il ressortit les papiers, les aligna sur le bureau, par ordre chronologique. Le premier à gauche, qui portait la date du 4 mai, était un reçu pour un plein d'essence ; le dernier à droite, un billet de chemin de fer, daté du 17 mai, pour le parcours Palerme-Montelusa. Ça ne collait pas, ça ne collait pas. Comme ça se présentait, le comptable Moscato était parti en voiture de Vigàta pour aller à l'aéroport ; puis, à la fin de son voyage, il était revenu à Vigàta en train. Au reste, sur le fait qu'il fût revenu en train, il y avait le témoignage de l'ami Pietro Sanfilippo. La question, alors, était la suivante, simple comme bonjour : qui avait ramené à Vigàta la voiture du comptable pendant qu'il était à Milan ?

— M. Sanfilippo ? Montalbano, je suis. J'ai besoin d'une information. Quand le comptable Moscato est allé à l'aéroport prendre son avion pour Milan, vous étiez avec lui, en voiture ?

— Commissaire, encore à cette histoire, vous pensez ? Vous le savez que, de temps en temps, il arrive quelqu'un au pays qui dit avoir vu Michela à Milan, à Paris, jusqu'à Londres ? En tout cas, non seulement je ne l'ai pas accompagné, mais je pense que vous vous trompez. S'il est revenu en train, pourquoi aurait-il dû, à l'aller, prendre sa voiture ? Et Michela non plus, elle pouvait pas l'avoir accompagné, elle savait pas conduire.

— Comment va votre ami ?

— Saverio ? Ça fait un bout de temps que je l'ai pas vu. Il a démissionné de la cimenterie, il a laissé sa maison d'ici.

— Vous savez où il est allé ?

— Bien sûr. Il vit à la campagne, dans sa maison de

la province de Trapani, à Belmonte. Moi, je voulais aller le voir, mais il m'a fait comprendre que...

Mais le commissaire ne l'écoutait plus. Belmonte, venait de dire Sanfilippo. Et le reçu d'essence, à gauche, portait l'inscription : « Station-service Pagano-Belmonte (TR) ».

C'est précisément à cette station qu'il s'arrêta afin de demander la route pour rejoindre la maison du comptable Moscato. On la lui indiqua. Une maisonnette fort modeste mais bien tenue, à un étage, complètement isolée. L'homme qui vint à sa rencontre ne présentait qu'une vague ressemblance avec le Saverio Moscato qu'il avait connu auparavant. Mal vêtu, la barbe longue, il reconnut à grand-peine le commissaire. Et dans ses yeux, que Montalbano fixa intensément, la petite flamme s'était complètement éteinte, il n'y avait plus que la cendre noire. Le comptable fit entrer le commissaire dans la salle à manger, très modeste.

— Je passais par là, commença Montalbano.

Mais il ne continua pas, l'autre l'avait à peu près oublié, il regardait ses mains. Par la fenêtre, le commissaire vit l'arrière de la maison : un jardin de roses, de fleurs, de plantes, qui contrastait étrangement avec le reste du terrain, abandonné. Il se leva, sortit dans le jardin. Juste au centre, une grosse pierre blanche était entourée d'une barrière. Et tout autour, des plants de rosiers à n'en plus finir. Montalbano se pencha par-dessus la petite barrière, posa une main sur la pierre. Le comptable aussi était sorti, Montalbano le sentit dans son dos.

— C'est ici que vous l'avez enterrée, n'est-ce pas ?

Il le lui demanda calmement, sans hausser le ton. Et tout aussi calmement lui parvint la réponse qu'il espérait et qu'il redoutait.

— Oui.

— Le vendredi après-midi, Michela a voulu qu'on vienne ici, à Belmonte.

— Elle y était déjà venue ?

— Une fois, ça lui avait plu. Moi, quoi qu'elle demande, je pouvais jamais dire non. Nous avons décidé de passer ici toute la journée du samedi, puis dimanche matin, je la raccompagnerais à Vigàta et dans l'après-midi, je prendrais le train pour Palerme. La journée de samedi avait été une journée merveilleuse, comme nous n'en avions encore jamais connu. Le soir, après dîner, nous sommes allés tôt au lit, nous avons fait l'amour une première fois. Nous nous sommes mis à parler, nous avons fumé une cigarette.

— De quoi parliez-vous ?

— Voilà la question, commissaire. Ce fut Michela qui ressortit un certain sujet.

— Lequel ?

— C'est difficile à dire. Je lui reprochais... Non, reprocher n'est pas le mot juste, je regrettais, voilà, qu'elle, à cause de la vie qu'elle avait eue avant, n'était plus en mesure de me donner quelque chose qu'elle n'ait pas déjà donné à d'autres.

— Mais vous aussi, pour Michela, vous étiez dans la même situation !

Saverio Moscato le fixa, ébahi. Des cendres dans ses pupilles.

— Moi ? Moi, avant Michela, je n'avais eu aucune femme.

Étrangement, sans savoir pourquoi, le commissaire se sentit embarrassé.

— À un certain moment, elle est allée à la salle de bains, elle y est restée cinq minutes et elle est revenue. Elle souriait, elle s'est étendue de nouveau à côté de moi. Elle m'a serré très très fort, elle m'a dit qu'elle allait me donner une chose que les autres n'avaient jamais eue et que les autres ne pourraient jamais plus avoir. Moi je lui demandai quoi, mais elle voulait refaire l'amour. Seulement après, elle m'a dit ce qu'elle me donnait : sa mort. Elle s'était empoisonnée.

— Et vous, qu'est-ce que vous avez fait ?

— Rien, commissaire. Je tins sa main entre les miennes. Et elle n'a pas détaché son regard du mien. Ce fut rapide. Je ne crois pas qu'elle ait beaucoup souffert.

— Ne vous y trompez pas. Et surtout, ne diminuez pas ce que Michela a fait pour vous. Avec le poison, on souffre, et comment !

— La même nuit, j'ai creusé une fosse et je l'ai mise là où elle est maintenant. Je suis parti pour Milan. Je me sentais désespéré et heureux, vous me comprenez ? Un jour, le travail finit tôt, il n'était même pas cinq heures de l'après-midi. Avec un avion, je suis arrivé à Palerme et avec ma voiture, que j'avais laissée au parking de l'aéroport de Punta Raisi, je suis allé à Vigàta. J'ai pris tout mon temps, je voulais arriver au pays en pleine nuit, je ne pouvais courir le risque que quelqu'un me voie. J'ai rempli une valise de ses vêtements, de ses affaires, et je les ai portées ici. Je les garde au-dessus, dans la chambre à coucher. Au moment de repartir pour Punta Raisi, mon auto ne voulut plus démarrer. Je la cachai entre les arbres et avec un taxi de Trapani, je me suis fait conduire à l'aéroport, juste à temps pour le premier vol pour Milan. Ma mission terminée, je suis rentré en train. Les premiers jours, j'étais comme assommé par le bonheur de ce que Michela avait eu le courage de me donner. Je me suis transféré exprès ici, pour savourer seul mon bonheur avec elle. Et puis…

— Et puis ? insista le commissaire.

— Et puis, une nuit, je me suis réveillé d'un coup, et je n'ai plus senti Michela à côté de moi. Et dire que, quand j'avais fermé les yeux, il m'avait semblé l'entendre respirer dans son sommeil… Je l'ai appelée, je l'ai cherchée dans toute la maison. Elle n'était pas là. Et alors j'ai compris que son beau cadeau avait coûté cher, beaucoup trop cher.

Il se mit à pleurer, sans sangloter, avec des larmes muettes qui lui coulaient sur le visage.

Montalbano observait un lézard qui, grimpé au sommet de la blanche pierre tombale, immobile, jouissait du soleil.

Une géante au sourire gentil

À cinquante ans bien sonnés, le Dr Saverio Landolina, gynécologue de Vigàta, estimé et sérieux, perdit la tête pour Mariuccia Coglitore, vingt ans. L'amour réciproque naquit au premier coup d'œil. Jusqu'alors, les parents de Mariuccia avaient eu comme médecin de leur fille le Pr Gambardella, nonagénaire, dont l'âge avancé garantissait sans réserve que les explorations intimes se déroulaient dans l'absolu respect de la déontologie. Mais le Pr Gambardella était tombé au front, foudroyé par un infarctus : la mort l'avait cueilli, comment dire, la main dans le sac d'une patiente atterrée.

Le Dr Landolina fut choisi au cours d'un conseil de famille étendu jusqu'à la parentèle du second degré. Les Coglitore, avec les cousins Gradasso, Panzeca et Tuttolomondo, représentaient à l'intérieur de Vigàta une espèce de communauté catholique intégriste qui obéissait à ses lois propres, telles la fréquentation de la messe chaque matin, la prière vespérale avec récitation du rosaire, l'abolition de la radio, des quotidiens et de la télévision. Une fois écartés, au cours de cette réunion, le Dr Angelo La Licata, de Montelusa (« Celui-là, il met les cornes à sa femme : et s'il contaminait Mariuccia avec ses mains impures ? »), son collègue Michele

Severino, toujours de Montelusa (« Vous voulez rigoler ? Celui-là, il a même pas quarante ans »), le Dr Calogero Giarrizzo, de Fela (« Il paraît qu'on l'a vu acheter une revue pornographique »), ne resta plus que Saverio Landolina, dont le seul défaut était d'habiter à Vigàta, comme Mariuccia : la petite, en le rencontrant par hasard dans la rue, pourrait se troubler. Pour le reste, rien à dire sur le Dr Landolina, ancien secrétaire local de la Démocratie chrétienne : il était depuis vingt-cinq ans l'époux fidèle d'Antonietta Palmisano, espèce de géante au sourire gentil, mais le Seigneur n'avait pas voulu accorder au couple la grâce d'un enfant. Sur le médecin, jamais une rumeur mauvaise, pas le moindre ragot.

Jusqu'au moment où Mariuccia, se dressant sur le siège devant le bureau, s'en alla derrière le paravent pour se déshabiller, dans le cœur du gynécologue, il ne se passa rien d'étrange. La fillette à lunettes qui répondait par monosyllabes, en rougissant, à ses questions, était parfaitement insignifiante. Mais quand Mariuccia, dans sa pudique combinaison noire et sans ses lunettes (elle se les enlevait machinalement chaque fois qu'elle se déshabillait), sortit de derrière le paravent et, la peau rouge feu de vergogne, se plaça sur la table d'examen, dans le cœur du quinquagénaire Landolina se déclencha une délirante symphonie qu'aucun compositeur doué de raison ne se serait jamais hasardé à composer : aux roulements de centaines et centaines de tambours au galop succédait le haut vol d'un violon solitaire, à l'irruption d'un millier de cuivres s'opposaient deux pianos liquides. Il tremblait tout entier, il vibrait même, le Dr Landolina, quand il posa une main sur Mariuccia et aussitôt, tandis qu'un orgue majestueux attaquait son solo, il sentit que le corps de la jeune fille vibrait à l'unisson du sien, répondait au rythme de la même musique.

Mme Concetta Sicurella, épouse Coglitore, qui avait

accompagné sa fille et attendu au petit salon la fin de la visite, attribua à l'embarras virginal la vive rougeur des joues, l'éclat fébrile des yeux de Mariuccia, entrée dans le cabinet du médecin fillette et ressortie, une heure plus tard, femme accomplie.

Landolina et Mariuccia jouèrent au docteur pendant une année entière : à la fin de chaque visite, Mariuccia sortait toujours plus rougissante et embellie, alors qu'au contraire, Angela Lo Porto, depuis vingt ans infirmière secrètement amoureuse du médecin, de jour en jour devenait plus maigre, nerveuse et taiseuse.

— Quoi de neuf ? s'enquit Montalbano en entrant au bureau à neuf heures du matin du dernier jour de mai, un lundi, qu'il y avait déjà un cagnard de mi-août.

Le commissaire en souffrait particulièrement, vu qu'il avait passé le samedi et le dimanche dans la maison de campagne de son ami Nicolò Zito, où il avait savouré une belle fraîcheur.

— On a trouvé la voiture du Dr Landolina, lui répondit Fazio.

— On l'avait volée ?

— Oh que non, *dottore*. Hier matin, est venue nous voir Mme Landolina, à nous dire en pleurant que son mari, de la nuit, il n'était pas revenu à la maison. Nous avons fait des recherches, rien. Disparu. Ce matin, à l'aube, un pêcheur a vu une auto enquillée sur les écueils du cap Russello. Le *dottor* Augello y est allé, il a téléphoné tout à l'heure. C'est celle de Landolina.

— Un accident ?

— Je dirais que non, dit Mimì Augello en entrant dans le bureau. La route est très loin de la falaise du cap Russello, il faut y arriver exprès, il ne peut pas avoir perdu le contrôle de la voiture. Il y est allé exprès pour se balancer en bas.

— Tu penses qu'il s'agit d'un suicide ?

— Il n'y a pas d'autre explication.

— Dans quel état est le cadavre ?

— Qué cadavre ?

— Mimì, t'es pas en train de me dire que Landolina s'est tué ?

— Oui, mais tu vois, sous le choc contre les rochers, les portières se sont ouvertes, le corps n'y est pas, il a dû tomber à la mer. Un type du coin m'a dit qu'à tous les coups, les courants le porteront vers la plage de Santo Stefano. On le retrouvera là dans quelques jours.

— Bien. Occupe-t'en, toi, de cette affaire.

Dans la soirée, Mimì Augello fit son rapport à Montalbano. Il n'avait pas trouvé d'explications pour le suicide du médecin. L'homme jouissait d'une bonne santé, il n'avait pas de dettes (et même, il était riche, il avait des propriétés à Comiso, son pays natal, et sa bonne femme aussi avait du bien), il n'avait pas de vices secrets, ne donnait prise à aucun chantage. La veuve...

— Ne l'appelle pas la veuve tant qu'on n'a pas trouvé le corps, l'interrompit Montalbano.

... La dame devenait folle, elle n'arrivait pas à s'y faire, elle s'était accrochée à l'idée d'un accident dû à un malaise.

— J'ai aussi donné un coup d'œil à l'agenda. Rien, il n'a laissé écrit rien de rien. Demain, je parle avec l'infirmière, en apprenant la nouvelle, elle s'est trouvée mal et est rentrée chez elle. Mais je ne pense pas qu'elle puisse me révéler quelque chose.

En fait, l'infirmière Angela Lo Porto avait beaucoup à révéler, et elle le fit le lendemain matin, en se rendant d'elle-même au commissariat.

— Tout ça, c'est du thiâtre, attaqua-t-elle.

— Quoi ?

— Tout. La voiture tombée, le cadavre qu'on trouve pas. Le docteur ne s'est pas suicidé, il a été assassiné.

Montalbano la fixa. Lunettes, visage jaunâtre, regard fou. Et pourtant, il sentit qu'il ne s'agissait pas d'une mythomane.

— Et qui l'aurait tué ?

— Ignazio Coglitore, répondit sans hésiter Angela Lo Porto.

Montalbano tendit l'oreille. Non parce que Ignazio Coglitore et ses deux fils fussent des pirsonnes de moralité douteuse ou compromises avec la mafia ou lancées dans des trafics illicites, mais simplement parce qu'au pays tout le monde connaissait le fanatisme religieux de cette famille. Instinctivement, le commissaire se méfiait des fanatiques, il les estimait capables de tout et n'importe quoi.

— Et quel motif avait-il ?

— Le docteur lui a engrossé sa fille Mariuccia.

Le commissaire n'y crut pas, il pensa s'être trompé sur le compte de l'infirmière, ce devait être une qui s'inventait les choses.

— À vous, qui vous l'a dit ?

— Ces yeux-là, rétorqua Angela Lo Porto en les montrant.

Merde. Celle-là, elle disait la vérité, sûrement pas des imaginations.

— Racontez-moi tout depuis le début.

— Il y a un an, j'ai pris le rendez-vous pour cette Mariuccia, la mère m'a téléphoné. Le lendemain, en fin de matinée, j'arrivai tard au cabinet du docteur, j'habite à Montelusa, l'autobus avait eu une panne. J'ai pas la voiture, ni le permis. Quand je suis rentrée, la petite était assise devant le bureau du docteur. Vous le savez, comment il est arrangé, le cabinet ?

— Non.

— Il y a une grande antichambre et aussi deux petits

salons à part. Puis, il y a le bureau proprement dit dans lequel il y a aussi une toilette et une petite pièce, la mienne. Ce jour-là, je suis allée dans mon cagibi pour me changer et me mettre en chemise. Mais ce matin-là, tout allait de travers. La chemise propre s'est décousue et j'ai dû la recoudre en vitesse. Quand enfin, je suis rentrée dans le cabinet…

Elle s'arrêta, elle devait avoir la gorge sèche.

— Je vous fais apporter un verre d'eau ?

Perdue dans le souvenir de ce qu'elle avait vu, elle n'entendit pas la proposition.

— Quand je rentrai dans le cabinet, poursuivit-elle, ils étaient déjà en train de le faire. Le docteur s'était mis nu, ses habits jetés par terre à la *sanfasò*.

— Vous avez eu l'impression qu'il la violait ?

La femme émit une rumeur étrange avec la bouche, comme si elle frappait deux morceaux de bois l'un contre l'autre. Montalbano comprit que l'infirmière riait.

— Mais qu'est-ce que vous racontez ? Celle-là, elle se le tenait serré !

— Ils se connaissaient d'avant ?

— Au cabinet, elle n'était jamais venue, c'était la première fois.

— Et puis ?

— Et puis, quoi ? Ils ne me virent pas, ils ne me voyaient pas. À ce moment-là, pour eux, j'étais transparente. Je me suis retirée dans mon cagibi, je me suis mise à pleurer. Puis il a frappé à la porte. Ils s'étaient rhabillés. J'ai raccompagné Mariuccia auprès de sa mère et je suis revenue. Avant de faire entrer la patiente suivante, j'ai dû bien nettoyer la table d'examen, vous comprenez ?

— Non.

— La salope était vierge.

— Et à vous, le docteur n'a rien dit ? Il ne s'est pas expliqué, justifié ?

— Il ne m'a même pas dit un mot, comme s'il ne s'était rien passé.

— Et cette rencontre fut la seule ?

De nouveau, les deux bouts de bois se heurtèrent.

— Tous les quinze jours, ils se voyaient. Elle, la radasse, elle était saine comme un poisson, le docteur s'était inventé une maladie pour laquelle elle devait venir au cabinet au moins deux fois par mois…

— Et vous, que faisiez-vous quand…

— Qu'est-ce que vous voulez que je fasse ? J'allais pleurer dans mon cagibi.

— Pardonnez ma question. Vous étiez amoureuse du docteur ?

— Ça se voit pas ? demanda l'infirmière en levant vers le commissaire son visage défait.

— Et entre vous deux, il n'y a jamais rien eu ?

— Plût au ciel ! À cette heure il serait vivant !

Et elle commença à geindre, un mouchoir pressé contre la bouche. Elle se reprit aussitôt, c'était une forte femme.

— Vers le 15 avril, attaqua-t-elle de nouveau, elle est arrivée qu'on aurait dit qu'elle avait fait carton plein. Moi j'étais en train de retourner à mon cagibi, je l'ai entendue dire : « Mais quel genre de gynécologue tu es ? Tu l'as pas compris, que je suis enceinte ? » Je me suis sentie glacée, commissaire. Je me suis un peu retournée. Le docteur était une statue de sel, je crois que c'est seulement alors qu'il a compris quelle terrible connerie il avait faite. Moi, je me suis glissée dans ma pièce mais je n'ai pas fermé. Vous savez quelle était l'intention de cette crétine inconsciente ? Tout raconter à son père, parce que, comme ça, le docteur était obligé de quitter sa femme et de se marier avec elle. Le docteur s'en sortit bien, il lui répondit d'attendre un peu avant de parler à son père ; pendant ce temps, il le raconterait à sa femme, pour préparer le divorce. Après, ils ont fait l'amour.

— Et ce fut la dernière fois où ils se virent ?

— Tu parles ! Elle est revenue régulièrement, jusqu'à l'autre fois, il y a cinq jours. D'abord, ils baisaient et ensuite ils parlaient. À chaque fois, le docteur lui disait qu'il faisait des progrès avec sa femme, qui s'était révélée compréhensive. Mais je suis sûre qu'il y avait rien de vrai, il lui disait ça pour qu'elle soit sage, il cherchait une solution, il était devenu nerveux et prioccupé.

— Vous le soupçonniez, que la solution puisse être le suicide ?

— Vous voulez rigoler ? Le docteur n'avait aucune intention de se tuer, je le connaissais bien. Ça se voit que cette salope imbécile est allée le raconter à son père. Et Ignazio Coglitore a pas perdu son temps.

Dès que l'infirmière fut sortie, Montalbano appela Fazio.

— Tu me chopes Ignazio Coglitore et tu me le ramènes dans les dix minutes. Je veux pas entendre d'excuses.

Fazio revint une demi-heure après et sans Ignazio Coglitore.

— Sainte Madone, *dottore*, quel bordel !

— Il ne veut pas venir ?

— Il ne peut pas. Il a été arrêté par les carabiniers, à Montelusa.

— Quand ?

— Ce matin, à huit heures.

— Et pourquoi ?

— Attendez, je vous explique. Donc, il paraît que la fille d'Ignazio Coglitore, à la nouvelle que le Dr Landolina s'était tué, elle s'est trouvée mal et s'est évanouie. Dans la famille, tous ont pinsé que c'était passque la petite était soignée par le docteur. Sauf que, de l'évanouissement, elle s'en sortait pas. Et alors, Ignazio Coglitore, aidé par ses deux fils, l'a embarquée en voiture et l'a menée au pital de Montelusa, où on l'a gardée. À hier au soir, Ignazio Coglitore et sa bonne femme sont allés au pital pour la reprendre. Et là, un jeune crétin de médecin leur a dit qu'y valait mieux que la petite, elle reste encore quelques jours, elle risquait de perdre le minot. Ignazio Coglitore et sa bonne femme sont tombés raides aux pieds du médecin, on les aurait dits morts. Quand ils se sont repris, Ignazio Coglitore est devenu fou furieux, il s'est mis à distribuer des mornifles aux médecins et aux infirmières. Ils ont finalement réussi à le foutre dehors. Ce matin, à sept heures et demie, il s'est reprisenté au pital : avec lui, à part ses deux fils, il avait les mâles des familles Gradasso, Panzeca et Tuttolomondo. Douze pirsonnes en tout.

— Qu'est-ce qu'ils voulaient ?

— La petite.

— Et pourquoi ?

— Ignazio Coglitore a expliqué au chef de service qu'ils la voulaient parce qu'ils devaient tout de suite la sacrifier à Dieu en expiation de son péché. Le docteur l'a refusée et ça a déclenché la fin du monde. Coups, cris, vitres cassées, malades en fuite. Quand les carabiniers se sont pointés, eux aussi, ils ont été agressés. Et les agresseurs ont fini au trou.

— Fais-moi comprendre une chose, Fazio. Le médecin, quand est-ce qu'il leur a dit, aux Coglitore, que leur fille était enceinte ?

— À hier soir, vers les sept heures et demie.

Et donc son hypothèse, sa certitude même, l'infirmière Angelo Lo Porto pouvait se la remettre dans la culotte. Que le responsable de l'état de Mariuccia eût été le Dr Landolina, les Coglitore l'avaient certainement compris. Sauf que, même s'ils l'avaient voulu, ils n'auraient pas pu se venger : la nouvelle de la liaison et de ses conséquences, ils l'avaient apprise après la disparition du médecin. Et donc, ce ne pouvait être eux qui l'avaient tué. Et si on écartait le suicide, il n'y avait plus qu'une pirsonne qui aurait eu des raisons sérieuses de vengeance.

— Allô ? Madame Landolina ?

— Oui.

Un souffle de souffrance, plutôt qu'une syllabe.

— Le commissaire Montalbano, je suis.

— Le corps vous trouvâtes ?

Pourquoi, dans la voix de Mme Landolina, s'était-il insinué une note d'appréhension ? Mais était-ce vraiment de l'appréhension, ou une frayeur peu compréhensible ?

— Non, madame. Mais je voudrais parler avec vous, juste cinq minutes, pour éclaircir quelques points.

— Quand ?

— Tout de suite, si vous voulez.

— Excusez-moi, commissaire, mais ce matin, vraiment, je ne me sens pas, j'ai l'impression que ma tête va exploser d'un instant à l'autre, tellement j'ai mal. J'ai une migraine que je peux même pas garder les yeux ouverts.

— Je suis désolé, madame. Est-ce qu'on peut faire ça cet après-midi à cinq heures ?

— Je vous attends.

À trois heures, il reçut une convocation du questeur : il devait absolument se trouver à Montelusa pour une réunion importante. Il ne voulut pas renoncer à la rencontre avec Mme Landolina et décida donc de l'avancer, sans préavis, d'une heure.

— Où allez-vous ? lui lança grossièrement le portier qui ne le connaissait pas ou faisait semblant.

— Chez Mme Landolina.

— Elle est pas là. Elle est partie.

— Comment, elle est partie ? s'ébahit Montalbano.

— Avec sa voiture, répondit le portier, se méprenant.

Elle a chargé les bagages, il y en avait tellement, nous l'avons aidée, le père Vassallo et moi.

— Il y avait aussi le curé ?

— Certes, le père Vassallo ne quittait plus l'appartement des Landolina depuis deux jours, pour réconforter madame. C'est un saint homme et puis, avec madame, ils sont amis.

— À quelle heure est-elle partie ?

— Ce matin, vers midi.

Donc peu après qu'ils s'étaient parlé. Tant de bagages ne se font pas si vite, le départ avait sûrement été déjà préparé avant le coup de fil de Montalbano. En renvoyant la visite à l'après-midi, elle l'avait tout simplement baisé, et en beauté.

— Elle vous a dit, par hasard, où elle allait ?

— Oui. A Còmiso. Elle m'a dit qu'elle serait rentrée dans une semaine au maximum.

Et maintenant, que faire ? Téléphoner à un de ses collègues de Còmiso pour lui demander de tenir à l'œil Mme Landolina ? Sous quel motif ? Très lointain, aérien soupçon de meurtre ? Ou bien simulation de rendez-vous ?

Pris d'une inspiration, il retourna en courant au bureau et téléphona à Antonino Gemmellaro, son vieux copain de classe, à présent directeur de la Banca Agricola Siciliana de Còmiso.

— Allô, Gemmellaro ? Montalbano, je suis.

Pourquoi les vieux copains de classe s'appelaient-ils entre eux par leur nom de famille ? Souvenir du cahier d'appel ?

— Oh, quelle bonne surprise ! Tu es à Còmiso ?

— Non, je t'appelle de Vigàta. J'ai besoin d'une information.

— À ta disposition.

— Tu le sais que le Dr Landolina a disparu depuis samedi soir ? Tu le connaissais, non ?

— Bien sûr que je le connaissais, c'est un de nos clients.

— Soit il s'est suicidé, soit il a été tué.

Gemmellaro ne commenta pas tout de suite, visiblement il était en train de raisonner sur la déclaration de Montalbano.

— Suicidé, tu dis ? Je ne crois vraiment pas.

— Pourquoi ?

— Parce qu'un type qui a l'intention de se tuer ne va pas penser à vendre tout ce qu'il possède. Il y a un mois, le docteur a vendu, et dans certains cas vendu à bas prix, appartements, terrains, commerces, en somme tout ce qu'il avait par ici. Il voulait réaliser ses biens en toute hâte.

— Ça fait combien ?

— Quelque chose comme trois milliards, à vue de nez. (Montalbano siffla.) Entre lui et sa femme, attention.

— Sa femme aussi a vendu ?

— Oui.

— Le docteur avait une procuration de sa femme ?

— Mais non ! Sa dame est venue à Còmiso en pirsonne.

— Et ces sous, maintenant, où ils sont ?

— Ma foi ! Chez nous, ils ont été retirés jusqu'au dernier centime.

Il remercia, raccrocha, appela l'unique agence immobilière de Vigàta, posa à qui décrocha une question précise.

— En effet, commissaire, le pauvre Dr Landolina nous a donné mandat pour vendre la maison et le cabinet.

— Et comment vous faites, maintenant qu'il a disparu ?

— Attention, il y a quinze jours justement le pauvre

docteur avait disposé, par un acte notarié régulier, que le revenu de la vente irait au père Vassallo.

La rencontre avec le questeur ne dura pas longtemps, de sorte que le commissaire eut le temps d'aller voir le lieutenant Colorni, avec lequel il entretenait de bons rapports, à la brigade des carabiniers.

— Quelles mesures vous avez prises pour Mariuccia Coglitore ?

— On l'a mise sous protection à l'hôpital. Tu comprends, avec ces parents cinglés…

— Et après ?

— On va l'envoyer dans une institution pour filles-mères. Très loin d'ici, et l'adresse, on la dira à personne. L'institution nous a été suggérée par le confesseur de la jeune fille.

— Qui est-ce ?

Il connaissait déjà la réponse, mais voulait se l'entendre dire.

— Le père Vassallo, de Vigàta.

— Écoutez, mon père, je suis venu vous dire que demain matin, je devrai donner des réponses à la presse et à la télévision en ce qui concerne la disparition du Dr Landolina.

— Et vous pensez que, moi, je peux vous être utile.

— Certainement. Mais, d'abord, une question : un prêtre qui ment commet-il un péché ?

— Si le mensonge vise le bien, je ne crois pas.

Il sourit, écarta les bras : et avec ça, Montalbano était servi. Le père Vassallo, quinquagénaire un peu bedonnant, avait un visage intelligent et ironique.

— Alors, permettez-moi de vous raconter une histoire.

— Si vous y tenez, commissaire.

— Un médecin sérieux, marié, tombe amoureux d'une jeunesse, il la met enceinte. À ce point, il panique :

les réactions de la famille de la jeune fille peuvent arriver à des excès impensables. Désespéré, il n'a pas d'autre issue que de tout avouer à sa femme. Et elle, qui doit être une femme extraordinaire…

— Elle l'est, croyez-moi, l'interrompit le prêtre.

— … elle organise un plan parfait. En un mois, sans que la chose ne transpire, ils vendent tout ce qu'ils possèdent et réalisent une fortune. Le docteur feint un suicide, mais en réalité, avec la complicité aussi d'un ami prêtre, il s'envole pour une destination inconnue de nous. Deux jours plus tard, sa femme le suit. Qu'est-ce que vous en dites ?

— C'est un récit plausible, admit tranquillement le prêtre.

— Je continue. Le médecin et sa femme sont des gens bien, ils ne se sentent pas de laisser dans les ennuis la pauvre petite enceinte. Et alors, ils décident de vendre l'appartement et le cabinet médical qu'ils ont à Vigàta, mais le produit de la vente, ils le destinent à l'ami prêtre pour qu'il pourvoie aux premiers besoins de la fille-mère.

Il y eut une pause.

— Qu'est-ce que vous direz à la conférence de presse ?

— Que le Dr Landolina s'est suicidé. Et que la veuve est retournée dans sa famille, au pays natal.

— Merci, dit, à voix si basse qu'on ne l'entendait quasiment pas, le père Vassallo, puis il ajouta : Je n'aurais jamais pensé qu'un ange pût prendre les traits de cette dame. Vous l'avez connue ?

— Non.

— Une grande femme énorme. Franchement laide. Une espèce de géante pour des contes avec ogres et sorcières. Mais elle avait un sourire…

— … extraordinairement gentil, conclut le commissaire.

Un journal intime de l'année 1943

La bourrasque du sud-ouest avait été si forte que la mer était arrivée jusque sous la véranda de la maison de Montalbano, en avalant toute la plage. En conséquence, l'humeur du commissaire, qui ne se sentait en paix avec lui-même et avec la création que quand il pouvait se rôtir au soleil, devint nègre comme l'encre. Fazio, qui le connaissait bien, dès qu'il le vit entrer au bureau, le salua et se replia. Catarella, au contraire, oublieux du risque qu'il courait et bien qu'il servît depuis plus d'un an au commissariat, se précipita dans le bureau.

— *Dottori!* Ce matin des gens ont tiléphoné, qui demandaient de vous pirsonnellement en pirsonne! Les noms, je les écrivis sur ce feuillette.

Et il lui tendit un feuillet maladroitement arraché à un cahier à carreaux.

— Et ta sœur, elle a tiléphoné? demanda, dangereusement aimable, Montalbano.

Catarella d'abord fut ahuri, puis sourit.

— *Dottori*, vosseigneurie veut rigoler? Ma sœur, impossiblement, elle peut tiléphoner!

— Elle a pas de mains?

— Oh que non, *dottori*, demain non plus. Il peut pas se faire qu'elle tiléphone eu égard au fait qu'il y en a pas, passque je suis fils et unique et seul enfant de mon père et de ma mère.

Le commissaire abandonna la partie, battu à plate couture. Il congédia Catarella et entreprit de décrypter la liste de noms. « *Dottori* Vanesio[1] » ne pouvait être que le Dr Sinesio, dont on avait cambriolé la maison, « Mosieur Guesteur » voulait évidemment dire M. le questeur, « Scillicato », en revanche, s'appelait vraiment ainsi et « prauviseure Purcio », c'était certainement le proviseur Burgio, qu'il ne voyait plus depuis un moment.

Il lui était sympathique, le plus que sexagénaire ex-proviseur qui, avec sa femme Angelina, l'avait aidé dans une enquête tout entière suspendue au fil de la mémoire, qu'on avait appelée l'affaire du « chien de faïence ».

Il n'avait aucune envie de parler avec le questeur, le nouveau qui cherchait toujours la petite bête. Le Dr Sinesio allait réitérer ses gémissements parce qu'on n'avait pas encore récupéré son argenterie volée. À Scillicato, en revanche, six mois plus tôt, on avait brûlé la BMW et lui, il s'était acheté une Punto. Quand celle-là aussi avait brûlé, il s'était procuré une Cinquecento d'occasion qui, voilà quinze jours, avait à son tour pris feu.

— Commissaire, que dois-je faire ? était-il venu lui demander.

Le conseil le plus juste aurait été d'arrêter de prêter à des taux usuraires, déjà on disait au pays que Pepè Jacono s'était pendu à cause des dettes qu'il avait envers lui. Montalbano, qui s'était levé du pied gauche, l'avait dévisagé en silence avant de répondre :

— Achetez-vous une trottinette.

Apparemment, on lui avait brûlé aussi la trottinette. Il téléphona au proviseur Burgio, fut invité à dîner pour le

1. *Vanesio* : vaniteux. Plus loin, *Scillicato* est un régionalisme qui signifie « glissé ». *(N.d.T.)*

soir même. Il accepta ; la cuisine de Mme Angelina était très simple et très sagace.

Après le repas, ils passèrent au salon et là, le proviseur révéla le motif véritable de l'invitation à dîner.

— Vous êtes allé récemment sur le port ?

— Oui, j'y passe quand je vais faire mes promenades au phare.

— Vous avez vu qu'ils ont démoli le vieux silo ?

— Ils ont bien fait. Il menaçait de s'effondrer, désormais, il représentait un danger pour ceux qui l'approchaient.

— Quand ils l'ont construit, en 1932, j'avais sept ans, dit le proviseur. Mussolini avait déclaré ce qu'ils appelaient la bataille du blé, il s'était persuadé de l'avoir remportée et avait fait fabriquer ce grand silo.

— Pourquoi sur le port et pas près de la gare ? demanda le commissaire.

— Parce que, de là, devaient partir les navires chargés de froment pour ce que Mussolini appelait la quatrième rive, c'est-à-dire, je ne sais, l'Érythrée, la Libye.

Il se tut un instant, perdu dans ses souvenirs de jeunesse. Puis il reprit :

— Le géomètre Cusumano, qui a dirigé la démolition, a trouvé à l'intérieur de l'édifice de vieux papiers et il me les a apportés, il sait que je m'intéresse aux histoires vigataises. Il s'agit d'une correspondance entre l'agence de Vigàta et la direction de la coopérative agricole qui se trouvait à Palerme. Mais dans une tout autre partie du silo, dans une petite anfractuosité, il a découvert de vieux numéros du *Popolo d'Italia*, le journal du parti fasciste, un livre, *Parlo con Bruno*, que Mussolini a écrit à la mort de son fils, et un cahier. Le géomètre a gardé pour lui les journaux et le livre et il m'a donné le cahier. Je l'ai parcouru et ça a réveillé ma curiosité. Jetez-y vous-même un coup d'œil et après, si vous voulez, on en reparlera.

C'était un très banal cahier un peu jauni, la couverture montrait Mussolini en grand uniforme, raide comme un piquet, en train de faire le salut fasciste, avec la légende : « Le fondateur de l'empire ». Le verso de la couverture montrait l'empire lui-même, c'est-à-dire une petite carte géographique de l'Abyssinie. Sur la première page, au centre, quatre vers :

> *Si ce cahier vous voulez toucher*
> *L'épée au côté vous devrez marcher*
> *et si savoir mon nom vous agrée :*
> *Zanchi Carlo, à votre gré.*

Mais un grand X les barrait, comme si Zanchi Carlo avait eu honte de ces vers infantiles, d'école élémentaire. En dessous, en capitales : « ZANCHI CARLO, AVANT-GARDISTE, VIVE LE DUCE, VIVE LE ROI. »
Enfin :
« AN XXI DE L'ÈRE FASCISTE. »
Un rapide calcul permit à Montalbano de conclure que le cahier remontait à l'an 1943, année qui, en Sicile du moins, n'avait appartenu que pour moitié à l'ère fasciste, vu que les Alliés avaient débarqué sur l'île dans la nuit du 9 au 10 juillet.
C'était une espèce de journal intime irrégulier qui se limitait à consigner sur le papier les faits les plus importants aux yeux du garçon. La première annotation portait la date du 12 septembre :
J'ai réussi à apporter ici et à cacher quatre grenades, des petites, rouge et noire, qu'on appelle Ballila. Duce, je saurai m'en servir !
Quelques lignes, mais qui suffirent pour que le commissaire, qui n'éprouvait jusque-là qu'une vague curiosité, dresse l'oreille.

6 septembre. Aujourd'hui, j'ai assisté à une scène abjecte. Des femmes qui se prostituaient aux envahisseurs nègres. J'en ai pleuré. Ma pauvre patrie !

10 septembre. Les rats régurgités par les égouts ont commencé à montrer, avec la bénédiction des envahisseurs, leurs intentions obscènes. Ils veulent faire renaître ces partis que le fascisme avait balayés. Comment l'empêcher ?

15 septembre. Ces débris humains qui se sont réunis au nom de la soi-disant démocratie ont élu maire un certain Di Mora Salvatore. N'étant pas de Vigàta, je me suis discrètement informé. Il s'agit d'un mafieux connu que le fascisme avait envoyé en relégation ! Quelle honte ! Il faut faire quelque chose pour sauver l'honneur de notre Pays.

La note suivante portait la date du 5 octobre.

Je crois avoir trouvé une solution. Mais aurai-je le courage de la mettre en pratique ? Je pense que oui. Le Duce m'en donnera la force. Et si nécessaire, je sacrifierai ma vie pour la Patrie.

En date du 9 octobre :

Demain matin, presque certainement, il y aura les conditions justes pour accomplir mon Geste. Vive l'Italie !

La dernière annotation était du lendemain. Montalbano reconnut à peine l'écriture ; dans un premier temps, il crut qu'une main différente avait écrit ces mots :

10 octobre. Je l'ai fait. Je suis vivant. Ça a été terrible, épouvantable. Je ne pensais pas que… Dieu me pardonne !

Puis il comprit que l'écriture était toujours la même, mais devenue presque méconnaissable à cause de la très forte tension émotive. Il n'y avait plus de vivats au Duce ni d'invocation de l'Italie, dans ces mots se lisaient maintenant la détresse et l'horreur.

Mais qu'avait fait ce garçon ? Et puis pourquoi le cahier se trouvait-il au milieu des ruines du grand silo démoli ?

Il était presque minuit quand sonna le téléphone.

— Le proviseur Burgio, je suis. Je souffre d'insomnie et je sais que vous vous couchez tard, c'est pourquoi je me suis permis de vous appeler à cette heure. Vous avez eu l'occasion de lire…

— Oui. Et j'en ai été très impressionné.

— Qu'est-ce que je vous disais ? Vous venez demain, à déjeuner ?

Montalbano sourit. Manifestement, le proviseur voulait l'embarquer dans une de ces enquêtes à rebours dans le temps, auxquelles, en vérité, l'un et l'autre prenaient beaucoup de plaisir.

— À cette époque, dit le proviseur, dès la naissance on se retrouvait encadré dans l'organisation de jeunesse fasciste qui d'abord s'est appelée Œuvre nationale Balilla et ensuite Jeunesse italienne du Licteur. De trois à six ans, on était Fils de la Louve.

— Celle qui allaita Romulus et Rémus, précisa Mme Angelina.

— … de six à dix ans, on devenait Balilla, puis Avangardiste et à partir de seize ans, jeune fasciste. Donc le gamin qui tenait le journal devait avoir au maximum quinze ans.

— Il écrivait un italien parfait, observa Montalbano.

— En effet. Je l'ai noté moi aussi.

— Un gamin comme lui, un peu exalté…

— Tous, à cet âge, durant cette période, intervint Mme Angelina, coupant le commissaire, nous étions, sinon comme celui-là, au moins excités. Même si les plus grands parmi nous avaient perdu leurs illusions sur le fascisme, beaucoup souffraient de voir les troupes étrangères sur nos terres.

— Je voulais dire, reprit le commissaire, qu'un gamin si profondément blessé, à tort ou à raison, avec quatre grenades, est une vraie bombe ambulante…

— Qui, d'une manière ou d'une autre, a dû exploser, conclut le proviseur.

— Zanchi, ce n'est pas un nom de chez nous, observa Montalbano.

— Non, dit le proviseur. Mais il y a une explication. Dans les papiers que m'a apportés Cusumano et que je n'ai pas encore tous lus, il y a une lettre qui, peut-être, éclaire ce point.

Il se leva, passa dans la pièce voisine, revint avec un feuillet qu'il tendit au commissaire.

INSPECT. DIRECTION GÉNÉRALE – PALERME
10 octobre 1944
Pour suivre notre note précédente du 30 septembre n° 350, nous nous permettons de vous informer que les réfugiés logés dans le Silo ont été transférés à Montelusa. Dans le Silo sont restés à présent les lits et quelques autres objets (tables, sièges, etc.) que, d'ici quelques jours, l'Office communal d'assistance s'occupera de faire enlever.

Nous nous emploierons aussitôt après à faire nettoyer les locaux et exécuter quelques petites réparations qui s'imposent.

Avec ma parfaite considération.

— Qui sait d'où venaient ces réfugiés, réfléchit le commissaire à haute voix.

— Ça, je peux vous le dire tout de suite, assura le proviseur, je l'ai su par une autre lettre. Le responsable du silo demandait une grande quantité de mort-aux-rats. Il écrivait que les rats, de proportions énormes – vous vous imaginez, un grenier à grains vide –, attaquaient les dix familles originaires de la Libye. Il devait s'agir de pauvres gens, ex-colons qui avaient tout perdu. Les fonctionnaires d'État, les gros pontes échappés de la Libye devaient avoir trouvé à se loger ailleurs.

— Mais qu'est-ce qu'il aurait combiné, ce Zanchi, avec ses grenades ? se demanda Montalbano.

— Là est le tracassin, conclut le proviseur.

— Mais, un point de départ, nous l'avons, relança Montalbano.

— C'est-à-dire ?

— La date. Ce que fit Zanchi, quelque chose de terrible, comme il l'écrit lui-même dans son journal, dut certainement arriver le 10 octobre 1943. Ici, à Vigàta, il n'y a personne qui puisse ?…

— Il y a Panarello, intervint Mme Angelina. Pepè Panarello, le père de mon amie Giulia, il n'a jamais bougé de Vigàta, il faisait l'employé à l'état civil. Il est de l'an 10.

— Jésus ! s'exclama le commissaire. C'est un vieux de quatre-vingt-sept ans ! Il ne se souviendra de rien !

— Et là, vous vous trompez, dit Mme Angelina. Giulia, sa fille, me disait justement l'autre jour que son père ne se souvient de rien de ce qu'il a fait la veille mais que les histoires d'il y a cinquante, soixante ans, il se les rappelle toutes, avec lucidité et précision.

Montalbano et le proviseur se regardèrent.

— Téléphone-lui tout de suite, dit ce dernier à sa femme. Vois comment va sa santé et prends un rendez-vous pour le commissaire et moi.

Au lieu de les recevoir chez lui, Pepè Panarello voulut les voir au café Castiglione.

— Parce que, comme ça, il en profite pour siroter un petit cognac que, moi, je le lui laisserais pas boire même s'il me le demandait à genoux, expliqua sa fille Giulia à Mme Angelina.

Ils le trouvèrent assis à une des tables disposées

au-dehors sur le trottoir, effectivement en train de s'envoyer un petit cognac.

C'était un vieux très maigre, sa peau semblait peinte sur les os, la main droite tremblait mais la tête, ils le comprirent tout de suite, fonctionnait très bien. Il attaqua le premier, sa fille avait dû lui donner à entendre que deux messieurs avaient besoin de sa mémoire.

— Que voulez-vous savoir ?

— Nous sommes en chasse d'un événement dont nous ne savons même pas s'il a vraiment eu lieu, dit le proviseur.

— Un fait survenu ici, à Vigàta, dans la première décade d'octobre 43, précisa le commissaire.

— S'il s'est passé quelque chose, je m'en souviens sûrement, dit le vieux. Depuis que je suis à la retraite, je passe mes journées à entretenir mes souvenirs. (Il termina calmement son cognac, en remontant le cours de sa mémoire. Puis il secoua la tête.) Rien, il se passa, conclut-il après une exploration qui avait duré une dizaine de minutes pendant lesquelles le proviseur et Montalbano n'avaient pas osé ouvrir la bouche.

— Vous en êtes sûr ? demanda Montalbano, déçu.

— Parfaitement sûr, répondit-il, décidé, et il leva la main pour appeler le garçon.

Le commissaire crut que le vieux voulait payer.

— Si vous permettez, c'est pour moi, proposa-t-il.

— Merci, accepta Panarello, comme ça, avec les sous du premier, je m'en tape un deuxième.

— Écoutez, monsieur Panarello, vous ne pensez pas que, à votre âge…

— Au cul, mon âge. D'après vous, combien de temps je peux tenir encore ? Six mois, un an ? Et je devrais me priver d'un petit cognac ?

À ce moment, l'horloge de l'hôtel de ville, qui était pile en face du trottoir sur lequel étaient disposées les tables du café, sonna l'heure.

— Déjà six heures ? s'étonna Panarello.

— Mais non, elle avance d'une heure, dit le proviseur. Cette horloge sonne quand ça lui prend.

— Seigneur ! cria presque le vieux et puis, à voix basse : Comment j'ai fait pour l'oublier ? Seigneur !

Le garçon, en même temps que le cognac, avait apporté un providentiel verre d'eau que Panarello vida d'un coup.

Montalbano et le proviseur Burgio, muets, n'osaient pas même bouger sur leurs sièges. Enfin, le vieux se décida à parler.

— Quand les Alliés se prirent toute la Sicile, commença-t-il, ils se retrouvèrent avec le problème du traitement de l'énorme quantité d'explosifs de différents types que les Italiens et les Allemands avaient abandonnée. Une chose impressionnante, croyez-moi. Les minots jouaient avec les grenades, deux groupes de Vigatais un jour se firent la guerre pour rire à coups de canon. On décida de les jeter à la mer et on confia la chose aux soldats noirs. Sur le quai, arrivèrent des camions pleins à craquer de munitions et d'explosifs, avec trois ou quatre Noirs à bord. Ils avaient réquisitionné une dizaine de barques de pêche avec l'équipage. Du haut du camion, les Noirs lançaient les munitions à ceux des barques qui les attrapaient au vol et les rangeaient sur le pont. Quand le bateau était chargé, ils allaient au large, ils jetaient à la mer le matériel et revenaient faire un autre voyage. Nous, au pays, on se recommandait l'âme au *Signiruzzu*, il était inévitable que tôt ou tard quelque chose arrive. Et de fait, c'est arrivé. Le matin du 10 octobre, un camion sauta en l'air. Et moururent les quatre nègres qui étaient dessus, quatre du pays qu'étaient sur la barque, trois débardeurs du port qui besognaient à peu de distance, deux pêcheurs qui passaient par là à ce moment. Treize morts et quarante blessés. Seigneur ! Et comment ça a pu me sortir de la tête ?

— C'est à exclure, selon vous, un sabotage ? demanda le commissaire.

Le vieux le regarda, ébahi.

— Rien je compris, excusez-moi.

— Je voulais dire : selon vous, il s'agit d'un accident ?

— Bien sûr ! Ils étaient tous fous de faire cette besogne de cette manière ! Sans précautions ! Et même, en s'en foutant complètement ! Un malheur, ce fut. Qu'est-ce que vous voulez que ce soit ?

— Rien, dit Montalbano.

— Excusez-moi de m'en mêler, intervint le proviseur. Vous vous rappelez où se trouvait le camion quand il a sauté ?

— Tenez, juste sous le silo qu'on vient de démolir. Et en fait, trois des personnes qui y habitaient furent blessées.

— Dites-moi une chose, par curiosité, commença le commissaire. Pourquoi est-ce l'horloge de la mairie qui vous a fait vous rappeler l'explosion ?

Le vieux sourit.

— Oh, c'est à cause d'une histoire qui a circulé, je sais pas si elle est vraie ou pas. Vous voyez, le choc de l'explosion fut si fort que les vitres des maisons se sont brisées à deux-trois kilomètres de distance. Moi, je me trouvais dans mon bureau, là, à la mairie qui est distante du port de quatre rues et demie, et pourtant le déplacement d'air fit sortir la porte de ses gonds, cassa les vitres et me renversa de mon siège. Voilà, l'histoire est que le verre de l'horloge de la mairie se brisa, l'horloge s'arrêta sur dix heures douze. Sur l'aiguille des minutes, il y avait quelque chose de noir, tout le monde croyait que c'était un pigeon mort de l'explosion. Sinon que, quand on a fait venir un type qui n'était pas du pays pour réparer l'horloge et y remettre une nouvelle vitre, il dit que sur l'aiguille, il n'y avait pas de pigeon mort, mais la main d'un nègre qui avait volé par-dessus les toits et quatre rangées de maisons. À la vérité, des quatre Noirs du camion, on n'a recueilli que des tout petits bouts, au maximum un pied ou un bras. Ça a été une chose terrible, épouvantable.

Sans le savoir, il avait utilisé les mêmes mots que Carlo Zanchi cinquante-sept ans plus tôt.

Ils s'en retournèrent, muets, l'un vers chez lui, l'autre vers son bureau. Ce n'est qu'au moment de se saluer que le proviseur parla.

— Et s'il s'agissait d'une coïncidence ?

— Je ne crois pas, dit le commissaire. Ce garçon a attendu que l'embarquement du matériel explosif se fasse juste sous le silo et a jeté une grenade sur le camion du haut du toit. Puis il s'est terrorisé à la vue des morts innocents.

— Qu'est-ce que nous faisons de notre secret ? demanda encore le proviseur.

— Nous le gardons entre nous deux. Plutôt nous trois, puisque vous le direz certainement à Mme Angelina.

En fait, ils étaient quatre à connaître ce secret. Un soir où, installé dans son fauteuil, le commissaire regardait le journal télévisé de Retelibera, le récit d'un fait divers le frappa particulièrement. Nicolò Zito, le journaliste, entre autres choses, dit que dans la communauté San Calogero, qui accueillait des paumés en tout genre, s'était déclaré un incendie certainement criminel qui avait détruit deux baraques. On privilégiait l'hypothèse d'un incendie allumé par un ex-pensionnaire chassé de la communauté pour mauvaise conduite. Ce ne fut pas la nouvelle en soi qui éveilla la curiosité de Montalbano, mais le nom du fondateur de la communauté : don Celestino Zanchi.

Immédiatement, il se rappela la lettre de 1944 qui disait que tous les réfugiés abrités dans le silo avaient été transférés à Montelusa. Et la communauté avait son siège justement à trois kilomètres de cette ville. Il pouvait vraiment s'agir d'une coïncidence, mais il valait mieux vérifier.

Il chercha le numéro dans l'annuaire, le nota et alla se coucher.

Le lendemain matin, à huit heures, il appela. On lui répondit que le prêtre avait un peu de fièvre mais qu'il le recevrait quand même s'il passait vers cinq heures de l'après-midi. On ne lui demanda même pas la raison de sa visite.

Don Celestino Zanchi le reçut couché, il avait 38 de fièvre.

— Une banale grippe, s'excusa-t-il, mais très embêtante.

Maigre, les yeux très vifs, c'était un homme fort et décidé, d'âge très avancé.

— Vous êtes commissaire ?

— Oui.

— Vous êtes venu pour l'incendie ?

— Non.

Le prêtre le regarda avec une attention plus grande, tandis que le commissaire, à son tour, regardait la chambre très pauvre. Sur la commode à sept tiroirs, il n'y avait que deux photographies, une représentait un couple, l'autre un gosse qui devait avoir dans les quatorze ans. Le prêtre avait suivi son regard.

— Ces deux-là, c'est mon père et ma mère en Libye, en 38. L'autre, c'est mon frère Carlo qui n'avait pas même quinze ans.

Il lui avait déjà tout dit, sans le savoir, sans le vouloir. Qu'est-ce qu'il faisait là, dans cette chambre, à tourmenter sans raison un pauvre curé ? Il ne réussissait pas à détacher les yeux de la photographie de Carlo : un visage propre, de brave garçon bien sous tous rapports, un sourire ouvert, franc.

— Vous avez appris quelque chose qui regarde mon pauvre frère, n'est-ce pas ? demanda à voix basse don Celestino.

— Oui, répondit le commissaire sans se retourner.

— Comment avez-vous fait ?

— On a retrouvé un cahier, dans les ruines du silo de Vigàta. Une espèce de journal intime que tenait votre frère.

— Et il y a écrit que...

— Pas clairement. Vous le saviez ? demanda Montalbano en se tournant enfin vers le lit.

— Vous voyez, moi, je n'étais pas avec ma famille au silo. Comme déjà, en Libye, j'étais séminariste, on m'a accueilli au séminaire de Montelusa. Le matin du 10 octobre, nous avons appris l'explosion. Tout de suite après le déjeuner, mon frère s'est présenté au séminaire. Il était bouleversé, il tremblait, il balbutiait. J'ai cru qu'il était arrivé quelque chose de grave à papa et maman. Mais lui, en pleurant, me confessa quelle monstruosité il avait commise. Il ne savait que faire, d'autant plus qu'il lui était venu la fièvre ; par moments, il semblait délirer. Je courus chez le recteur, qui m'estimait, et lui racontai tout. Le recteur l'hébergea dans une cellule vide, il appela un médecin. Pendant près d'un mois, il refusa de manger, c'était moi qui devais le forcer. Puis, un soir, il demanda au recteur de le confesser. Le lendemain matin, il communia puis sortit du séminaire. On l'a retrouvé quinze jours plus tard dans la campagne de Sommatino. Il s'était pendu.

Montalbano ne sut que dire. Pourquoi diable s'était-il mis en tête de venir trouver don Celestino ?

— À moi, reprit le prêtre, revenait une obligation.

— Laquelle ?

— Dédommager, au moins en partie, les victimes innocentes. Mon père, un an avant de mourir, reçut de notre gouvernement certaines indemnisations pour le domaine agricole qu'il avait perdu en Libye. C'était un gros domaine, il valait cher. Tout cet argent, dès que j'en ai hérité, je l'ai envoyé anonymement aux veuves, aux enfants des pauvres morts. Et il ne se passe pas un jour sans que je prie le Seigneur pour eux et pour mon frère Carlo qui est mort désespéré.

— Demain, je vous ferai porter le cahier, dit le commissaire avec brusquerie. Faites-en ce que vous voulez.

Sur un léger signe de tête au curé, il sortit de la chambre en maudissant cette nature de flic qu'il avait dans le sang.

Le lendemain, il fit porter par l'agent Gallo une enveloppe à don Celestino. À l'intérieur se trouvaient le cahier et un chèque de cinq cent mille lires, prélevées sur ses économies, destiné à la communauté.

Puis il téléphona au proviseur Burgio, s'invitant à déjeuner. Il devait lui raconter la fin de l'enquête.

L'odeur du diable

Mme Clementina Vasile Cozzo était une ancienne institutrice, paralytique, qui avait aidé en diverses occasions le commissaire Montalbano. Entre eux était né quelque chose de plus qu'une amitié : le commissaire, qui avait perdu sa mère quand il était minot, éprouvait envers la vieille dame une espèce de sentiment filial. Souvent Montalbano, qui était venu lui rendre visite, restait à déjeuner ou à dîner, la cuisine de Pina, la bonne, promettait beaucoup et tenait davantage encore.

Ce jour-là, ils avaient fini de déjeuner et prenaient le café, quand la dame dit :

— Vous savez que ma maîtresse d'école a encore bon pied, bon œil ?

— Vraiment ? Quel âge a-t-elle ?

— Quatre-vingt-quinze, elle les fête juste aujourd'hui. Mais si vous la voyiez, commissaire ! Très lucide, parfaitement autonome, elle trotte comme une jeunesse. Pensez qu'une fois par mois au moins, elle vient me trouver ; et dire qu'elle habite à la vieille gare…

— À pied ? s'étonna le commissaire.

Effectivement, cela faisait un bon bout de chemin.

— Mais aujourd'hui, c'est moi qui vais la trouver, pour deux raisons. Mon fils m'y emmène et puis vient me reprendre. Ici, à Vigàta, nous sommes encore une dizaine de ses anciens élèves, c'est devenu une habitude de nous retrouver tous chez Antonietta, elle s'appelle Antonietta Fiandaca, pour célébrer son anniversaire. Elle n'a jamais voulu se marier, elle a toujours été une femme seule. De son propre choix, attention.

— Et l'autre ?

— Quelle autre ? Je ne comprends pas.

— Mme Clementina, vous m'avez dit que vous alliez voir votre ancienne institutrice pour deux raisons. L'une, c'est son anniversaire. Et l'autre ?

Mme Clementina fit à l'évidence une tête de circonstance, il était clair qu'elle hésitait.

— Le fait est que je suis un peu embarrassée pour en parler. Voilà, Antonietta hier m'a téléphoné pour me dire qu'elle avait de nouveau senti l'odeur du diable.

Le commissaire comprit tout de suite que la vieille dame ne parlait pas par métaphore, elle se référait vraiment au diable, celui avec les cornes, les sabots de chèvre et la queue. Sur le fait qu'un diable de ce type puât, ou du moins répandît une mauvaise odeur, Montalbano le savait par ses lectures et par la tradition orale, c'est-à-dire par les récits de sa grand-mère. Mais devant le sérieux de Mme Vasile Cozzo, il ne put retenir un sourire.

— Attention, commissaire, c'est une chose sérieuse.

Montalbano encaissa le reproche.

— Pourquoi m'avez-vous dit que votre ancienne institutrice a senti « de nouveau » ? C'est déjà arrivé ?

— Je commence par le commencement, il vaut mieux. Donc, Antonietta était de famille très riche, elle faisait l'institutrice non parce qu'elle en avait besoin, mais parce que, déjà, à l'époque, elle avait des idées avancées. Puis le commerce de son père alla mal. En bref, elle et sa sœur Giacomina se partagèrent quand même un héritage conséquent. Entre autres, à Antonietta revinrent deux petites villas, une à la campagne, quartier Pàssero, l'autre ici, à Vigàta. Celle-ci est un délice, vous l'avez déjà vue ?

— Vous voulez parler de la maisonnette de style mauresque à une dizaine de mètres de la vieille gare ?

— Oui, celle-là. Elle est de l'architecte Basile.

Non content de l'avoir vue, le commissaire s'était plus d'une fois arrêté pour en contempler la grâce aérienne.

— Antonietta, quand elle a été à la retraite, aimait rester le plus longtemps possible dans sa maison de campagne, qu'elle gardait propre comme un sou neuf et qu'elle avait meublée avec des pièces de valeur. Et puis le jardin, on aurait dit celui d'une maison anglaise. Elle passait ses journées à donner des cours particuliers aux fils des voisins. Quand l'hiver arrivait pour de bon, elle descendait au pays. Elle a arrêté deux ans avant votre arrivée à Vigàta.

— Qu'est-ce qui s'est passé ?

— Une nuit, elle a été réveillée par un bruit dont elle n'a pas compris la cause. Comme il est naturel, elle a pinsé à des voleurs. Sur la table de nuit, elle avait une espèce d'interphone relié au pavillon du gardien, qui y habitait avec femme et enfants. Le gardien est arrivé cinq minutes après, armé. Pas de porte forcée, pas de vitre de fenêtre cassée. Ils sont retournés se coucher. À peine revenue dans son lit, Antonietta commença à sentir la mauvaise odeur. C'était une puanteur insupportable de soufre brûlé et de miasmes d'égout. Elle frappait à l'estomac, elle faisait vomir. Antonietta s'est rhabillée et, comme elle ne voulait pas réveiller encore le gardien, elle a passé le reste de la nuit dans une espèce de kiosque qu'il y avait dans le jardin.

— Cette puanteur, elle y était encore, le matin, quand elle est rentrée ?

— Bien sûr. La femme du gardien, qui était venue faire le ménage, l'a remarquée aussi. Elle était faible, mais encore là.

— C'est arrivé d'autres fois ?

— Et comment ! Antonietta a fait vidanger la fosse

d'aisances, vider le grenier, mettre en ordre la cave. Rien. La puanteur revenait toujours. Puis, il s'est passé autre chose.

— Et quoi donc ?

— Une nuit, alors que la puanteur l'avait obligée à se réfugier dans le kiosque, elle a entendu, venant de l'intérieur de la villa, des bruits épouvantables. Quand elle y est entrée, elle a découvert que tous les verres et les plats avaient été fracassés contre les murs. Et il y a eu encore pire. Au bout de deux mois de cette vie – désormais, Antonietta allait dormir dans le kiosque –, tout se termina d'un coup, comme ça avait commencé. Antonietta revint passer les nuits dans son lit. Au bout d'une quinzaine de jours que tout semblait revenu à la normale, arriva ce qui arriva. (Le commissaire ne dit mot, il était très intéressé.) D'habitude, Antonietta dort sur le dos. Il faisait chaud et elle avait laissé la fenêtre grande ouverte. Elle fut réveillée par quelque chose qui lui était lourdement tombé sur le ventre. Elle ouvrit les yeux et le vit.

— Qui ?

— Le diable, commissaire. Le diable sous la forme qu'il avait décidé d'assumer.

— Et qu'est-ce que c'était ?

— Celle d'un animal. À quatre pattes. Avec les cornes. Phosphorescent, les yeux rouges, il soufflait et répandait une odeur épouvantable de soufre et d'égout. Antonietta poussa un cri et s'évanouit. Elle avait crié si fort qu'elle avait réveillé le gardien et sa femme, mais ils ne retrouvèrent pas trace de l'immonde animal. Ils durent appeler un médecin, Antonietta avait attrapé une forte fièvre sous l'effet de la peur et elle délirait. Quand elle se reprit, désespérée et terrorisée, elle appela le père Fulconis.

— Qui est-ce ?

— Son neveu, qui est curé de Fela. Giacomina, sa

106

sœur qui s'était mariée avec un médecin, le Dr Fulconis, a eu deux fils : le prêtre, Emanuele, et Filippo, un dégénéré, un joueur invétéré qui a fait mourir sa mère de crève-cœur et qui en a dilapidé l'héritage. Don Emanuele, à Fela, s'était fait une réputation d'exorciste. C'est pour ça qu'Antonietta l'appela, espérant qu'il libérerait la maison.

— Et il y réussit ?

— Mais non. À peine arrivé, le curé faillit s'évanouir, il pâlit qu'il avait l'air d'un mort, il dit qu'il sentait très fort la présence du Malin. On le laissa seul dans la villa, et il fit éloigner aussi le gardien et sa famille. Au bout de trois jours sans nouvelles de lui, Antonietta s'inquiéta et prévint les carabiniers. Ils trouvèrent le père Fulconis le visage enflé de coups, boitant d'une jambe, plus mort que vif. Il raconta qu'à plusieurs reprises, le diable lui était apparu, qu'ils avaient combattu, mais il n'y était pas arrivé, il avait perdu. En conclusion, Antonietta se transporta ici, à Vigàta, et fit savoir qu'elle avait l'intention de mettre la villa en vente. Mais la nouvelle que le diable l'habitait avait fini par être connue de tout le monde, personne ne voulait plus l'acquérir. Enfin, il se présenta une personne de Fela qui se l'acheta pour une bouchée de pain, une misère. Elle y fit un restaurant au rez-de-chaussée et transforma les chambres de l'étage en tripot clandestin. Puis les carabiniers la fermèrent. La suite, je ne la sais pas, je m'en moque, de toute façon la maison n'appartenait plus à Antonietta. D'autres ont dû la racheter. Et vous savez quoi ? Moi, cette histoire du diable, je l'ai apprise après coup, quand Antonietta avait déjà vendu la villa.

— Pourquoi, si vous l'aviez su à temps, qu'est-ce que vous auriez fait ?

— Ben, à y repenser froidement, je n'aurais pas su que faire, que conseiller. Mais j'ai été prise d'une de ces colères ! Et maintenant, l'histoire recommence, exactement pareille. Moi, j'ai peur que la pauvre Antonietta, âgée comme elle est, elle en souffre pas seulement financièrement.

— Expliquez-vous mieux.

— Ben, elle n'a plus toute sa tête. Elle m'a fait des discours étranges, inquiétants. « Mais qu'est-ce qu'il veut de moi, le diable ? » elle m'a demandé l'autre jour.

Il s'était fait tard, le commissaire devait retourner au bureau.

— Tenez-moi au courant, j'y compte, dit-il à la dame.

Quand Mme Clementina apprit que sa vieille maîtresse d'école, à la suite de l'intensification des émanations de soufre et autres miasmes diaboliques, avait été contrainte de passer deux nuits assise sur le perron devant sa porte, elle lui envoya Pina, la bonne, avec un mot pour la convaincre de venir dormir chez elle.

Ainsi donc, le jour, Mlle Antonietta retournait à la villa et quand tombait le soir, elle quittait sa maison.

De ce changement d'habitudes de la demoiselle, Clementina Vasile Cozzo fit un compte rendu téléphonique au commissaire. Ils convinrent qu'il s'agissait de la meilleure solution, étant donné que le diable n'aimait pas la lumière du soleil et que la nuit, il commençait à puer seulement en présence de la vieille institutrice.

Mais deux jours plus tard, au matin, Montalbano appela Mme Clementina.

— Mlle Antonietta est encore chez vous ?

— Non, elle est rentrée chez elle.

— Bien. Puis-je passer dans la matinée ? J'ai besoin de vous parler.

— Venez quand vous voulez.

À sept heures et demie du soir, Mlle Antonietta dînait (façon de parler, un moineau mangeait plus qu'elle) puis préparait ses affaires pour la nuit, les glissait dans un grand sac et se mettait en route vers la maison de son ex-élève.

Ce soir-là, le téléphone sonna comme elle avait à peine fini de dîner.

— Allô, Antonietta ? Tu allais venir chez moi ?

— Oui.

— Écoute, je suis très embêtée, tu ne sais pas à quel point ça m'ennuie, mais mon neveu d'Australie vient à peine de débarquer. Pour ce soir et pour demain, je ne peux pas t'héberger.

— Oh, mon Dieu, et maintenant, où je vais ?

— Reste à la maison. Espérons qu'il ne se passe rien.

De fait, la première nuit, il ne se passa rien, mais Mlle Antonietta ne dormit quand même pas, à cause de sa peur de sentir la puanteur du diable.

La deuxième nuit, en fait, le diable se manifesta et le premier à le voir fut le commissaire recroquevillé dans sa voiture arrêtée à peu de distance de l'entrée arrière de la villa. Le Malin ouvrit prudemment la porte, entra, resta à la maison à peine une minute, en ressortit de nouveau, referma, fit mine de s'éloigner vers sa voiture.

— Excusez-moi un instant.

Surpris par la voix qui lui arrivait dans le dos, le diable sursauta, laissa tomber la petite bouteille qu'il avait à la main. Elle n'était pas bien bouchée et le liquide se répandit à terre.

— Vous êtes certainement le diable, poursuivit Montalbano. Je vous reconnais d'après la puanteur que vous répandez.

Puis, ne sachant trop comment se conduire avec un être surnaturel, pour une raison ou une autre, il lui flanqua un solide coup de poing dans le nez.

— Il m'a avoué qu'il était poursuivi par ses créanciers, qu'il jouait et perdait. C'est ainsi qu'il lui est venu à l'esprit de répéter ce qu'il avait fait il y a des années à la villa de campagne. Ceux qui l'ont achetée pour un dixième de sa valeur étaient d'accord avec lui. Maintenant, il s'était entendu avec d'autres, il allait contraindre la tante à vendre aussi sa villa de Vigàta.

— Je le savais, moi, dit Mme Clementina, que ce neveu Filippo était un voyou. Vous me dites que la puanteur du diable était un produit chimique qu'il s'était fait confectionner, et je comprends bien. Mais comment s'explique l'histoire de l'animal diabolique, lumineux, que la pôvre Antonietta se vit apparaître sur le ventre ? Et comment ça se fait qu'Emanuele, le prêtre, frère du délinquant, il a dit qu'il s'était battu avec le diable et que ça avait tourné mal ?

— L'animal diabolique était un chat, couvert d'une pâte phosphorescente et avec une paire de cornes en carton attachées sur la tête. Et quant au curé, il ne s'est pas battu avec le diable, mais avec son frère, Filippo. Il avait tout compris et voulait le dissuader.

— Et il s'est fait complice ? Un prêtre ? !

— Je ne le justifie pas, mais je le comprends. Filippo, à cause de ses dettes, était menacé de mort.

— Et maintenant, qu'est-ce qu'on fait ? On raconte tout à Antonietta ? Si elle vient à savoir que c'est son neveu qui a monté cette affaire, elle va en mourir de douleur, comme sa sœur.

Montalbano y pinsa un moment.

— Moi, une idée, je l'aurais, annonça-t-il.

— Attendez, avant de me la dire. Comment il faisait, Filippo, pour savoir qu'Antonietta allait dormir à la villa ?

— Un complice, qui l'informait des déplacements d'Antonietta. Il m'en a donné le nom.

— Dites-moi votre idée.

Appelé par la tante Antonietta, qui le fit sur la suggestion pressante de Mlle Clementina, le père Emanuele

Fulconis, l'exorciste, arriva ventre à terre. Cette fois, il besogna bien, il lui suffit d'une nuit. Le lendemain matin, triomphant, il annonça que enfin, il avait réussi, le diable était définitivement battu.

Ils venaient à peine de terminer les sardines *a beccafico*[1] lorsque le commissaire se sentit enfin le courage de poser la question que, depuis des jours, il gardait par-devers lui.

— Mais vous, madame Clementina, vous y croyez, au diable ?

— Moi ? Vous n'y pensez pas ! Sinon, pourquoi je vous aurais raconté cette histoire ? Si j'y avais cru, je l'aurais racontée à l'évêque, non ?

---

1. Filets de sardines marinés dans du jus d'orange et cuits au four, roulés, avec un mélange de chapelure, pignons et raisins de Corinthe. *(N.d.T.)*

Le compagnon de voyage

Le commissaire Salvo Montalbano arriva à la gare de Palerme d'humeur noire. Son malaise venait du fait que, ayant appris trop tard une double grève aérienne et maritime, il n'avait plus trouvé, pour aller à Rome, qu'un compartiment à deux lits de seconde classe. Ce qui revenait à dire, en bref, une nuit entière à passer avec un inconnu dans un espace si étouffant qu'une cellule d'isolement était certes plus commode. En outre, Montalbano, en train, n'avait jamais réussi à s'endormir, même en se goinfrant de somnifères à la limite du lavage d'estomac. Pour passer les heures, il exécutait un de ses rituels qui n'était pratiquement possible qu'à condition d'être tout à fait seul. Il s'agissait, pour l'essentiel, de se coucher, d'éteindre la lumière, de la rallumer après moins d'une demi-heure, de fumer une demi-cigarette, de lire une page du livre qu'il avait emporté, d'éteindre la cigarette, d'éteindre la lumière et cinq minutes après de répéter toute l'opération, ainsi de suite jusqu'à l'arrivée. Donc, s'il n'était pas seul, il était absolument indispensable que le compagnon de voyage fût doté de nerfs solides et d'un sommeil de plomb : en l'absence de ces qualités, les choses risquaient de tourner fort mal. La gare grouillait de voyageurs comme un 1er août. Et cela assombrit encore plus le commissaire, il n'y avait pas d'espoir que l'autre lit restât libre.

Devant sa voiture, il y avait un bonhomme fagoté d'un bleu de travail craspec avec une plaque d'identité sur la poitrine. À Montalbano, il sembla voir un porteur, espèce en voie d'extinction à cause de ces chariots que les voyageurs perdent une heure avant d'en trouver un qui fonctionne.

— Donnez-moi le billet, intima d'un air menaçant l'homme en bleu de travail.

— Et pourquoi ? le défia le commissaire.

— Parce qu'il y a la grève des employés et ils m'ont chargé de les remplacer. Je suis autorisé à vous installer le lit, mais je vous avertis que demain matin, je peux ni préparer le café, ni vous porter le journal.

Montalbano fit encore plus les brègues : passe pour le journal, mais sans café, il était un homme perdu. Ça pouvait pas être pire, comme début.

Il entra dans le compartiment, son compagnon de voyage n'était pas encore arrivé, il n'y avait pas de bagage en vue. À peine eut-il rangé la valise et ouvert le roman policier qu'il s'était choisi, surtout pour son épaisseur, que le train se mit en mouvement. Tu veux voir que l'autre aura changé d'idée et ne sera plus parti ? La pinsée le réjouit. Au bout d'un moment qu'ils roulaient, l'homme en bleu de travail se présenta avec deux bouteilles d'eau minérale et deux verres de carton.

— Vous savez où monte l'autre monsieur ?

— On m'a dit qu'il a réservé à partir de Messine.

Le commissaire se consola, au moins il pouvait rester tranquille comme Baptiste pendant plus de trois heures, le temps qu'il fallait au train pour aller de Palerme à Messine. Il ferma la porte et continua à lire. L'histoire racontée dans le roman policier le prit tellement que, quand il songea à jeter un coup d'œil à sa montre, il découvrit qu'il s'en fallait de peu qu'ils arrivent à

Messine. Il appela l'homme en bleu, se fit installer le lit — il était tombé sur celui du haut — et, dès que l'employé eut fini, il se déshabilla et se coucha, continuant à lire. Quand le train arriva en gare, il ferma le livre et éteignit la lumière. À l'entrée du compagnon de voyage, il ferait semblant de dormir, ainsi il ne serait pas obligé d'échanger avec lui des formules de politesse.

Mais, inexplicablement, quand le train, après d'interminables manœuvres en avant et en arrière, monta sur le bac, la couchette inférieure resta vacante. Montalbano commençait à s'abandonner au contentement quand, une secousse ayant annoncé l'accostage du navire, la porte du compartiment s'ouvrit et le voyageur fit son entrée redoutée. Le commissaire, pendant un instant, dans la maigre lumière qui venait du couloir, eut la possibilité d'entrevoir un homme de petite stature, cheveux coupés en brosse, emmitouflé dans un manteau large et lourd, une mallette porte-documents à la main. Le passager apportait une odeur de froid, à l'évidence il était monté à Messine, mais avait préféré rester sur le pont du bateau durant la traversée du détroit.

Le nouveau venu s'assit sur la couchette et ne bougea plus, il ne fit pas le moindre mouvement, n'alluma même pas la veilleuse qui permet de voir sans déranger les autres. Pendant plus d'une heure, il resta ainsi, immobile. S'il n'avait respiré lourdement comme après une longue course dont il aurait eu du mal à se remettre, Montalbano aurait pu se convaincre que le lit au-dessous était encore vide. Avec l'intention de mettre l'inconnu à son aise, le commissaire feignit de dormir et commença à ronfler légèrement, les yeux fermés, comme le chat qui semble dormir mais qui en fait, reste à compter une à une les étoiles du ciel.

Et tout soudain, sans s'en rendre compte, il s'enfonça dans un vrai sommeil, comme jamais auparavant cela ne lui était arrivé.

Un frisson de froid l'éveilla, le train était arrêté dans une gare : Paola, l'informa une secourable voix masculine sortie d'un haut-parleur. La glace de la fenêtre était complètement baissée, les lumières jaunes de la gare éclairaient passablement le compartiment.

Le compagnon de voyage, encore engoncé dans son manteau, était maintenant assis au pied du lit, la mallette ouverte posée sur le couvercle du lavabo. Il lisait une lettre, en remuant les lèvres. Quand il eut fini, il la déchira longuement et posa les petits morceaux à côté de la mallette. En regardant mieux, le commissaire vit que le tas blanc formé par les lettres déchirées était assez haut. Donc l'histoire durait depuis un moment, il s'était tapé un somme de deux heures environ.

Le train bougea, prit de la vitesse mais ce n'est qu'une fois le convoi hors de la gare que l'homme se leva pesamment, recueillit dans ses mains en coupe la moitié du petit tas et le fit voler par la fenêtre. Il répéta son geste avec la moitié restante, puis, après un moment d'indécision, agrippa la mallette encore en partie remplie de lettres à relire et à déchirer et la jeta par la fenêtre. À sa manière de renifler, Montalbano comprit que l'homme pleurait et de fait, peu après, il se passa la manche du manteau sur le visage pour essuyer ses larmes. Puis le compagnon de voyage déboutonna le lourd vêtement, tira de la poche extérieure de son pantalon un objet sombre et le balança avec force à l'extérieur.

Le commissaire eut la certitude que l'homme s'était débarrassé d'une arme à feu.

Après s'être reboutonné le manteau, avoir refermé la fenêtre et le rideau, l'inconnu se laissa tomber sur le lit. Il recommença à sangloter sans retenue. Embarrassé, Montalbano augmenta le volume de son pseudo-ronflement. Un beau concert.

Peu à peu, les sanglots s'affaiblirent ; la fatigue, sans

doute, l'emporta, et l'homme de la couchette inférieure sombra dans un sommeil agité.

Quand il comprit que dans peu de temps, on allait arriver à Naples, le commissaire descendit l'échelle, trouva à tâtons le cintre avec ses habits, commença à se vêtir avec précaution : le compagnon de voyage, toujours en manteau, lui tournait le dos. Mais Montalbano, en entendant sa respiration, eut l'impression que l'autre était réveillé et qu'il ne voulait pas le laisser voir, un peu comme lui-même l'avait fait au tout début du voyage.

En se baissant pour lacer ses chaussures, Montalbano remarqua sur le sol un rectangle de papier blanc, il le ramassa, ouvrit la porte, sortit rapidement dans le couloir, referma la porte dans son dos. Ce qu'il avait en main, c'était une carte postale qui représentait un cœur rouge entouré d'un vol de blanches colombes sur un ciel d'azur. Elle était adressée au comptable Mario Urso, 32 rue de la Liberté, Patti (province de Messine). Quelques mots en guise de texte : « Je pense toujours à toi avec amour » et la signature : « Anna ».

Le train ne s'était pas encore arrêté sous la verrière que déjà, le commissaire courait le long du quai dans une recherche désespérée de quelqu'un qui vendrait du café. Il n'en trouva pas, dut foncer hors d'haleine jusqu'au hall central, se brûler la bouche avec deux petites tasses l'une après l'autre, se précipiter au kiosque pour acheter le journal.

Il lui fallut courir parce que le train se remettait en marche. Au début du couloir, il s'accorda le temps de reprendre un peu son souffle puis commença à lire en partant des faits divers, comme il le faisait toujours. Et presque aussitôt son œil s'arrêta sur une nouvelle qui arrivait de Patti (province de Messine). Quelques lignes, l'affaire n'en méritait pas davantage.

Un comptable quadragénaire estimé, Mario Urso, ayant surpris sa jeune épouse, Anna Foti, dans une attitude sans équivoque en compagnie de R. M., trente ans, repris de justice, l'avait tuée de trois coups de pistolet. R. M., l'amant, qui s'était souvent moqué publiquement du mari trahi, avait été épargné, mais était hospitalisé en raison du choc subi. Les recherches pour retrouver l'assassin continuaient, impliquant la police et les carabiniers.

Le commissaire ne rentra plus dans son compartiment, il resta dans le couloir à fumer cigarette sur cigarette. Puis, alors que déjà le train entrait lentement sous l'auvent de la gare de Rome, il se décida à rouvrir la porte.

L'homme, toujours en manteau, s'était assis sur le lit, ses bras serrant son torse, le corps secoué de longs frissons. Il ne voyait pas, il ne sentait pas.

Le commissaire rassembla son courage, et pénétra dans l'angoisse dense, la désolation palpable, le désespoir visible qui débordaient du compartiment et puaient d'une couleur jaune moisi. Il prit sa valise et puis posa délicatement la carte postale sur les genoux de son compagnon de voyage.

— Bonne chance, comptable, murmura-t-il.

Et il se mit dans la file des autres voyageurs qui s'apprêtaient à descendre.

Piège pour chats

— Dimanche au soir je fais la fête de nos vingt-cinq ans de mariage. Les amis et les collègues viennent tous. Ma femme et moi nous serions honorés... récita Fazio.

— Bien sûr que je viens, dit Montalbano.

De tous les hommes du commissariat de Vigàta, Fazio était celui avec lequel il s'entendait le mieux, un coup d'œil suffisait. Après lui venait le commissaire-adjoint Augello : à lui aussi, un coup d'œil suffisait, pourvu qu'à ce moment-là, il n'ait pas perdu la tête à courir derrière un jupon.

— Viande ou poisson ? demanda Fazio, sachant combien son supérieur avait le bec fin.

Montalbano pesa le pour et le contre, il était connu que Mme Fazio, en cuisine, touchait sa bille. Mais elle était née et avait grandi dans un minuscule pays de l'intérieur, où les poissons n'avaient jamais été chez eux.

— Viande, viande.

Mme Fazio se surpassa, les pâtes *'ncasciata* leur firent se lécher les doigts, le *brusciuluni* (un *rollé*[1]

1. *Rollé*, mot sicilien d'origine française : rouleau de viande (bœuf ou veau). Pour la définition des pâtes *'ncasciata*, voir *Chien de faïence*, p. 151, même éditeur. *(N.d.T.)*

fourré d'œuf dur, de salami et de pecorino en morceaux) se volatilisa, alors qu'il aurait suffi pour nourrir une vingtaine de personnes. Le commissaire avait apporté une caissette de douze bouteilles de bon vin, celui que faisait son père. Le dîner achevé, et les douze bouteilles également vidées, ils décidèrent, par cette très belle soirée de début mai, de faire une longue promenade sur le môle, jusque sous le phare, pour alléger un peu la charge que chacun transportait à bord.

Et comme ils étaient tous flics, inévitablement, à un certain moment, ils en vinrent à une discussion de flics. L'occasion leur en fut offerte par une question innocente du commissaire à Fazio, qui marchait à côté de lui.

— Qu'est-ce que tu lui as offert, à ta femme ?

Ils suivaient la via Roma, la grand-rue de Vigàta, pleine de commerces aux vitrines illuminées même la nuit.

— Venez, que je vous fasse voir, répondit Fazio.

Ils passèrent sur l'autre trottoir et Fazio s'arrêta devant la vitrine d'un bijoutier.

— Une petite montre comme celle-là, avec le bracelet rouge, vous voyez ?

Ils rejoignirent les autres.

— Ce sont des objets de valeur, observa Mimì Augello, pas de la bijouterie fantaisie. Tu l'as payé cher, ton bracelet-montre ?

— Assez, répondit sèchement Fazio.

Entre eux deux, il n'y avait pas d'amitié.

— Un étranger qui passerait par là et verrait cette rue, intervint Galluzzo pendant qu'ils reprenaient leur chemin vers le port, se ferait une idée erronée de Vigàta. En voyant que le verre des vitrines n'est même pas renforcé, il penserait que chez nous, il n'y a pas de voleurs.

— Et pendant qu'il pense ça, on lui pique son porte-feuille ou on lui arrache son sac, dit Tortorella.

— Le fait est, observa Fazio, que les commerçants de

120

la via Roma peuvent se sentir tranquilles, ils paient une addition salée pour ça. Les carabiniers, qui s'occupent de ces choses, ils savent tout mais ne peuvent rien faire. Il n'y a pas un commerçant qui irait témoigner qu'il est obligé de payer pour éviter que son commerce subisse des dégâts.

— C'est comme une assurance, il y en a tellement, sauf que celle-là est plus sûre, dans le sens que tu paies pour qu'il ne t'arrive rien et de fait, rien ne t'arrive, alors que si quelque chose t'arrive, avec une vraie assurance, tu risques qu'ils te paient pas, commenta confusément Gallo qui s'était sifflé tout seul une bouteille et demie de vin.

— Ceux-là, de la via Roma, à qui ils paient ? s'informa distraitement Montalbano.

— À la famille Sinagra, répondit Fazio.

— Eux, ils envoient un gros bras ?

— Oh que non, *dottore*, ils se donnent même pas ce mal. À chaque fin de mois, les commerçants vont trouver Pepè Rizzo, le propriétaire du dernier magasin à droite de la rue, vous le connaissez ?

— Je m'y achète mes chaussures.

— Bien, Rizzo est un de la famille Sinagra. Il ramasse, il prend sa part et le reste, il le remet. Plus pratique que ça !

— C'est sûr que ça met les boules, de savoir qu'un type, il est délinquant et de pas pouvoir lui toucher même un cheveu ! s'énerva Gallo.

— Mais si tu lui touches un cheveu, observa Fazio, tu te retrouves avec toute la famille Sinagra sur le dos, avec sa bande d'hommes de lois et de hors-la-loi qui sont à leurs ordres.

— Ça se présente pas précisément comme vous le racontez au commissaire, intervint Tortorella qui, à cause d'une vieille blessure au ventre qui lui interdisait la moindre goutte de vin, était le plus lucide de tous.

— Ah non ? Et comment ça se présente ? répliqua sur un ton polémique Fazio, qui avait souvent le vin mauvais.

— Ça se présente que Pepè Rizzo n'est pas un mafieux, il appartient pas à la famille Sinagra, et quand il ramasse les sous de ses collègues, il ne conserve même pas un centime.

— Et alors, pourquoi il le fait ?

— Parce qu'il a été obligé par les Sinagra, lesquels ont fait croire qu'il était un des leurs.

— Mais toi, ça, comment tu le sais ?

— C'est lui qui me l'a confié, en grand secret. C'est mon cousin, on a grandi ensemble, je le connais comme ma poche. À lui, je le crois.

Montalbano rit.

— Un piège à chats, dit-il.

Les autres le regardèrent d'un air hébété.

— Une fois, la fille d'une amie à moi, qui n'avait pas encore quatre ans, a dessiné sur une feuille de cahier un oiseau. Du moins, elle, elle était convaincue d'avoir dessiné un oiseau, mais on ne le reconnaissait pas bien. Alors, elle a demandé à sa mère d'écrire sous le dessin : « Ça, c'est un oiseau. » Puis elle a pris la feuille et est allée la cacher au milieu de l'herbe du jardin qu'ils avaient. « Qu'est-ce que t'as fait ? » lui a demandé sa mère, curieuse. Et la minotte : « Un piège à chats. » Les Sinagra font pareil, en faisant croire que ce Rizzo est un de leurs hommes. Il faudrait les baiser dans les grandes largeurs, en les faisant tomber, à leur tour, dans un autre piège à chats.

Et tandis qu'il finissait de parler, il décida que le lendemain, il irait s'acheter une paire de chaussures.

À sept heures et demie du soir, dès que le vendeur, après avoir abaissé aux trois quarts le rideau, s'en fut allé, le commissaire, courbé en deux, demanda :

— Je peux entrer ? Il est pas trop tard ? Montalbano, je suis.

— Mais je vous en prie, commissaire ! répondit de l'intérieur Pepè Rizzo.

Montalbano, se déplaçant en crabe, passa sous le rideau et entra dans la boutique.

— Qu'est-ce qu'il vous faudrait ?

— Comme d'habitude, des mocassins marron avec des lacets.

Tandis que Rizzo commençait à choisir des boîtes sur les étagères, le commissaire s'assit, ôta sa chaussure droite, plaça le pied sur le tabouret.

— Comme ça, pour causer, vous le savez, combien il y a d'établissements commerciaux sur la via Roma ?

La question pouvait paraître innocente, mais Pepè Rizzo, qui n'avait pas la conscience tranquille, se plaça en position de défense.

— Vraiment, je ne saurais dire. Je ne les ai jamais comptés, répondit-il en continuant à examiner les boîtes.

Je vous le dis, moi : soixante-treize. La via Roma est longue.

— Eh oui.

Pepè Rizzo s'accroupit aux pieds du commissaire, ouvrit la première des quatre boîtes qu'il avait choisies.

— Celles-là sont un peu chères. Mais regardez-moi cette souplesse !

Montalbano ne baissa pas les yeux, son regard paraissait perdu dans une pensée.

— Et vous savez quoi ? Vous ne pouvez compter que sur soixante-trois amis, les dix autres restants, non.

— Et pourquoi ?

— Parce que ces dix-là, dont je ne dirai pas les noms, cet après-midi sont venus au commissariat et vous ont dénoncé. Ils disent que c'est vous qui ramassez l'argent du racket de la famille Sinagra.

Pepè Rizzo se laissa tomber sur le postérieur avec un

bruit sourd, expira l'air qu'il avait dans les poumons en une espèce de plainte et puis se trouva mal et tomba en arrière, les bras ouverts.

Le commissaire s'alarma. En boitillant à cause du pied sans chaussure, il courut baisser complètement le rideau, se précipita dans l'arrière-boutique, revint avec une demi-bouteille d'eau minérale et un verre en plastique, aspergea le visage de Rizzo d'un peu d'eau et, dès que ce dernier donna les premiers signes du réveil, lui tendit le verre plein. Rizzo but en tremblant comme s'il avait la fièvre tierce, mais n'ouvrit pas la bouche pour se défendre : son évanouissement avait été pire qu'un aveu.

— Mais, voyez-vous, la dénonciation, c'est pas le pire, reprit le commissaire avec un petit air à mi-chemin entre l'angélique et le diabolique.

— Et qu'est-ce qu'il y a d'autre ? demanda l'autre dans un filet de voix.

— Ce qu'il y a d'autre, c'est la réaction que les Sinagra vont avoir, devant cette dénonciation. Ils vont se mettre en tête que vous êtes un homme qui n'a pas su se faire respecter et qui les a mis dans les ennuis. Alors, vous le savez mieux que moi, en comparaison de ce qu'ils sont capables de vous faire, la taule vous paraîtra le paradis sur terre.

Pepè Rizzo commença à trembler comme un arbre secoué par le vent. Cependant, la puissante mornifle que Montalbano lui flanqua lui fit certes virer la tête aux trois quarts, mais lui évita de tomber à nouveau dans les pommes.

— Essayez de rester lucide, dit le commissaire. Nous deux, nous avons à parler.

Tortorella avait raison, Pepè Rizzo était un mafieux de papier.

Une fois mis en route, le moulin à paroles de Pepè Rizzo ne s'arrêta plus. Il révéla au commissaire comment il avait été contacté par les Sinagra, quelles pressions avaient été exercées sur lui pour qu'il accepte la charge de percepteur, quelles étaient les sommes que chaque commerçant devait verser, au comptant, chaque 28 du mois. Le lendemain de la remise, se présentait de bon matin un bonhomme avec un sac de toile, qui y fourrait l'argent, saluait et s'en allait.

— Toujours la même personne ? s'enquit Montalbano.

Rizzo répondit que depuis cinq ans que l'histoire durait, il y avait eu au moins sept personnes à venir avec le sac.

— Et vous, comment vous faisiez à les reconnaître ? Seulement parce qu'elles se présentaient avec le sac ?

Rizzo expliqua que chaque changement de coursier avait toujours été précédé d'un coup de fil.

— Et vous, vous vous fiiez à une voix anonyme au téléphone ?

— Oh que non, monsieur, il y avait un accord, une espèce de mot de passe. L'anonyme disait : « Aujourd'hui, j'ai décidé de changer de chaussures. »

Quand, à la fin, Rizzo insista pour connaître les noms de ceux qui avaient eu le courage de le dénoncer, le commissaire lui avoua qu'il s'était agi d'un raccourci.

— Quoi ? fit Rizzo, étonné.

— C'est une de nos expressions de flics. Il n'y avait rien de vrai, je vous ai tendu un piège et vous y êtes tombé.

Pepè Rizzo haussa les épaules.

— C'est mieux comme ça.

Ils parlèrent encore, ils discutèrent, Montalbano sortit avec prudence du commerce alors qu'il faisait déjà jour. Il avait une boîte sous le bras : tant qu'il y était, les mocassins marron avec les lacets, il se les était achetés pour de bon, mais il avait dû se disputer avec Rizzo qui, dans un élan de gratitude, voulait les lui offrir.

La somme n'était pas la même pour chacun des soixante-treize commerçants de la via Roma; avec beaucoup de magnanimité et de compréhension pour les besoins particuliers, les Sinagra avaient établi des tarifs personnalisés qui variaient de cent à trois cent mille lires. Le soir du 28 du même mois, Pepè Rizzo, après avoir fermé sa boutique, se dirigea à pied vers chez lui avec l'habituelle mallette de cent soixante-dix millions de lires en liquide : il marchait sans se dépêcher, il ne craignait pas de vol à l'arraché parce que tout le monde au pays savait qu'une éventuelle agression aurait eu des conséquences assurément létales pour les étourdis qui auraient eu le courage de la commettre. Le lendemain matin, toujours avec la mallette qui avait passé la nuit sous son lit, Pepè Rizzo sortit de chez lui à sept heures et demie et alla se prendre au bar Salamone une brioche avec granité de café puis, à huit heures moins cinq pile, comme chaque jour, hormis les dimanches et jours fériés, il s'occupa de rouvrir le rideau du magasin, après avoir posé la mallette à terre. L'horaire de travail de son employé commençait à neuf heures, mais avant viendrait le représentant des Sinagra pour transvaser l'argent dans le sac de toile qu'il apportait avec lui. Occupé comme il l'était à l'opération d'ouverture, Pepè Rizzo n'eut pas l'occasion de noter une voiture avec deux personnes à bord, qui s'était arrêtée au ras du trottoir. Le rideau à demi ouvert, Rizzo se baissa pour prendre la mallette : avec un parfait synchronisme, l'homme assis à côté du conducteur ouvrit la portière à la volée, bondit, donna une violente poussée de la main gauche dans le dos de Rizzo, l'envoyant valdinguer à l'intérieur de la boutique, et de la droite agrippa la mallette, puis remonta en voiture en criant : « Allez ! » au chauffeur. À ce point, comme en témoignèrent quelques passants, il arriva une chose incroyable : le moteur de la voiture s'éteignit, au lieu de monter en puissance. Le conducteur se débattit vainement avec le démarreur. Rien. Pepè Rizzo sortit du magasin en poussant des cris affolés, avec en main un revolver qu'il gardait dans un tiroir sous la caisse, on ne sait jamais. Vu que la voiture n'arrivait pas à partir, Pepè Rizzo ne perdit pas de temps : en criant, qu'on pouvait l'entendre jusqu'au phare, il pointa l'arme sur celui qui se trouvait à côté du conducteur et, menaçant de lui faire sauter la tête, se fit remettre la mallette. Alors seulement, comme libérée d'un charme, la voiture repartit sur les chapeaux de roues. Pepè Rizzo tira deux coups de feu pour tenter d'en arrêter la fuite puis, sous l'effet de la tension, comme il en avait l'habitude, il se trouva mal, et tomba dans les pommes, les bras ouverts. Il s'ensuivit la fin du monde, beaucoup crurent que le commerçant avait été touché par les malfrats en fuite.

Heureusement, le commissaire Salvo Montalbano se trouvait dans les parages et intervint avec autorité pour rétablir l'ordre. Quant au numéro minéralogique de l'auto, qui lui fut fourni par quelques volontaires qui avaient assisté à l'événement, le commissaire exprima la certitude qu'il ne donnerait rien, il s'agissait à coup sûr d'une voiture volée. De son côté, Pepè Rizzo, revenu à lui, déclara qu'en ces moments terribles, tout ce mauvais sang qu'il s'était fait l'avait empêché de fixer dans son esprit les traits de l'homme qui lui avait rendu la mallette. Le calibre avait été régulièrement déclaré, précisat-il en se le remettant en poche.

— Mais qu'est-ce qu'il y a de si important dans cette mallette ? demanda enfin le commissaire.

Entre-temps, on s'était attroupé en grand nombre, et à cette question, tous, qui savaient fort bien ce que contenait l'objet, retinrent leur souffle.

— Des papiers à moi, aucune importance, dit Pepè Rizzo, calme et désormais souriant. Va savoir ce qu'ils s'imaginaient.

Les présents — et Montalbano le devina très bien

— se retinrent à grand-peine d'applaudir. Le commissaire demanda à Rizzo de se présenter quand il lui conviendrait pour la déposition, salua et s'en alla.

À neuf heures du soir du jour même où survint l'épisode, les soixante-treize commerçants de la via Roma, à l'exclusion de Pepè Rizzo, se retrouvèrent dans l'arrière-boutique du magasin Vins et Spiritueux appartenant à Fonzio Alletto. Le premier point de l'ordre du jour non écrit portait sur le fait que Pepè Rizzo « en » avait, ainsi que sur le nombre, la forme et la composition de ces choses. Giosuè Musumeci soutenait qu'il les avait carrées, Michele Sileci qu'il en avait quatre, Filippo Ingroia qu'il en avait deux comme tout le monde, mais en plomb. Mais tous s'accordèrent pour penser que Pepè Rizzo, en faisant ce qu'il avait fait, avait agi dans l'intérêt commun : il ne faisait pas de doute que les Sinagra auraient demandé un dédommagement en se faisant reverser leur tribut. Et ici, la discussion s'échauffa. Les deux voleurs masqués étaient-ils deux abrutis qui ne savaient même pas ce que la mallette contenait ? Ou s'agissait-il de deux membres de la famille adverse des Sinagra, laquelle aurait décidé d'entamer une guerre pour la conquête de la via Roma ? Cette seconde hypothèse était la plus inquiétante : ceux qui y perdraient des plumes, en tout cas, ce seraient eux, les commerçants, pris entre deux feux. Ils se séparèrent, le visage sombre et préoccupés.

Le 30 tombait un dimanche. Le lundi, à neuf heures et demie du matin, Stefano Catalanotti et Turi Santonocito, tous deux hommes de confiance des Sinagra, se rendirent, le premier à la Banca Agraria et le second à la Banque coopérative de Vigàta. Chacun d'eux avait quatre-vingt-cinq millions de lires à verser. Ils remplirent le formulaire et le remirent, avec les billets, aux caissiers.

Celui de la Banca Agraria, en plein décompte, marqua une hésitation, reforma la liasse et examina le premier des billets de banque, longuement, à contre-jour.

— Il y a quelque chose qui ne va pas ? demanda Stefano Catalanotti.

— Je ne sais pas, répondit le caissier en se levant et en disparaissant dans le bureau du directeur.

Pendant ce temps, les choses se déroulaient à peu près de la même manière à la Banque coopérative de Vigàta.

Vingt minutes après être entrés chacun dans sa banque, Stefano Catalanotti et Turi Santonocito, qui n'avaient pas voulu révéler l'origine de cet argent, se retrouvèrent menottés, pour trafic de fausse monnaie, par les agents du commissariat de Vigàta.

À cinq heures et demie de l'après-midi, ce même jour, il y eut un rebondissement qui outrepassa toutes les fantaisies de l'imagination. Un minot de même pas six ans remit à Pepè Rizzo un paquet, en lui disant que deux messieurs, dans une voiture qui passait, le lui avaient tendu, avec dix mille lires de pourboire, en lui ordonnant de le remettre personnellement au propriétaire du commerce de chaussures.

À l'intérieur, il y avait cent soixante-dix millions de lires en billets authentiques, et un mot qui disait : « Retour aux propriétaires. Les Sinagra sont des *quaquaraqua* » — c'est-à-dire tout au bas de l'échelle de valeur des hommes.

Ce soir-là, dans l'arrière-boutique du magasin de Vins et Spiritueux de Fonzio Alletto, tous les commerçants de la via Roma se retrouvèrent, convoqués cette fois par Pepè Rizzo. Ils discutèrent avec animation, mais pour aboutir à une seule et unique conclusion. De bout en bout, le braquage n'avait été qu'une comédie, le moteur de la voiture avait été éteint exprès pour donner le temps à Rizzo de se reprendre la mallette, non pas la sienne, mais une autre identique remplie de faux billets.

L'argent que, en parfaite bonne foi, Rizzo avait remis à l'émissaire des Sinagra. Et de plus, l'argent authentique était restitué, pour souligner que le tout voulait signifier une diabolique blague aux dépens des Sinagra. Le premier à s'arracher à l'étonnement fut Giosué Musumeci. Et il rit. En quelques instants, tous riaient, qui à en pleurer, qui en se tenant le ventre, qui carrément en se roulant par terre. Et ce rire annonça le début de la décadence de la famille Sinagra.

Montalbano riait seul, dans sa maison de Marinella. L'auteur et réalisateur de cette géniale tragédie, ou, mieux, de ce piège pour chats, qui l'avait mise en scène avec la collaboration de Pepè Rizzo (personnage principal), Santo Barreca et Pippo Lo Monaco, agents du commissariat de Mazara del Vallo (dans le rôle des faux braqueurs) et de la questure de Montelusa (fournisseuse des faux billets et des projectiles à blanc pour le revolver de Pepè Rizzo), en un mot, le commissaire Montalbano, savait que jamais, au grand jamais, il ne pourrait se présenter aux rappels pour recevoir ses applaudissements mérités. Peu importait, il prenait son pied quand même.

Miracles de Trieste

Peut-on être flic de naissance, avoir dans le sang l'instinct de la chasse, comme l'appelle Dashiell Hammett, et dans le même temps, cultiver des lectures de qualité, raffinées parfois ? Salvo Montalbano l'était et, si quelqu'un lui posait avec étonnement la question, il ne répondait pas. Une fois, seulement, parce qu'il était d'humeur particulièrement noire, il répondit mal à son interlocuteur :

— Documentez-vous avant de parler. Vous le savez, qui était Antonio Pizzuto ?

— Non.

— C'était un type qui avait fait carrière dans la police, comme chef de l'Interpol. En cachette, il traduisait des philosophes allemands et des classiques grecs. À soixante-dix ans passés, quand il est parti à la retraite, il a commencé à écrire. Et il est devenu le plus grand écrivain d'avant-garde que nous ayons jamais eu. Il était sicilien.

L'autre se tut. Et Montalbano poursuivit :

— Et tant que nous y sommes, je voudrais vous communiquer une conviction personnelle. Leonardo Sciascia, si au lieu de faire le maître d'école, avait passé un concours d'entrée dans la police, il serait devenu meilleur que Maigret et Pepe Carvalho mis ensemble.

Et comme il était fait ainsi, à peine descendu du wagon-lit qui l'avait transporté jusqu'à Trieste, une poésie de Virgilio Giotti, en dialecte, commença à résonner en lui. Mais aussitôt, il la chassa de son esprit : ici, dans les lieux mêmes où elle était née, sa diction pesamment sicilienne serait apparue comme une offense, sinon un sacrilège.

C'était le tout début d'une matinée claire, pure, et lui qui souffrait de changements d'humeur selon les variations du temps se souhaita de rester jusqu'au soir dans le même état d'âme qu'en ce moment, bienveillant et ouvert à toutes les situations, toutes les rencontres.

Après avoir traversé le quai grouillant, il entra dans le hall, s'arrêta pour acheter *Il Piccolo*, le quotidien régional. Il chercha en vain dans sa poche vide de monnaie, et dans son portefeuille, il n'avait que des billets de cinquante et cent mille lires. Avec peu d'espoir, il en tira un de cinquante.

— Je n'ai pas de moghnnaie à vous doghnner, dit effectivement le marchand de journaux.

— Moi non plus, rétorqua Montalbano et il s'éloigna.

Mais il revint aussitôt en arrière, il avait trouvé la solution. Au journal, il ajouta deux romans policiers choisis au hasard et le marchand, cette fois, lui remit trente-cinq mille lires de monnaie, que le commissaire glissa dans la poche droite du pantalon, car il n'avait pas envie de tirer à nouveau le portefeuille de sa poche. Il se dirigea vers la station de taxis, tandis qu'à présent, irrésistiblement, à l'intérieur de sa tête, Saba s'était mis à chanter, avec cette voix qu'il avait entendue à la télévision :

Trieste ha una scontrosa grazia.
Se piace
è come un ragazzaccio aspro e vorace
con gli occhi azzuri e mani troppo grandi...

[Trieste a une grâce sauvage.
  Si elle plaît,
  c'est comme un petit voyou âpre et vorace
  aux yeux bleus et aux mains trop grandes…]

Les mains qui, soudain, agrippèrent sa veste à la hauteur de la poitrine n'étaient pas celles d'un petit voyou, elles appartenaient à un quinquagénaire à lunettes, qui n'avait en rien l'air âpre et vorace, vêtu avec soin. Le quinquagénaire avait trébuché ; s'il ne s'était pas instinctivement agrippé à Montalbano et si le commissaire, tout aussi instinctivement, ne l'avait pas soutenu, il aurait fini les quatre fers en l'air sur le quai.

— Mille excuses, j'ai glissé, dit l'homme, honteux.

— Mais je vous en prie ! le rassura le commissaire.

L'homme s'éloigna et Montalbano, qui sortait maintenant de la gare, s'approcha du taxi de tête, tendit la main pour ouvrir la portière et c'est mystérieusement en cet instant précis qu'il s'aperçut qu'il n'avait plus de portefeuille.

Comment ça ? s'indigna-t-il. C'était ça, le geste de bienvenue d'une ville qu'il avait toujours aimée ?

— Vous vous décidez, ou quoi ? lança le chauffeur de taxi au commissaire qui avait ouvert la portière, l'avait refermée et maintenant la rouvrait.

— Écoutez, rendez-moi un service. Portez cette valise et ces livres au Jolly. Je m'appelle Montalbano, j'ai réservé une chambre. Je viendrai après, j'ai une autre chose à faire. Vingt mille, ça suffit ?

— Ça suffit, dit le chauffeur qui partit aussitôt, étant donné que le Jolly était à deux pas, mais le commissaire l'ignorait.

Il fixa le taxi jusqu'à ce qu'il disparaisse à sa vue et aussitôt il lui vint une mauvaise pensée.

— Le numéro d'immatriculation, je l'ai pas pris.

Il lui était venu un accès de méfiance, de suspicion.

L'homme qui lui avait volé le portefeuille devait certainement se trouver encore dans les parages. Il perdit une demi-heure à fouiller et refouiller du regard la gare, et peu à peu abandonna ses dernières espérances. Qui lui revinrent d'un coup quand, sortant sur la place de la Liberté, il revit le pickpocket qui marchait en zigzag entre les voitures d'un parking. Il venait juste de jouer la même comédie avec un monsieur imposant, aux blancs cheveux voltigeant au vent, lequel, ignorant avoir été allégé, continua à marcher vers la galerie d'art antique, en posant sur les passants un regard hautain et majestueux.

Le pickpocket avait de nouveau disparu. Peu après, Montalbano crut l'apercevoir, qui se dirigeait vers le cours Cavour.

Un commissaire de police pouvait-il se mettre à courir derrière un type en criant : « Au voleur, au voleur » ? Non, il ne pouvait pas. La seule chose à faire, c'était d'accélérer le pas, de tenter de le rattraper.

Un feu rouge bloqua Montalbano. Il eut ainsi la possibilité d'assister, impuissant, à un autre numéro du voleur : cette fois, la victime, un sexagénaire très élégant, ressemblait à Chaplin dans le film *Un roi à New York*. Le commissaire ne put s'empêcher d'admirer la magistrale habileté du voleur, un véritable artiste dans sa partie.

Mais en attendant, où était-il allé se fourrer ? Le commissaire dépassa son hôtel, marcha jusqu'à la hauteur du théâtre Verdi et là, il se découragea. Inutile de continuer. Et puis, dans quelle direction ? Qu'est-ce qui lui assurait que le pickpocket n'avait pas déjà pris une des nombreuses rues qui partaient de la place Duca degli Abruzzi ou de Riva III Novembre ? Lentement, il retourna en arrière.

Trieste sut lui changer la filature de l'aller en une

promenade de retour, aérée et tranquille. Il goûta tout son soûl l'odeur dense et forte de l'Adriatique, si différente de celle de la mer de chez lui.

Sa valise avait déjà été montée dans sa chambre, il expliqua à la réception qu'il présenterait plus tard une pièce d'identité.

En premier lieu, il téléphona à la questure, demanda le commissaire Protti, son ami de toujours.

— Montalbano, je suis.

— Salut, comment ça va ? Tu es en avance, le congrès commence à quinze heures. Tu viens déjeuner avec moi ? Je passe te prendre au Jolly, d'accord ?

— Oui, je te remercie. Écoute, je dois te dire une chose, mais si tu te mets à rire, je jure que je viens te casser la figure.

— Qu'est-ce qui t'arrive ?

— On m'a volé. Le portefeuille. À la gare.

Il dut attendre cinq minutes, téléphone en main, le temps que Protti émerge de l'explosion de rire dans laquelle il faillit s'anéantir.

— Excuse-moi, mais j'y suis pas arrivé. Tu as besoin d'argent ?

— Tu me les donnes quand on se voit. Essaie de m'aider avec tes collègues à retrouver au moins les papiers, tu sais, le permis, la carte de crédit, la carte du ministère…

Tandis que le rire de Protti repartait, Montalbano raccrocha, se déshabilla, se mit sous la douche, se rhabilla, passa un long coup de fil à Mimì Augello, son adjoint de Vigàta, et un autre à Livia, sa bien-aimée, à Boccadasse, faubourg de Gênes.

Quand il descendit dans le hall, le réceptionniste l'appela et le commissaire s'assombrit. Ce type voulait sûrement ses papiers, ici, il fallait filer droit, ces gens, pour le respect des règles, ils en étaient restés au temps de Cecco Beppe[1]. Quelle connerie pouvait-il lui raconter pour gagner du temps ?

— *Dottor* Montalbano, on a apporté ceci pour vous.

C'était une grande enveloppe renforcée, avec son nom écrit en capitales. Elle avait été livrée par porteur, il n'y avait pas de nom d'expéditeur. Il l'ouvrit. À l'intérieur, se trouvait son portefeuille. Et à l'intérieur de celui-ci, tout ce qu'il y avait mis, permis, carte de crédit, carte professionnelle, cinq cent cinquante mille lires, pas un centime ne manquait.

Qu'est-ce que c'était, ce miracle ? Qu'est-ce que ça signifiait ? Comment le pickpocket repenti avait-il su dans quel hôtel il habitait ? L'unique explication possible était que le voleur, comprenant qu'il était suivi, s'était caché et ensuite, avait à son tour suivi le volé jusqu'à l'hôtel.

Mais pourquoi s'était-il repenti de son geste ? Peut-être s'était-il aperçu, en regardant les papiers, que le volé était un flic et peut-être s'était-il effrayé ? Allons ! Ça ne tenait pas.

La première chose que Protti lui dit fut :

— Tu me la racontes mieux, cette histoire du portefeuille ?

Évidemment, le scélérat voulait se la savourer une nouvelle fois, il avait envie de se marrer encore un peu.

— Ah, excuse-moi, j'aurais dû t'appeler tout de suite, mais on m'a appelé de Vigàta et ça m'est sorti de l'esprit. La poche de ma veste était décousue et le portefeuille avait glissé dans la doublure. Fausse alarme.

Protti le fixa d'un air dubitatif, mais ne dit rien.

Au restaurant où son ami l'emmena, on ne servait que du poisson. Il s'envoya des *tagliolini* au homard

---

1. Diminutif méprisant du dernier empereur d'Autriche, François-Joseph. *(N.d.T.)*

et ensuite se tapa des filets de *guatti*[1], qui se trouvent difficilement. Pour faire descendre cette grâce de Dieu, Protti lui conseilla un *terrano del Carso*, produit sur les collines derrière Trieste.

Au congrès, participaient quelque chose comme trois cents policiers de toute l'Italie. Invité à prendre place à la tribune, le commissaire, peut-être pour combattre la puissante envie de dormir qui l'avait pris après la bouffe, commença à scruter ceux qui se trouvaient dans la salle, tous avec leur badge accroché au revers de la veste, à la recherche d'un visage connu.

Et il le trouva ; en fait, une tête qu'il avait vue quelques secondes, mais qui lui était restée imprimée sous le crâne. Montalbano sentit le long de son épine dorsale une espèce de secousse électrique : c'était le pickpocket, pas de doute. Le voleur, un malfaiteur qui s'offrait le luxe de jouer les flics, avec un beau badge bien en vue (à qui l'avait-il chouré, Madone sainte ?), qui soutenait son regard et lui souriait.

Est-ce qu'un commissaire, en plein congrès de policiers, peut bondir de l'estrade et choper un type que tous prennent pour un collègue, en criant « Au voleur » ? Non, il ne peut pas.

En le regardant toujours, en souriant toujours, le voleur ôta ses lunettes et tordit son visage dans une grimace comique.

Et alors, Montalbano le reconnut. Genuardi ! Impossible de se tromper, c'était bel et bien Totuccio Genuardi, un de ses compagnons de lycée, celui qui faisait rire la classe, il y en avait toujours un. Déjà, à l'époque, très habile, des mains de velours : une fois il avait tiré le

---

1. *Taglolini* : variété étroite de tagliatelle (pâtes fraîches longues et plates). *Guatto* : nom régional du maquereau. *(N.d.T.)*

portefeuille du proviseur et tous étaient allés ribauder dans une taverne.

Et maintenant, que faire ?

Quand enfin arriva la pause-café, il voulut descendre de l'estrade mais fut arrêté par un collègue qui lui soumit un délicat problème syndical. Il s'en libéra au plus vite, mais Totuccio avait disparu.

Il chercha obstinément et enfin le vit. Il le vit et se figea. Totuccio venait juste de terminer le numéro habituel avec le questeur Di Salvo et il était en train de s'excuser, faussement embarrassé. Le questeur, qui était notoirement un grand seigneur, lui tapota l'épaule en signe de réconfort et lui tint lui-même la porte tandis qu'il sortait. Totuccio lui sourit, s'inclina en signe de remerciement, s'éloigna, et se perdit dans la foule.

Icare

Attendu qu'à Vigàta, l'eau (non potable) de l'usine de dessalement était distribuée deux fois par semaine pendant quatre heures ; attendu que le nombre des émigrés en Belgique et en Allemagne avait atteint le chiffre de deux mille deux cent treize ; attendu que le nombre des chômeurs avait dépassé soixante-dix pour cent de la population ; attendu qu'une enquête récente avait révélé que sur dix jeunes, quatre se droguaient ; attendu que le port avait été voilà à peine deux mois rétrogradé à une catégorie inférieure ; attendu tout cela et le reste, le maire avait décrété des fêtes solennelles à l'occasion du 150e anniversaire de la proclamation de la constitution de Vigàta (auparavant dénommée Lieu-dit du Môle de Montelusa) en commune autonome.

Dans le programme des festivités, qui se dérouleraient tout au long d'une semaine, du 25 au 30 juin, était prévue, chaque soir, une représentation de la Famille Moreno sur laquelle certains, qui avaient eu la chance d'assister au spectacle dans les villes du Nord, racontaient mille histoires. « Famille Moreno » : ce nom, justement, donnait l'idée d'un jeu innocent et auquel les grands-parents pouvaient assister avec leurs petits-enfants. Mais c'était trompeur, annonçaient les bien informés, au point que les affiches portaient en travers l'inscription « Interdit aux moins de 18 ans ».

Dûment avisé par la femme d'un qui avait vu le spectacle à Bergame, le père Burruano, archiprêtre, s'emporta contre le maire qui, s'étonna le capelan, appartenait à un parti dont le chef et fondateur avait une tante moniale qu'il ne manquait jamais de mentionner. Mais le maire fut inébranlable : son parti, répliqua-t-il, voulait les hommes libres, son administration n'était pas celle du passé, gouvernée par des gens sans Dieu, sans Patrie, sans Liberté. Et donc, les adultes, s'ils voulaient aller à ce spectacle, y allaient ; mais sinon, ils pouvaient choisir entre deux manifestations qui se tenaient en même temps que la représentation de la Famille Moreno : la course en sac et le tournoi de belote.

Gerhardt Boldt et Annelise, sa sœur de deux ans sa cadette, nés et grandis dans un cirque, présentaient déjà des numéros d'acrobates quand ils étaient encore minots. À dix-huit ans, Annelise, à présent devenue une jeunesse blonde qui en remontrait aux nanas des magazines, avait perdu la tête pour un pilote d'hélicoptère, Hugo Rittner, et se l'était marié. C'était précisément à Hugo qu'était venue en tête l'idée de former, avec sa femme et son beau-frère, la Famille Moreno.

Trois jours avant la représentation, dans un lieu choisi tout exprès, on construisit, avec des tubes de fer, une très vaste structure circulaire à ciel ouvert. Sur les treillages, on appliqua une toile épaisse, de manière à imiter le Colisée.

La structure, d'une capacité de quatre cents places disposées sur le pourtour intérieur, avait en son centre un ample espace circulaire entièrement couvert par une estrade de bois blanc. À côté de la structure furent installées une batterie de projecteurs tournants et, en haut d'un pylône, une cabine de bois surmontée d'une antenne. La représentation, selon l'affiche, devait commencer à vingt et une heures trente précises, mais une heure avant, la salle grouillait déjà de mâles vigatais, célibataires et mariés, bien que le coût du billet fût considérable. Des femmes, en revanche, point : l'interdiction du spectacle aux moins de dix-huit ans les tenait à l'écart. Du moins, pour cette première soirée. À l'heure fixée, avec une précision teutonique, le faisceau lumineux des projecteurs commença à explorer le ciel, tandis qu'une musique de film d'épouvante assommait les spectateurs. Tout le public dressait la tête vers le ciel noir, mais dans la même position, se tenaient aussi les Vigatais qui se trouvaient dehors. Puis le projecteur isola un hélicoptère et le suivit jusqu'à ce qu'il vienne se positionner en hauteur, à la verticale de la structure ; on eût dit qu'il voulait se poser sur l'estrade de bois. De l'appareil tomba un long câble qui se terminait par un anneau et le long du câble descendit un bonhomme engoncé dans une combinaison spatiale argentée. Il entama une série d'acrobaties spectaculaires. Pendant ce temps, au pays s'était déchaînée la fin du monde : tous au balcon ou aux fenêtres, à regarder le ciel. Le tournoi de belote et la course en sac furent interrompus. L'acrobate termina son numéro par de très rapides voltiges avec un seul bras, qui coupèrent le souffle aux Vigatais.

Puis l'hélicoptère lâcha un autre câble auquel était attaché un trapèze ; sur la barre était assise une femme, on le comprenait à ses cheveux blonds bouclés, elle portait elle aussi la combinaison, mais sans casque. Arrivée à la hauteur de l'autre acrobate, elle exécuta, à une vitesse incroyable, quelques exercices en solo, manifestement très difficiles. Ensuite, suivit une série d'acrobaties à deux. Les gens criaient bravo, applaudissaient, hurlaient, mais eux étaient trop haut pour entendre. À la fin de ce ballet aérien, les câbles descendirent jusqu'à deux mètres de l'estrade et les acrobates disparurent aux yeux des Vigatais qui n'avaient pas payé leur billet. La batterie de projecteurs s'éteignit, l'hélicoptère récupéra les câbles et s'éloigna, un seul projecteur s'alluma sur la piste. Et on changea de musique, sur le plan métaphorique aussi, introduisant cette deuxième partie du spectacle pour laquelle le père Burruano, l'archiprêtre, avait eu des paroles de feu.

La nana sautait au bas du trapèze, feignait de se recevoir mal et restait évanouie, bras en croix, jambes écartées. Alors, son compagnon se libérait de la combinaison et apparaissait vêtu seulement d'une peau de tigre, avec un masque de lion sur le visage. La petite, reprenant ses sens et découvrant la bête, s'effrayait et se mettait à courir. Un premier coup de griffe du lion emportait la partie supérieure de sa combinaison, la mettant en soutien-gorge. Un autre coup de patte la laissait en culotte. Alors la fillette, comprenant les intentions du lion, l'invitait par gestes à attendre et commençait un très lent et voluptueux strip-tease, au terme duquel il ne lui restait qu'un cache-sexe presque invisible. Et là, elle cédait aux désirs du lion qui, non content de connaître par cœur le Kâma Sûtra, était aussi capable d'en proposer une édition revue et augmentée.

Il faisait un peu frisquet quand la représentation se termina dans un délire d'applaudissements, mais les hommes avaient chaud et transpiraient comme s'ils s'étaient trouvés devant un four. L'hélicoptère se remit à la verticale de l'estrade, fit descendre les câbles, les deux acrobates remercièrent encore une fois et ils allaient remonter quand arriva ce qui arriva.

— Qu'arriva-t-il ? répondit Mimì Augello le lendemain matin à Salvo Montalbano. Je ne sais s'il faut appeler ça une farce ou une tragédie. La petite avait à peine agrippé le câble qu'on entendit une voix désespérée. Si déchirante que les gens se sont tus. « Non, non !

Ne t'en va pas ! » faisait cette voix qui interprétait le sentiment général. La fille, une main tenant le câble, les yeux étonnés, s'était défait les cheveux pendant qu'elle remerciait, et ils lui arrivaient au bas du dos ; elle avait les jambes très longues, et fortes, que tu te prenais à pinser que si tu venais à te trouver au milieu, elles pouvaient te casser en deux, mais dans le même temps, si féminines et avec ce petit cul si haut et dur qu'il arrivait au niveau de mes douleurs cervicales, et ces nichons roses à découvert…

Montalbano siffla comme un chevrier, Mimì Augello se secoua, s'arracha à son rêve :

— Je me suis tourné pour voir qui poussait ces cris, mais je ne le distinguais pas bien, c'était un jeune que deux voisins avaient du mal à retenir. Puis il s'est libéré, s'est précipité sur la piste. La fille, voyant le péril, grimpe sur le câble. Le jeune tente lui aussi de la suivre, mais il est renversé d'un coup de poing par l'homme acrobate. Le jeune tombe à terre, les deux montent sur les câbles, l'hélicoptère s'en va. Je descends sur la piste. Le jeune se relevait lentement, de sa bouche du sang coulait à cause du coup de poing reçu, mais il marmottait : « Je la veux ! Je la veux ! » Il avait des yeux de fou, et tremblait. Je l'ai mis en garde, je lui ai dit que si je le trouvais encore dans les parages le lendemain soir, je le ferais arrêter. Je ne sais pas s'il a compris ce que je lui disais. Et vous savez qui c'était ? Nenè Scòzzari !

À ce nom, le commissaire aussi s'ébahit. Mais comment ça ?! Nenè Scòzzari ! Estimé et loué dans tout Vigàta pour son sérieux, sa bonne tenue, son éducation. Fils d'un avocat, le premier du pays, fortuné, inscrit à l'Action catholique, docteur en droit à vingt-trois ans, depuis six mois fiancé à Agatina Lo Vullo, première des Filles de Marie. Et il se comportait ainsi en public, il se mettait à faire du scandale ?

— J'y comprends rien, assura Augello. S'il avait réussi

à avoir l'acrobate entre les mains, il se la baisait là, devant tout le monde.

Cela advint lors de la représentation, la première, du 25. Quand on eut raconté le spectacle dans le spectacle donné par Nenè Scòzzari, le lendemain, la foule fut si nombreuse au guichet que les gardes municipaux durent intervenir pour mettre de l'ordre dans la bousculade. Une dizaine de femmes mariées, accompagnées de leur homme, se montrèrent. S'y rendit aussi Mimì Augello, lequel, sans ciller, avait déclaré à Montalbano que sa présence était indispensable pour éviter que se renouvelle un incident comme celui de la veille. Mais ensuite, il finit par avouer à son supérieur que les cuisses de l'acrobate allemande l'avaient empêché de s'endormir.

Le spectacle du 26 se déroula sans anicroche, hormis un léger malaise qui, au plus beau moment du Kâma sûtra, frappa le chevalier Scibetta, soixante-dix ans, qui dut être transporté au-dehors dans les bras de son fils et de son petit-fils, étant donné que personne d'autre n'avait voulu bouger pour ne pas perdre une minute de la représentation.

Obtempérant à la mise en garde, Nenè Scòzzari ne s'était pas montré. Et il ne s'était pas non plus montré, depuis la soirée du 25, à ses parents, avec lesquels il habitait.

Le matin du 27, vers les onze heures, dans le bureau du commissaire se présenta maître Giulio Scòzzari, père de Nenè.

— Mon fils n'est pas rentré à la maison depuis la nuit du 25, après qu'il a fait la farce que vous savez, que nous, on en est tombés par terre de la vergogne.

— Il a disparu ?

— Disparu, tu parles ! se récria l'avocat. Je sais très bien où il est.

— Et où il est ?

— À la pointe de l'Espérance, où il y a l'hélicoptère et les camping-cars de ces foutus Allemands.

La pointe de l'Espérance, où les acrobates avaient établi leur base, était une zone déserte, presque à pic sur la mer.

— Et qu'est-ce qu'il fait ?

— Rien. Il reste dans sa voiture, pas loin, et il attend que l'Allemande sorte pour la reluquer, ce con.

— Et vous, qu'est-ce que vous attendez de moi ?

— Si vous pouviez aller lui parler, le convaincre d'arrêter ses bouffonneries…

Il était onze heures et demie, il n'avait pas envie d'aller parlementer avec le gamin. Il en chargea Mimì Augello, qui ne se le fit pas répéter deux fois : l'adjoint fila comme l'éclair, dans l'espoir de réussir à voir l'Allemande de près. Il revint au bout de deux heures, bouleversé.

— Madonne très sainte, Salvo ! Arrivé à la pointe de l'Espérance, j'ai trouvé cette situation : Nenè Scòzzari s'appuyait sur le capot de son automobile à une vingtaine de mètres des deux camping-cars et de l'hélicoptère. L'Allemande, elle, elle était vautrée, complètement nue, sur un lit, à se prendre le soleil. Nenè avait à la main un petit bouquet de marguerites qu'il venait de cueillir, il s'est approché de la fille, le lui a posé sur les nichons et est retourné à sa place. Alors, elle l'a regardé. Sainte Madone, quel regard ! Mais celle-là, à peine elle peut, à peine le mari et le frère ils lui laissent un instant pour respirer, une petite baise vite fait, elle le lui accorde, à Nenè. Garanti !

— Et les deux hommes lui cassent la figure, pour de bon cette fois.

— Allez, Salvo, ceux-là, des Allemands, ce sont. Pas

des Siciliens. Un petit coup vite fait bien fait, aux nanas, ils le leur pardonnent.

— À propos, ils étaient où, les hommes ?

— En train de se baigner, cent mètres plus bas.

— Tu lui as parlé, à Nenè ?

— Oui. Mais crois-moi, je suis sûr qu'il m'a pas entendu. J'ai eu l'impression qu'il me voyait même pas ; pour lui, j'étais transparent. Il regardait l'Allemande et elle le regardait. Qu'est-ce que je pouvais faire ? Je suis revenu. Je te l'avoue, cette Allemande me faisait bouillir le sang.

— Tu n'as jamais vu de femme nue ?

— Comme celle-là, jamais, dit avec sincérité Mimì. Et c'est pas une quistion de beauté. Maintenant, je sais vraiment ce qu'ils entendent dire, les Américains, quand ils parlent de sex-appeal.

Les spectacles du 27 et du 28 se déroulèrent parfaitement, mais les femmes présentes étaient maintenant deux fois plus nombreuses que les hommes.

— Et ça s'explique, dit Mimì qui n'avait pas manqué une soirée. Si j'étais une femme, je perdrais la tête pour lui. Il est pareil exactement que sa sœur, sauf qu'il l'est au masculin.

Le matin du 29, Mimì Augello arriva au bureau un peu tard, un petit sourire aux lèvres.

— Ton réveil est cassé ?

— Tu parles ! Je venais au bureau, quand devant le loueur de voitures, j'ai vu les deux Allemands, le pilote et l'acrobate, qui partaient en voiture. Alors, je suis entré et je me suis renseigné auprès du propriétaire. Ils sont allés à Catane, en reconnaissance, ils doivent donner une représentation là-bas.

— Mimì, tu es plus fouineur qu'une concierge, qu'un valet de chambre.

— Et ce n'est pas fini ! assura Mimì, les yeux brillants. Il m'est venu la pinsée...

— ... d'aller à la pointe de l'Espérance, dit Montalbano.

Mimì Augello le regarda avec admiration.

— Tu as mis dans le mille ! Quand j'arrivai, je m'arrêtai à distance pour ne pas faire entendre le moteur. Nenè n'était pas dans sa voiture. Je m'approchai du camping-car de l'Allemande et de son mari. Je te dis pas, Salvo ! Tout était fermé, mais elle, elle était enragée, elle criait « *Ja! Ja!* », qu'on aurait dit qu'on la poignardait. Si à Nenè, les forces, elles le trahissent pas, il peut rester à cheval jusqu'à six heures ce soir, avant que les deux Allemands aient fait la route du retour. Je te l'avais pas dit, Salvo, que celle-là, à peine elle pouvait, elle se le ratait pas, Nenè ?

Le 30, à six heures et demie du matin, le commissaire fut réveillé par un coup de fil de maître Giulio Scòzzari.

— *Dottor* Montalbano, pardonnez-moi l'heure, mais je suis très inquiet pour mon fils.

— Qu'est-ce qui se passe ?

— Comme j'ai fait depuis quelques jours, vers une heure cette nuit, je suis passé du côté de la pointe de l'Espérance. La voiture de mon fils n'était pas là.

— L'hélicoptère et le camping-car étaient à leur place ?

— Oui, ils étaient tous rentrés du spectacle. J'ai attendu encore une heure, il ne s'est pas montré, j'ai pensé qu'il avait dû finir par rentrer à la maison. Il n'y était pas.

Pouvait-il dire au père que peut-être son fils, fatigué de sa longue chevauchée, comme disait Mimì, était allé reprendre des forces dans un hôtel quelconque, sans avoir à donner d'explications à ses parents ?

— Bah, maître, il y a sans doute eu du changement.

L'avocat ne comprit pas.

— Aucun changement ! Je suis passé voilà même pas un quart d'heure, les Allemands dorment et ni mon fils ni sa voiture ne sont là.

— Maître, votre fils est majeur.

— Et quel rapport ?

— Le rapport, c'est que nous ne pouvons pas aller le chercher comme si c'était un minot perdu. Attendons encore un peu et s'il ne réapparaît pas, je verrai ce que je peux faire.

Mais, d'une façon quelconque, l'angoisse de maître Scòzzari se communiqua à Montalbano. À huit heures du matin, au lieu de se rendre à son bureau, il décida de faire une visite aux Allemands. De la voiture de Nenè Scòzzari, pas trace. Il était persuadé que les Allemands dormaient encore. En fait, les deux hommes étaient réveillés, Hugo farfouillait dans le rotor, Gerhardt s'exerçait aux barres parallèles. Le commissaire s'approcha, il ne connaissait pas un mot d'allemand mais espérait se faire comprendre quand même.

— Tu sais où est passé l'homme qui restait ici, à attendre, avec une voiture ?

Gerhardt, qui était descendu de ses barres, écarta les bras, secoua la tête. Le conducteur d'hélicoptère, qui avait entendu la question, s'approcha.

— L'Italien amoureux, on l'a plus fu.

Et il rit. L'acrobate aussi éclata d'un rire de tête, très désagréable.

On ne peut avouer à personne, peut-être pas même à soi-même, qu'on démarre une enquête seulement à cause d'un rire trop désagréable, dans lequel résonnaient la dérision, le mépris, le triomphe, la méchanceté. Dès qu'il fut au bureau, Montalbano appela Fazio et Gallo.

— Toi, dit-il à ce dernier, tu vas, sans te faire remarquer, à la pointe de l'Espérance, où les acrobates allemands ont installé leur base. Amène-toi des jumelles et le téléphone mobile. Je veux être informé du moindre détail. Et toi, continua-t-il, tourné vers Fazio, dès que Mimì Augello arrive, tu vas avec lui prendre l'Allemande. Tu la réveilles si elle dort, je m'en fous. Je la veux ici, mais seule.

Puis il téléphona à maître Scòzzari.

— Des nouvelles de votre fils ?

— Rien, commissaire. Nous sommes désespérés. (Mais aussitôt, l'avocat devint soupçonneux.) Pourquoi me téléphonez-vous, commissaire ? Vous avez appris quelque chose ? Pourquoi m'avez-vous téléphoné ?

Montalbano ne sut que répondre.

— Excusez-moi, j'ai beaucoup à faire. Appelez-moi si vous avez du neuf.

Il raccrocha. Et à ce moment, apparut Mimì Augello.

— Et toi, tu n'es pas parti avec Fazio ?

— Comme j'ai appelé pour avertir que je serais en retard, Fazio est allé prendre l'Allemande avec Galluzzo.

— Mais moi, je voulais que tu y ailles, toi, parce que, à force de baiser les touristes, tu baragouines un peu d'allemand.

— Si c'est pour ça, Galluzzo aussi. Quand il était minot, il est allé chercher de la besogne en Allemagne.

— Mimì, quand ils nous amènent l'Allemande, je veux que tu sois là. Ne perds pas ton temps à lui mater les nichons ou les cuisses.

— Tu veux bien m'expliquer ce qui se passe ?

— Nenè Scòzzari et sa voiture ont disparu.

— C'est tout ? Après la grande baise qu'il s'est faite hier…

— Oui, Mimì, moi aussi j'y ai pensé. Mais il y a quelque chose qui ne me convainc pas.

Mimì Augello garda le silence. Quand son supérieur disait que quelque chose ne tournait pas rond, cela voulait dire que, véritablement, ça ne tournait pas rond, il le savait d'expérience.

Dès qu'Annelise entra dans le bureau, vêtue d'un short ultracourt et collant, et d'un grand foulard de soie qui lui couvrait la poitrine, Montalbano comprit la souffrance de Mimì quand il l'avait vue nue. Son adjoint avait raison, il ne s'agissait pas que de beauté. Elle sourit à Augello qu'elle connaissait déjà, fit un signe de tête au commissaire, dit quelque chose en allemand.

— Elle demande si c'est une histoire de passeports.

— *Nein*, dit d'instinct Montalbano.

— *Nein*, dit en même temps Mimì.

Ils se regardèrent.

— Excuse-moi, articula le commissaire, dis-lui que nous voulons savoir comment elle a passé la journée d'hier.

Mimì demanda et elle répondit. Longuement. Et au fur et à mesure qu'elle parlait, Augello semblait toujours plus embarrassé.

— Qu'est-ce qu'elle raconte ?

— Ben, Salvo, celle-là, elle parle direct. Elle dit que comme à hier, elle était restée seule, elle en a profité pour faire du sexe, elle a dit vraiment comme ça, avec ce beau garçon sicilien qui est fou d'elle. Ils ont pas mangé, ils sont restés ensemble jusqu'à quatre heures de l'après-midi, quand elle l'a renvoyé, elle avait peur que reviennent son mari et son frère qui étaient allés à Catane. Dès que le garçon est parti, elle s'est endormie d'un coup, elle était, ce sont ses mots, un petit peu épuisée.

— Mes compliments à Nenè Scòzzari, commenta Montalbano.

— Vers sept heures du soir, continua Mimì, son mari l'a réveillée et elle a commencé à se préparer pour la représentation.

— Demande-lui si, quand elle est sortie pour monter dans l'appareil, la voiture du jeune était encore là.

— Elle dit qu'elle n'en sait rien, traduisit Mimì, il faisait déjà nuit noire. Elle a dit que tout à l'heure, quand nos hommes sont venus la prendre, elle s'est étonnée de ne pas voir l'auto à sa place habituelle. Ça lui a déplu et elle en a été contente.

— Demande-lui pourquoi ça lui a déplu et pourquoi elle a été contente.

La réponse d'Annelise fut assez longue.

— Ça lui a déplu parce que les hommes, d'après elle, sont tous des porcs égoïstes qui, dès qu'ils ont eu ce qu'ils voulaient, s'endorment ou vont aux chiottes pour pisser, ce sont ses mots, ou bien disparaissent. Elle est contente parce qu'elle avait peur d'une mauvaise réaction de Gerhardt, lequel, non content d'être jaloux, est aussi un violent.

— Tu traduis bien, Mimì ? Tu sais, Gerhardt, c'est le frère, le mari s'appelle Hugo.

— Mais elle a dit Gerhardt. Attends, je demande des précisions.

Mimì dit quelque chose et la réponse de l'Allemande le fit soudain rougir violemment. Montalbano s'étonna : cette tête de bois d'adjoint était capable de rougir ?

— Qu'est-ce qu'elle dit ? Qu'est-ce qu'elle dit ?

— Elle a dit, très simplement, que quand elle avait quatorze ans, son frère a été le premier homme de sa vie.

— Parce que avant, elle le faisait avec les éléphants, commenta peu galamment le commissaire.

— Elle a dit aussi que Gerhardt a beaucoup souffert quand elle a voulu se marier avec Hugo, mais que, heureusement, son mari s'est montré très compréhensif. Elle a ajouté que le pauvre Gerhardt, quand ils font le Kâma sûtra en piste, souffre d'une forte tension parce qu'il est contraint de mimer ce qu'il ferait volontiers pour de bon.

L'Allemande se pencha en avant pour chasser un grain de poussière du gros orteil qui dépassait de la sandale. Elle se foutait éperdument de la réaction des deux hommes à ses paroles.

— Dis-lui de s'en aller, conclut Montalbano. Il est clair qu'elle ne sait rien de Nenè. C'est peut-être une radasse, mais elle me paraît sincère.

— À moi aussi, appuya Mimì.

Il convoqua tous ses hommes, à l'exception de Gallo qui restait à la pointe de l'Espérance à surveiller les Allemands, et expliqua ce qu'il avait en tête.

— Toi, Germanà, tu vas chez maître Scòzzari et tu te fais faire une plainte en règle pour la disparition de son fils Nenè. Il faut qu'elle soit antidatée du 28 au matin, autrement, il n'y a pas les vingt-quatre heures exigées par la loi pour entamer des recherches. Cette plainte, tu la remets au *dottor* Augello. Toi, Mimì, la plainte, tu la portes au juge, tu lui racontes une connerie quelconque et tu te fais donner un mandat de perquisition pour les caravanes, le camion, l'hélicoptère, en somme tout ce que les Allemands ont. Mais cette perquisition doit être faite cette nuit, pas avant, dès que l'hélicoptère aura atterri, à la pointe de l'Espérance, après le spectacle. Tortorella, Galluzzo, Grasso vont avec une voiture de service dans les parages de la pointe sans se faire voir des Allemands. Cherchez l'auto du jeune, Augello vous dira la marque et la couleur. Toi, Germanà, tu te mets en contact par le mobile avec Gallo, tu te fais expliquer où il se trouve et d'ici une heure, tu le relaies.

— Et toi ? demanda Augello.

— Moi ? Moi, je vais manger, répondit Montalbano.

Catarella se précipita dans la pièce.

— *Dottori*, juste maintenant, Gallo a tiléphoné. Il dit comme ça que les Allamands ils s'en sont pris à l'Alla-mande, ils l'ont engueulardée et son frère, il l'a même tabasstapée.

— J'ai des mauvaises nouvelles, annonça Mimì en entrant dans le bureau vers quatre heures de l'après-midi.

— Le juge n'a pas signé le mandat ?

— Si, si, il n'a pas moufté, je l'ai en poche. Le fait est qu'il m'est venu une idée et que je suis passé chez le loueur de voitures. J'ai demandé au propriétaire à quelle heure les Allemands lui avaient restitué la voiture. Il m'a répondu que vers six heures et demie, Gerhardt l'a ramenée et que pour rentrer au campement, il a pris l'autobus pour Montelusa qui a un arrêt pas loin de la pointe de l'Espérance.

— Et ça te paraît une mauvaise nouvelle ?

— Il y a une suite. Le propriétaire a ajouté que, néanmoins, les Allemands étaient revenus avant.

— Et comment il le sait ?

— Parce qu'il les a vus passer vers les trois heures et demie, ils allaient en direction de Monreale, donc de la pointe de l'Espérance.

— Et donc, les deux hommes ont peut-être vu Nenè sortir du camping-car d'Annelise.

— Exactement. Et ça, ça me donne à pinser.

Le téléphone sonna, c'était Germanà qui avait relayé Gallo.

— *Dottore* ? Ici, tout est tranquille. Les deux acrobates s'exercent aux barres parallèles. Gerhardt et Annelise, après l'engueulade que Gallo a vue, ont fait la paix. Ils se sont embrassés et ils se sont donné des baisers. Vous voulez savoir une chose, *dottore* ? D'après les baisers qu'ils se sont donnés, si ceux-là, ils sont frère et sœur, moi, je suis le pape.

— Ne te formalise pas, Germanà, les Allemands ont cette coutume, ils font tout en famille, encore pire que nous.

À sept heures, la voix triomphante de Tortorella annonça qu'ils avaient retrouvé l'auto de Nenè Scòzzari,

153

à trois kilomètres de la pointe de l'Espérance. Elle avait été embrouscaillée au plus profond du maquis et puis recouverte de branches coupées. À l'intérieur, personne. Que devaient-ils faire ? Le commissaire leur répondit de laisser les lieux en l'état. Grasso resterait de garde dans les environs. Les autres pouvaient rentrer.

À huit heures, Gallo se présenta.

— Je vais relayer Germanà. Vous savez quoi, commissaire ? Les haut-parleurs des Allemands disent que ce soir, il va y avoir un numéro spécial. Il sera exécuté par un acrobate dénommé Icare.

« Et où est-ce qu'ils l'ont déniché ? » se demanda le commissaire. Mais il se répondit aussitôt qu'ils l'avaient certainement trouvé à Catane.

— Faites attention, insista Montalbano, le moindre truc étrange que vous voyez ou que vous entendez, téléphonez, j'emmène le mobile.

— Peut-être, si ça se trouve, ce soir, je viens moi aussi, dit Montalbano. Combien coûte le billet ?

Mimì lui lança un regard étonné.

— Mais il n'y a pas besoin de billet !

— Non ? Et pourquoi ?

— Parce que nous sommes une Autorité.

— Je ne savais pas, dit, sincère, le commissaire.

— Mais bien sûr. Nous avons des places réservées au premier rang.

À neuf heures vingt ils sortaient du bureau quand le mobile sonna. C'était Gallo.

— Commissaire ? La petite Allemande n'est pas montée dans l'hélicoptère. Je le vois bien parce que, à l'intérieur, ils ont allumé. La fille n'y est pas. Et ils sont en train de partir en cet instant même.

— Combien sont-ils dans l'hélico ?

— Deux, commissaire. Le pilote et l'acrobate homme,

154

qui tient à la main le casque de la combinaison spatiale, je l'ai très bien reconnu.

Et Annelise, où était-elle passée ? Et le nouvel acrobate Icare annoncé par les haut-parleurs ?

— Gallo, fais une chose. Approche-toi des camping-cars. S'il y a quelque chose qui te semble bizarre, prends des initiatives. Mais téléphone-moi.

Les haut-parleurs avaient annoncé un spectacle différent, et de fait, pour commencer, l'hélicoptère, à la verticale du cirque, descendit le premier câble, celui muni d'un anneau, jusqu'à toucher l'estrade de bois. Puis, élingué au deuxième câble duquel on avait ôté le trapèze, apparut un acrobate. Les angles qui le tenaient au câble avaient été entrecroisés de manière à ce que l'homme se retrouve à plat ventre, on aurait dit une grenouille. Il était en caleçon, tricot de corps et chaussettes. De la tenue spatiale, il ne portait que le casque. Un costume vraiment ridicule. L'acrobate commença à bouger bras et jambes d'une manière désordonnée, et si grotesque que les gens éclatèrent de rire. L'homme accroché au câble resta suspendu, sans plus descendre, bras ouverts, les jambes écartées, il tremblait tout entier et maintenant, il ressemblait à une araignée. C'était sans aucun doute Icare, un clown.

— Il est très bon, dit Mimì au commissaire.

Montalbano ne répondit pas, il était en train de se demander comment il était possible de mimer une peur folle, totale, au point de la faire paraître vraie. Soudain, à la vue du câble voisin, l'acrobate Icare s'agita violemment pour l'attraper de ses mains tendues mais il se renversa, tête en bas, pieds en l'air. Le public rit et applaudit. Les mouvements du clown qui mimait tous les gestes de la peur devinrent frénétiques.

Et à ce moment, le téléphone de Montalbano sonna.

— Commissaire ? Ici Gallo. J'ai entendu une plainte à l'intérieur du camping-car, j'ai défoncé la porte. Il y avait l'Allemande, attachée et bâillonnée. Elle a l'air folle, commissaire, et moi je n'y comprends rien à ce qu'elle crie, elle veut s'échapper, elle m'a griffé le visage.

— Garde-la là, cria-t-il et à Augello, il cria aussi : Viens avec moi.

Il se précipita au-dehors, Mimì à ses côtés.

— Tu l'as, ton pistolet ? Dès que nous sommes entrés, mets hors de combat tous ceux que nous rencontrons.

Il se précipita derrière la batterie des projecteurs, commença à grimper l'échelle de fer du pylône, en sueur, les mains serrant fort les barreaux ; il souffrait un peu de vertige.

— Tu veux bien m'expliquer ce qui se passe ? lui demanda Mimì qui montait derrière lui.

— Ne me parle pas maintenant, merde, j'ai plus de souffle, haleta Montalbano.

Il arriva sur la plate-forme sur laquelle se trouvait la cabine, se mit de côté, Mimì Augello se catapulta contre la porte qui n'était que poussée, se rua comme une avalanche sur un homme assis devant une console, qui finit au sol avec sa chaise.

Montalbano lui arracha les écouteurs des oreilles, entendit demander quelque chose en allemand, les passa à Mimì. Sur la console, il y avait deux micros, le commissaire activa celui dans lequel l'homme ne parlait pas quand ils étaient entrés.

— Ceux de l'hélicoptère continuent à demander qu'est-ce qui se passe, annonça Mimì et, pour garder les mains libres, il abattit la crosse du pistolet sur la nuque de l'homme en train de se relever, étourdi.

— Vigatais ! cria Montalbano.

Par le fenestron de la cabine, on voyait les trois quarts des bancs et presque toute la piste. Le commissaire constata que sa voix était passée, tous s'étaient tournés vers le haut-parleur.

— Vigatais ! répéta-t-il.

Et le diablotin de l'ironie, qui l'accompagnait jusque dans les moments les plus difficiles, lui suggéra d'ajouter : « mes frères, mon peuple » comme Alberto da Giussano[1]. Il surmonta la tentation.

— Le commissaire Montalbano, je suis. L'homme accroché là-haut n'est pas Icare, ce n'est pas un clown. C'est notre concitoyen Nenè Scòzzari que les Allemands ont pris et ils sont en train de lui faire risquer sa vie ! Aidez-moi.

— Ceux de l'hélicoptère ont compris qu'il se passe quelque chose. Il faut faire vite, dit Mimì, excité, les écouteurs sur les oreilles.

Oui, bon, mais que faire ? Le commissaire reporta son regard sur la foule. Et il vit un spectacle qui l'émut, lui serra la gorge. Deux ou trois jeunes grimpaient comme des singes, le long du câble, une grappe humaine s'était accrochée à ce même câble, pesait de tout son poids. Montalbano fixa l'hélicoptère, il était visiblement en difficulté, mais il pouvait y arriver, à s'élever.

— Parle à ces deux cons, dit Montalbano, dis-leur que s'ils s'éloignent, ils emmènent avec eux en vol une dizaine de personnes suspendues à un câble. Ça peut tourner au massacre. Qu'ils réfléchissent bien.

Mais il savait déjà comment ça allait finir.

— Libérez l'hélicoptère ! cria-t-il. Reprenez vos places !

En fait, le câble qui portait Nenè Scòzzari, lequel, évanoui, semblait une marionnette aux fils cassés, commença lentement à descendre vers le sol.

Ça s'est passé comme ça. L'Allemande, un sacré morceau dont mon adjoint Augello gardera l'impérissable souvenir pour l'avoir vue nue, profite de l'absence de son mari et de son amant (qui n'est autre que son frère) pour s'offrir quelques heures de baise intense dans son

1. Fondateur de l'ancienne Ligue lombarde au XIIIᵉ siècle. *(N.d.T.)*

camping-car avec Nenè Scòzzari, ex-jeune homme bien sous tous rapports, fou d'elle. Les deux Allemands, revenus plus tôt que prévu, surprennent le Scòzzari en train de sortir du camping-car. Il leur vient l'idée de lui faire payer ses galipettes avec une blague cruelle : ils le chopent, l'attachent, le cachent dans l'hélicoptère, font disparaître l'auto. Quand la supernana se réveille de son sommeil réparateur, les deux hommes lui reprochent ce qu'elle a fait, mais ça paraît finir là. Ils envoient un acolyte tourner dans le pays pour annoncer que le soir même un nouvel acrobate, Icare, participera au spectacle. Un peu avant de quitter leur base, les deux bons vivants attachent et bâillonnent leur femme et sœur-amante, laquelle évidemment se refuse à participer à cette blague. Les deux hommes mettent en slip, littéralement, Scòzzari, le coiffent du casque pour qu'on n'entende pas ses cris et le descendent avec le câble. Voici créé le clown-acrobate Icare. Moi, j'ai compris l'histoire quand un de mes agents m'a téléphoné qu'il avait découvert la fille attachée et bâillonnée.

Mes propositions sont les suivantes : travaux forcés à perpétuité pour les deux cons (qu'il soit bien clair qu'ils n'avaient pas l'intention de tuer Scòzzari, mais seulement de lui flanquer une belle frousse) ; liberté conditionnelle pour la petite Allemande (la condition de sa liberté serait d'être abandonnée à la merci, pendant un mois, de mon adjoint le *dottor* Mimì Augello).

Ainsi s'expliqua le commissaire Montalbano dans son rapport au juge. Mais il utilisa d'autres termes et omit les propositions finales.

L'avertissement

— Je n'arrive pas à comprendre, commissaire.

Carlo Memmi semblait un trentenaire qui faisait nettement plus vieux que son âge, mais quand on allait regarder sa date de naissance, on s'apercevait que c'était un quinquagénaire qui portait très bien son âge. Antenore Memmi, son père, avait possédé à Parme un salon de coiffure réputé, fréquenté par tous les hiérarques fascistes de la ville. Et alors, comment donc expliquer que fin 1945, il soit venu s'enterrer à Vigàta, hébergé par la mère de sa femme Lia qui, justement, était vigataise? Les gens du coin n'avaient pas traîné à trouver une explication. À force de fréquenter les boiteux, qu'est-ce qu'on fait? On boite. Et c'est ce qui s'était passé pour Antenore Memmi : à force de fréquenter les fascistes, au temps de Salò, il paraît qu'il s'était pris le vice de raser gratis les partisans que ses amis capturaient. Après la Libération, ayant échappé à l'arrestation, il avait compris que continuer à rester à Parme n'était pas recommandé, quelqu'un tôt ou tard surgirait, qui lui donnerait le salaire de son labeur. À Vigàta, avec l'argent de sa belle-mère, il avait ouvert un salon et comme, pour être bon dans sa partie, il l'était, les clients lui venaient jusque des villages voisins. En 1950, il lui était né un fils, Carlo, resté unique, qui commença à apprendre le métier, d'abord comme apprenti puis comme ouvrier. Quand Carlo atteignit sa vingtième année, sa mère, Mme Lia, mourut. Six mois plus tard, à Antenore Memmi vint la lubie de retourner dans la ville de Parme, qu'il n'avait plus vue depuis vingt-cinq ans. Le fils le lui déconseilla, Antenore s'entêta et partit, en assurant à Carlo qu'il ne s'agirait que d'une très brève visite. En effet, elle fut brève. Trois jours après son arrivée, Antenore Memmi fut renversé et tué par un chauffard jamais identifié. L'opinion du plus grand nombre, à Vigàta, fut que quelque parent de l'un de ceux qu'il avait rasés gratis n'était pas satisfait du service rendu et, malgré tout ce temps passé, s'était donné le mal de le lui faire savoir. Resté orphelin, Carlo avait tenu le salon paternel, en avait acheté un grand qu'il avait divisé en deux sections, une pour les femmes, l'autre pour les hommes. Le fait est que Carlo, venu à Parme pour l'enterrement, avait rencontré une cousine, Anna, coiffeuse pour dames. Ça avait été un coup de foudre, qui avait entre autres doté Vigàta d'un très élégant salon orné de l'enseigne Carlo & Anna.

Au bout de quelque temps, alors que les affaires allaient déjà mieux que bien, Carlo avait eu un joli coup de génie en faisant venir à Vigàta directement de Paris Monsieur[1] Dédé, coiffeur pour dames quadragénaire, exemplaire standard de l'espèce qui, entre autres, était comme il se doit *garruso* (selon les vieux Vigatais), pédé (selon les Vigatais plus vulgaires), gay (selon les dames, qui en étaient gâteuses). En conséquence, à l'arrivée de Monsieur Dédé, Carlo avait dû se transférer dans un local trois fois plus grand et embaucher une secrétaire rien que pour prendre les rendez-vous. Mais, inexplicablement, au début des années 90, Carlo Memmi et sa femme Anna avaient pris leur retraite, en laissant le salon aux mains de

1. En français dans le texte. *(N.d.T.)*

Monsieur Dédé qui se l'était acheté pour de nombreuses centaines de millions. Carlo avait ainsi pu se vouer à temps plein à ses deux passions, la chasse et la pêche. Il possédait une petite villa à Marinella où il habitait avec sa femme été comme hiver, fort commode pour la pêche qu'il pratiquait en gagnant le large avec un pneumatique à moteur. Pour la chasse, la chose était un peu plus compliquée. Carlo Memmi alla chasser à l'étranger, d'abord en Yougoslavie et puis en Tchécoslovaquie, une fois par an, et restait loin de chez lui pendant un mois. Il possédait un 4 × 4 très bien équipé qu'il gardait sous clé dans un garage de Vigàta, tandis que pour ses déplacements quotidiens, il utilisait en général une Punto. En outre, il avait trois fusils de grande marque et un chien de chasse de race anglaise qui lui avait coûté une fortune. Le chien, il le gardait dans sa villa avec Bobo, qui était, lui, un bâtard auquel Mme Anna était très attachée.

Le commissaire Montalbano n'avait jamais été client du salon de Carlo : il détestait aller chez le barbier se faire couper les cheveux, imagine s'il pouvait recourir aux services d'un établissement où des dizaines de miroirs te reflètent avec l'expression inévitablement hébétée qu'on prend en ces occasions. Mais Carlo Memmi, il le connaissait et savait que c'était une pirsonne convenable, tranquille, qui n'avait jamais ennuyé personne. Et alors, pourquoi ?

— Et alors, pourquoi ? dit Carlo Memmi comme s'il avait lu dans ses pensées.

La nuit précédente, vers une heure, alors que Carlo se trouvait à pêcher au large de Vigàta, il y avait eu dans le garage où il gardait son tout-terrain une grosse explosion suivie d'un début d'incendie. L'explosion avait détérioré le carrelage du logement de la famille Currera qui habitait au-dessus du garage et à laquelle les pompiers avaient conseillé de déménager. Appelé sur les lieux, Mimì Augello rapporta au commissaire que l'incendie était sûrement criminel. Mme Amalia Currera, qui avait le sommeil léger, avait déclaré qu'une demi-heure avant minuit, elle avait entendu ouvrir le rideau de fer. Elle s'était rendormie, avant d'être réveillée en sursaut :

— Ah, quelle peur ! J'ai cru à une bombe !

Maintenant, dans le garage, conclut Augello, l'expert de l'assurance était au travail.

À dix heures du matin, Carlo Memmi avait demandé à parler avec Montalbano. Et à présent, il était là, le visage tabassé par le manque de sommeil et l'inquiétude, à se demander pourquoi.

— Si l'incendie de votre Toyota se révèle criminel, dit Montalbano, c'est le signe qu'on vous a envoyé un avertissement.

— Mais un avertissement de quoi ?

— Monsieur Memmi, parlons clair. Un avertissement, chez moi, et aussi chez vous, vu que vous êtes né ici, a toujours une double signification.

— C'est-à-dire ?

— « Mon ami, tu veux faire ça ? Attention, il vaut mieux t'en abstenir. » Ou alors : « Mon ami, tu ne veux pas faire une certaine chose ? Il vaut mieux que tu la fasses. » Mais ce que vous devez faire ou ne pas faire, vous seul le savez, il est inutile que vous veniez me le demander à moi. Je ne peux vous être utile qu'à une condition : que vous disiez sincèrement ce qu'il en est et pourquoi ils en sont venus à vous brûler la Toyota.

Sous le regard du commissaire, pendant près de deux minutes, Carlo Memmi garda le silence. Et durant ces deux minutes, il parut se transformer complètement, faire ses cinquante ans et peut-être plus. À la fin, il poussa un soupir résigné.

— Croyez-moi, commissaire, depuis que ça s'est passé, je n'arrête pas d'y penser. Je ne réussis pas à trouver ce qu'il y aurait à faire ou à ne pas faire. Ce matin, il m'est même venu une pinsée…

Il s'arrêta brusquement.

— Continuez, dit Montalbano.

— Je suis passé au salon. J'ai demandé à Dédé s'il avait…

Il s'arrêta de nouveau, il lui devenait difficile de continuer. Le commissaire se porta à son secours.

— … s'il avait régulièrement payé qui de droit ?

— Oui, confirma Carlo en rougissant.

— Et il l'avait fait ?

— Oui, répéta l'homme, le visage en feu.

Puis il se leva, tendit la main.

— Excusez le dérangement. Je sais que vous allez faire de votre mieux, mais moi, je ne suis pas en position de vous aider. Ils peuvent me faire sauter en l'air, et moi je mourrai en me demandant pourquoi.

Deux semaines plus tard, un matin, le commissaire se leva mais fut pris d'une telle attaque de *lagnusìa*, d'envie de ne rien faire, que l'idée de devoir s'habiller et d'aller au bureau lui provoqua une légère nausée. Il avertit Fazio, au commissariat, et s'installa en maillot de bain sur la véranda de sa maison. On était le 3 mai, mais on se serait cru le 3 septembre. Jadis, il avait été un lecteur fidèle de Linus, ce qui lui avait donné un certain goût pour les BD anciennes, de Mandrake à l'agent secret X-9, de Flash Gordon à Jim la Jungle. Un mois plus tôt, quand il était allé trouver Livia à Boccadasse, près de Gênes, il avait découvert sur un éventaire un semestre du *Corriere dei piccoli* de 1936, bien relié. Il se l'était acheté mais n'avait pas eu le temps de le lire. Le moment était arrivé. Mais non.

— Commissaire ! Commissaire !

C'était Carlo Memmi qui l'appelait, en courant sur la plage. Il alla à sa rencontre.

— Qu'est-ce qui se passe ?

— Ils ont tué Pippo ! expliqua Memmi avant d'éclater en pleurs désespérés.

— Excusez-moi, qui était Pippo ?

— Mon chien de chasse ! dit l'homme au milieu de ses sanglots.

— Ils l'ont égorgé ?

— Non, avec une boulette empoisonnée.

Les pleurs de Carlo Memmi étaient irrépressibles. Embarrassé, Montalbano lui donna deux tapes sur l'épaule.

— Comment avez-vous compris qu'ils l'ont empoisonné ?

— C'est le vétérinaire qui me l'a dit.

Il arriva au bureau en faisant une brègue de dix pans de long et pour commencer, il remonta sévèrement les bretelles à Fazio qui lui avait gâché sa matinée en révélant à Memmi qu'il était chez lui. Puis il appela Mimì Augello.

— Mimì, tu n'as pas eu de nouvelles, pour l'engin brûlé ?

— Quel engin ?

— L'engin à redresser les fèves !

— Allez, Salvo, t'énerve pas tout de suite. De quoi tu parles, d'une voiture ?

Montalbano fut pris d'un soupçon.

— Excuse-moi, Mimì, combien de voitures brûlées il y a eu, ces quinze derniers jours ?

— Sept.

— Ah. Je voulais des nouvelles de la Toyota de Carlo Memmi.

— Ils ont ouvert le garage avec une fausse clé, il n'y avait pas de traces d'effraction, ils ont dévissé le bouchon d'essence, ils y ont glissé dedans un bas de femme et allez.

— Comment tu dis ?

— Qu'est-ce que j'ai dit ?

— Un bas de femme ? Comment t'as fait pour le savoir ?

— C'est l'expert de l'assurance qui me l'a rapporté. Il en est resté un petit bout minuscule qui n'a pas brûlé.

— Donne-moi le nom et le numéro de téléphone de cet expert.

Il appela l'expert et conversa avec lui une dizaine de minutes. À la fin, sans perdre de temps, il convoqua Fazio.

— D'ici deux heures maximum, je veux savoir ce qui se dit au pays sur les motifs pour lesquels Carlo Memmi et sa femme ont lâché le salon de coiffure.

— Mais ça date d'au moins quatre ans, il me semble !

— Et à moi, qu'est-ce que ça fout ? Ça veut dire qu'au lieu de deux, ça sera dans trois heures. Ça te va comme ça ?

Mais Fazio fut de retour qu'une heure n'était pas passée.

— Une explication, on me l'a donnée.

— Qui ?

— L'autre coiffeur, celui chez qui vous allez.

— Vous permettez ? lança Memmi depuis la véranda.

— J'arrive tout de suite, annonça Montalbano. Ça vous dit, un café ?

— Volontiers.

Ils s'assirent sur le banc. Le vent avait tourné quelques pages du *Corriere dei piccoli*, qui était resté sur la table du matin. Le commissaire sourit.

— Monsieur Memmi, avez-vous jamais lu cet hebdomadaire ?

Memmi y jeta un coup d'œil distrait.

— Non, mais j'en ai entendu parler.

— Vous voyez cette page que le vent nous a mise sous les yeux ? C'est une histoire d'Archibald et Pétronille.

— Ah oui ? Et c'est qui ?

— Je vous expliquerai après. Vous savez, tout à

l'heure, en revenant du bureau, je me suis arrêté devant votre villa et je suis descendu.

— Et pourquoi n'avez-vous pas sonné ? On vous l'aurait offert, nous, le café.

— J'allais le faire, mais dans votre jardin, il y avait un chien qui m'a aboyé après.

— Qui ? Bobo ? Le chien d'Anna ? Je ne peux pas le souffrir. Pourquoi est-ce qu'ils ne l'ont pas donnée à lui, la boulette empoisonnée, au lieu de la faire manger à mon Pippo ?

Prévoyant une nouvelle crise de larmes, Montalbano balança aussitôt son commentaire.

— Là est la question, dit-il.

Carlo Memmi le regarda d'un air étonné.

— Corrigez-moi si je me trompe, continua le commissaire. Cette nuit, pendant que vous étiez en train de pêcher, quelqu'un a jeté dans votre jardin, où il y avait deux chiens en liberté, un appât empoisonné. Vrai ?

— Vrai.

— Et comment vous me l'expliquez que celui qui se l'est mangé, c'est votre chien et pas celui de votre dame ?

— J'y ai réfléchi, vous savez ? répliqua Memmi, son visage s'éclairant. Et il y en a une, d'explication. Pippo était plus rapide, il avait des réflexes foudroyants. Mais vous vous imaginez ! Avant même que Bobo ait fait un pas, Pippo s'était avalé la boulette ou je ne sais quoi.

Il soupira. Et ajouta :

— Malheureusement !

— Je dois vous poser une autre question. Pourquoi, au lieu de mettre le feu à la voiture que vous utilisez chaque jour et que vous laissez garée devant votre villa, à la merci de tous, pourquoi se sont-ils donné le mal d'ouvrir le garage et de brûler la Toyota ? Ils ont pris un plus gros risque, vous ne trouvez pas ?

— Eh oui, je trouve, maintenant que vous me le dites ! s'écria Memmi. Et vous, comment vous expliquez ça ?

Montalbano ne répondit pas à la question, il continua comme s'il réfléchissait à haute voix.

— Après l'incendie de la Toyota, moi, j'aurais parié que le deuxième avertissement serait la destruction du canot pneumatique que vous laissez sur la plage, à quelques mètres de la villa. Un coup très facile, quelques secondes auraient suffi. Et moi, j'aurais gagné mon pari. En fait, je l'ai perdu, parce que cette fois, ils ont risqué plus gros, en tuant votre chien. Rendez-vous compte : ils ont dû rester devant le portail pour être sûrs que la viande empoisonnée, c'était Pippo et non Bobo qui l'avait mangée. Au risque d'être surpris par votre dame réveillée par les aboiements insistants de Bobo qui est peut-être stupide autant que vous voulez mais qui est capable de s'exciter si une feuille bouge.

— Où voulez-vous en venir, commissaire ?

— À une conclusion. Mais nous y viendrons ensemble, n'en doutez pas. Puis-je vous poser une autre question ?

— Mais bien sûr, je suis à votre disposition.

— Ce matin, j'ai parlé avec l'expert de l'assurance qui m'a expliqué comment votre voiture a été brûlée. Il m'a dit qu'il vous en avait informé dès hier matin.

— Oui, c'est vrai. Il m'a téléphoné.

— Vous aussi, vous avez dû être surpris, n'est-ce pas, monsieur Memmi ? Enfin, quoi ? Est-ce qu'on a jamais entendu parler de mettre le feu à une voiture avec un bas de femme imbibé d'acétone, celui qu'on utilise pour nettoyer le vernis à ongles ?

— Effectivement…

À présent, Carlo Memmi était manifestement embarrassé, il ne regardait pas le commissaire, mais une mouche tombée dans sa tasse vide.

— Encore cinq minutes et nous avons fini. Ça vous dirait, un autre café ?

— Je voudrais seulement un peu d'eau fraîche.

Quand Montalbano revint avec une bouteille et deux

verres, il trouva que Carlo Memmi avait retiré de la tasse la mouche qui s'agitait inutilement sur la table parce qu'avec ses ailes pégueuses de sucre, elle n'arrivait pas à s'envoler. Lorsque Montalbano lui eut rempli son verre, Memmi y plongea le bout du doigt et laissa tomber une goutte d'eau sur la mouche. Puis il leva la tête et regarda le commissaire.

— J'espère que l'eau va dissoudre le sucre. Je ne peux pas supporter de voir souffrir même une mouche.

Comme beaucoup de chasseurs, il avait un énorme respect pour chaque créature de la terre.

— Qui sait ce que vous avez souffert à devoir tuer votre Pippo, dit à mi-voix Montalbano, le regard sur la mer qui brillait à faire mal aux yeux.

La réaction de Carlo Memmi ne fut pas celle à laquelle s'attendait le commissaire. L'homme ne protesta pas, ne cria pas, ne se mit pas à pleurer. Il laissa seulement tomber une autre goutte sur la mouche.

— Savez-vous pourquoi j'ai dû céder le salon ?

— Oui, je l'ai appris ce matin. À cause de la jalousie de votre femme qui empirait de jour en jour. On m'a dit que de temps en temps, elle vous faisait des scènes publiques, elle vous reprochait d'avoir des relations avec les employées, avec les clientes.

— Vous savez quoi, commissaire ? Je ne l'ai jamais trompée, jamais. J'ai cédé le salon dans l'espoir de lui donner moins d'occasions de souffrir. Pendant un petit moment, les choses sont allées assez bien, puis il lui est venu une nouvelle obsession, à savoir que quand j'allais chasser à l'étranger, je la trompais. Les scènes ont recommencé. Il y a vingt jours, dans la poche d'une de mes vestes de chasse, elle a trouvé une carte postale de la Tchécoslovaquie. Elle ne m'a rien dit.

— Excusez-moi, la carte venait d'une femme ?

— Mais bien sûr que non ! La carte disait seulement « À bientôt », et elle était signée « Tatra ». Mon ami

Jan Tatra, mon compagnon de battue. Ma femme s'est fourré dans la tête que c'était le nom d'une femme. C'est comme ça qu'une nuit, elle est sortie de la maison avec la clé du garage que je garde dans un tiroir du bureau, elle est allée l'ouvrir et a mis le feu à la voiture avec ce qu'elle avait sous la main, de l'acétone et un bas de soie.

— Et vous n'avez pas soupçonné votre femme ?

— Jamais ! Ça ne m'est pas passé par l'antichambre de la cervelle ! J'avais peur, j'étais terrorisé par ce que j'ai pris pour un avertissement mafieux. Puis, l'autre matin, l'expert m'a téléphoné. Et moi, j'ai commencé à raisonner là-dessus. Il y avait eu un précédent. Elle avait tenté de mettre le feu aux cheveux d'une de mes employées, qui était, selon elle, une de mes nombreuses maîtresses, en lui jetant sur la tête de l'acétone, et puis avec le briquet… En fait, c'est cet épisode qui me décida à tout abandonner. Faire taire l'employée m'a coûté beaucoup d'argent. Et comme ça, hier, à table, je lui ai demandé pourquoi elle avait incendié ma voiture. Elle n'a pas répondu, elle a hurlé et s'est jetée contre moi. Puis elle est allée dans la chambre à coucher et est revenue avec la carte. Moi, j'ai essayé de lui expliquer ce qu'il en était vraiment, mais pas moyen de se faire entendre. Je la tenais serrée aux poignets et elle me donnait des coups de pied dans les jambes. D'un coup, elle a roulé des yeux, elle a glissé à terre, prise de convulsions. J'ai appelé le médecin et ils l'ont emmenée à l'hôpital de Montelusa. Alors, hier, dans la nuit, j'ai enfermé Bobo à la maison et j'ai donné le poison à Pippo.

— Pourquoi ?

— Mais comment ? Vous avez tout compris, et pas le pourquoi ? Parce que d'ici trois ou quatre jours, quand Anna reviendra à la maison, elle le comprendra, que j'ai définitivement renoncé à la chasse. Je l'aime beaucoup, ma femme.

Puis il posa la question dont il redoutait la réponse :

— Que pensez-vous faire, commissaire ?

— Qu'est-ce que vous pensez faire, vous, monsieur Memmi ?

— Moi ? Aujourd'hui même je vais aller parler avec Donato Currera, je veux les dédommager pour les dégâts et la peur qu'il s'est pris avec toute sa famille. Mais je ne lui parlerai pas d'Anna.

— Ça me va, dit Montalbano.

Carlo Memmi poussa un soupir de soulagement, se leva.

— Merci. Ah, vous ne m'avez pas raconté l'histoire de… comment ils s'appellent, ces deux-là ?

— Archibald et Pétronille. Je vous la raconterai une autre fois. Pour l'instant il vous suffira de savoir que Pétronille est une femme jalouse.

Ils se sourirent, se serrèrent la main. Effrayée par le geste, la mouche s'envola.

Being here…

Quand l'homme entra dans son bureau, Montalbano se crut victime d'une hallucination : le visiteur ressemblait comme deux gouttes d'eau à Harry Truman, l'ex-président des États-Unis certainement défunt, tel que le commissaire l'avait toujours vu sur les photographies et les documents d'époque. Le même costume rayé trois-pièces, le même chapeau clair, la même cravate voyante, la même monture de lunettes. Sauf que, à y regarder de plus près, des différences, il y en avait deux. D'abord, l'homme naviguait vers le cap des quatre-vingts ans, s'il ne l'avait déjà doublé, et il portait excellemment son âge. Ensuite, tandis que l'ex-président riait toujours, même quand il ordonnait de jeter la bombe atomique sur Hiroshima, et que celui-là, non seulement ne souriait pas, mais transportait avec lui une petite atmosphère de mélancolie compassée.

— Pardonnez-moi si je vous dérange. Je m'appelle Charles Zuck.

Il parlait un italien livresque, sans accent dialectal. Ou plutôt, un accent, il l'avait, assez évident.

— Vous êtes américain ? demanda le commissaire en lui faisant signe de s'asseoir sur le siège devant le bureau.

— Je suis citoyen américain, oui.

Très subtile distinction que Montalbano à juste titre interpréta ainsi : je ne suis pas né Américain, je le suis devenu.

— Dites-moi en quoi je puis vous être utile.

L'homme lui était sympathique. Pas seulement à cause de ce petit air mélancolique, mais il semblait aussi dépaysé, à l'étranger.

— Je suis arrivé à Vigàta voilà trois jours. Je voulais faire une très brève visite. De fait, après-demain, j'ai un avion à Palerme pour retourner à Chicago.

Eh bè ? Peut-être qu'avec un autre, Montalbano aurait déjà perdu patience.

— Et quel est votre problème ?

— Que le maire de Vigàta ne me reçoit pas.

Et qu'est-ce qu'il en avait à cirer, lui ?

— Écoutez, vous êtes étranger et, quoique vous parliez un italien parfait, vous ignorez certainement qu'un commissaire de police ne s'occupe pas de…

— Je vous remercie du compliment, dit Charles Zuck, mais l'italien, je l'ai enseigné aux États-Unis pendant des décennies. Je sais très bien que vous n'avez pas le pouvoir d'obliger le maire à me recevoir. Mais vous pouvez essayer de le convaincre.

Pourquoi restait-il à l'écouter avec une patience d'ange ? Parce que cet homme éveillait sa curiosité ?

— Je le peux, oui, dit le commissaire, et, voulant excuser le premier citoyen aux yeux d'un étranger, il ajouta : Dans trois jours, c'est les élections. Et notre maire est candidat à un nouveau mandat. Mais c'est son devoir de vous recevoir.

— D'autant plus que, moi, je suis, ou plutôt, j'étais vigatais.

— Ah, vous êtes donc né ici ? s'étonna, mais, à la réflexion, pas outre mesure, Montalbano.

À vue de nez, estima-t-il, l'homme devait être né

172

dans les années 20, quand le port marchait fort et que des étrangers, à Vigàta, on en voyait en veux-tu en voilà.

— Oui.

Charles Zuck marqua une pause, l'atmosphère mélancolique parut se condenser, s'épaissir, ses pupilles se mirent à sauter d'un mur à l'autre de la chambre.

— Et je suis mort ici, dit-il.

La première réaction du commissaire ne fut pas de stupeur, mais de fureur : de fureur contre soi-même pour ne pas avoir compris tout de suite que l'homme était un pauvre fou, un qui n'avait plus toute sa tête. Il décida d'aller chercher un de ses hommes pour le faire jeter hors du commissariat. Il se leva.

— Excusez-moi un instant.

— Je ne suis pas fou, dit l'Américain.

Exactement la réplique attendue, les fous qui soutenaient être sains d'esprit, les perpètes qui se juraient innocents comme le Christ.

— Inutile d'appeler quelqu'un, assura Zuck en se levant à son tour. Et pardonnez-moi de vous avoir fait perdre tout ce temps. Bien le bonjour.

Il lui passa devant en se dirigeant vers la porte. Montalbano en éprouva de la peine, ses quatre-vingts ans, il les faisait, maintenant. Le commissaire ne pouvait laisser partir un bonhomme si âgé et, sinon fou, du moins sûrement diminué, en plus d'être étranger : il risquait une mauvaise rencontre.

— Rasseyez-vous.

Charles Zuck obéit.

— Vous avez une pièce d'identité ?

Sans mot dire, l'homme lui tendit son passeport.

Pas de doute : il s'appelait comme il avait dit, était né à Vigàta le 6 septembre 1920. Le commissaire lui rendit son document. Ils échangèrent un regard.

— Pourquoi dites-vous que vous êtes mort ?

— Ce n'est pas moi qui le dis. C'est écrit.

— Où ?

— Sur le monument aux morts.

Le monument aux morts, dressé sur une place sur la grand-rue de Vigàta, représentait un soldat, poignard levé, pour défendre une femme avec un enfant au bras. Le commissaire s'était arrêté quelquefois pour le contempler parce que, à son avis, il s'agissait d'une bonne sculpture. Elle était placée sur une base rectangulaire et, sur le côté le plus en vue, avait été scellée une plaque avec les noms des morts de la guerre de 14-18 auxquels le monument, à l'origine, avait été dédié. Puis, en 1938, sur le côté droit était apparue une deuxième plaque avec la liste de ceux qui avaient laissé leur peau dans la guerre d'Abyssinie et dans celle d'Espagne. En 1946, à senestre, avait été ajoutée une troisième plaque avec la liste des morts de la guerre 1940-1945. Le quatrième et dernier côté était, pour le moment, vide.

Montalbano fouilla sa mémoire.

— Je ne me souviens pas d'avoir lu votre nom, conclut-il.

— De fait, il n'y a pas de Charles Zuck. En revanche, il y a Carlo Zuccotti, que je suis toujours.

Le vieux savait raconter avec ordre, sobriété et clarté. À faire le résumé des soixante-dix-sept années de son existence, il mit un peu moins d'une dizaine de minutes. Son père, expliqua-t-il, qui s'appelait Evaristo, était de famille milanaise et s'était marié, encore très jeune, avec une de Lecco, Annarita Vismara. Peu après les épousailles, Evaristo, qui était cheminot, fut envoyé à Vigàta qui, à l'époque, avait bien trois gares, dont une, réservée au trafic commercial, se trouvait juste à l'entrée de la zone portuaire. Et ce fut ainsi que Carlo naquit à Vigàta, premier et dernier fils du couple. A Vigàta, Carlo passa douze ans de sa vie, à étudier d'abord à l'école élémentaire du pays, ensuite au lycée de Montelusa où il se rendait en car. Puis le père reçut une promotion et fut transféré à Orte. Le fils, ayant fini le lycée dans cette ville, s'inscrivit à l'université de Florence où, entre-temps, le père avait été assigné. Un an avant qu'il passe son doctorat, la mère, Mme Annarita, mourut.

— Quelles études avez-vous faites ? demanda à ce point Montalbano.

Ce que l'homme lui avait raconté ne lui suffisait pas, il voulait le comprendre davantage.

— Lettres modernes. J'ai étudié avec Giuseppe De Roberti, la thèse était sur *Les Grâces* de Foscolo.

« Chapeau bas », pensa le commissaire, qui était un mordu de littérature.

La guerre avait alors éclaté. Rappelé sous les drapeaux, Carlo fut envoyé combattre en Afrique septentrionale. Au bout de six mois qu'il se trouvait au front, une lettre du département des chemins de fer de Florence l'informa que son père était mort à la suite d'un mitraillage. À présent, il était vraiment seul au monde ; des parents de ses parents, il ne savait même pas le nom. Fait prisonnier par les Américains, il fut envoyé dans un camp du Texas. Il savait bien l'anglais et cela l'aida beaucoup, au point d'en faire une espèce d'interprète. Ce fut ainsi qu'il connut Evelyn, fille du responsable administratif du camp. Remis en liberté à la fin de la guerre, il avait épousé Evelyn. En 1947, on lui expédia de Florence, à sa demande, l'attestation de son doctorat. Cela ne servait à rien aux États-Unis, mais il recommença à étudier jusqu'à être admis dans l'enseignement. Il obtint la citoyenneté américaine, changea son nom de Zuccotti en Zuck, adoptant ainsi l'abréviation qu'utilisaient déjà les Américains.

— Pourquoi avez-vous voulu revenir ici ?

— C'est à cela qu'il est le plus difficile de répondre.

Un instant, le vieillard parut perdu dans le labyrinthe

de ses souvenirs. Le commissaire garda le silence, en attente.

— La vie des vieux comme moi, commissaire, à un certain moment n'est plus qu'une liste : celle des morts. Qui, peu à peu, deviennent si nombreux qu'il vous semble rester seul dans un désert. Alors, vous cherchez désespérément à vous orienter, mais vous n'y réussissez pas toujours.

— Mme Evelyn n'est plus avec vous ?

— Nous avons eu un fils, James. Un seul. Visiblement, ma famille est une famille de fils uniques. Il est tombé au Viêt-nam. Ma femme ne s'en est jamais remise. Et elle est partie retrouver notre fils voilà huit ans.

Encore une fois, Montalbano s'abstint de tout commentaire.

À ce point, le vieux professeur sourit. Un sourire tel qu'à Montalbano, il sembla que le ciel s'était obscurci et qu'une main lui pressait le cœur.

— Quelle vilaine histoire, commissaire. Vilaine dans le sens de laide, du point de vue littéraire, je veux dire, à mi-chemin entre le mélo à la Giacometti, celui de la mort civile, et certaines situations pirandelliennes. Pourquoi j'ai voulu venir ici, vous me demandez ? Je suis venu sur une impulsion. Ici, tout compte fait, j'ai passé le meilleur de mon existence, le meilleur, oui, et seulement parce que je n'avais pas encore la connaissance de la douleur. Ce n'est pas rien, vous savez ? Dans ma solitude de Chicago, Vigàta a commencé à briller comme une étoile. Mais à la seconde où j'ai mis les pieds au pays, l'illusion s'est évanouie. C'était un mirage. De mes vieux camarades d'école, je n'en ai pas retrouvé un seul, même la maison où j'ai habité n'existe plus : maintenant, il y a un grand bâtiment de dix étages. Et les trois gares ont été réduites à une seule avec quasiment plus de trafic. Puis j'ai découvert que je figurais sur la plaque du monument aux morts. Je suis allé à l'état civil. Il y a eu évidemment une erreur de la part du commandement militaire. Ils m'ont considéré comme mort.

— Pardonnez ma question, mais vous, en lisant votre nom, qu'est-ce que vous avez éprouvé ?

Le vieux y réfléchit un peu.

— Du regret, dit-il ensuite à voix basse.

—. Du regret pour quoi ?

— Que les choses ne se soient pas passées comme il est écrit sur la plaque. Au lieu de quoi, j'ai dû vivre.

— Écoutez, professeur, certainement, d'ici demain, je vous arrangerai une rencontre avec le maire. Où habitez-vous ?

— À l'hôtel des Trois Pins. C'est hors de Vigàta, chaque fois, je dois prendre un taxi à l'aller ct au rctour. D'ailleurs, tant qu'on y est, vous m'en appelez un ?

Dans l'après-midi, il ne réussit pas à parler avec le maire, qui était pris d'abord par une réunion puis par une tournée au porte-à-porte. Ce n'est que le lendemain matin qu'on le lui passa. Il lui raconta l'histoire de Carlo Zuccotti, mort vivant. À la fin, le maire rit aux larmes.

— Vous voyez, commissaire ? Notre presque concitoyen Pirandello n'avait pas besoin de beaucoup d'imagination pour s'inventer ses histoires ! Il lui suffisait dc transcrire ce qui se passe réellement dans notre coin.

Montalbano, dans l'incapacité de lui balancer une mornifle, décida de ne pas voter pour lui.

— Et vous, commissaire, vous avez une idée de ce qu'il veut de moi ?

— Ah bah, probablement faire changer la plaque.

— Oh, bon Dieu ! se lamenta le maire, ça ferait une belle dépense.

— Professeur ? Le commissaire Montalbano, à l'appareil. Le maire vous recevra aujourd'hui à dix-sept heures.

Ça vous va ? Comme ça, demain vous pourrez prendre votre avion pour Chicago.

Silence absolu à l'autre bout du fil.

— Professeur, vous m'avez entendu ?

— Oui. Mais cette nuit…

— Cette nuit ?

— Je suis resté éveillé toute la nuit, à penser à cette plaque. Je vous remercie de votre courtoisie, mais j'ai pris une décision. Je crois que c'est la plus juste.

— C'est-à-dire ?

— *Being here…*

Et il raccrocha sans dire au revoir.

Being here : puisque je suis là…

Le commissaire se leva d'un bond de son siège ; dans le couloir, il se heurta à Catarella, qu'il repoussa violemment, courut à la voiture, les deux kilomètres qui séparaient Vigàta de l'hôtel des Trois Pins lui parurent cent, il se rua dans le hall.

— Le professeur Zuccotti ?

— Il n'y a aucun Zuccotti.

— Charles Zuck, crétin.

— Chambre 115, deuxième étage, balbutia le réceptionniste, ahuri.

L'ascenseur était occupé, il grimpa les marches quatre à quatre. Il arriva, le souffle court, frappa.

— Professeur ? Ouvrez ! Le commissaire Montalbano, je suis.

— Un instant, répondit la voix tranquille du vieux.

Puis, à l'intérieur, violent, très fort, résonna un coup de feu.

Et Salvo Montalbano sut que le maire de Vigàta n'aurait pas à affronter la dépense d'une nouvelle plaque.

Le pacte

Toute vêtue de noir, talons hauts, petit chapeau démodé, sac à main de cuir brillant accroché au bras droit, la dame (car on comprenait très bien que c'était une dame, et d'une ancienne classe) progressait à petits pas décidés sur le bord de la route, les yeux baissés, sans se soucier des rares autos qui l'effleuraient.

Même de jour, par sa distinction et son élégance d'un autre temps, cette femme aurait attiré l'attention du commissaire Montalbano : alors, à deux heures et demie de la nuit, sur une route de campagne… Montalbano rentrait chez lui à Marinella, après une longue journée de besogne au commissariat, il était fatigué, mais il roulait lentement, par-dessus les glaces baissées lui arrivaient les odeurs d'une nuit de mi-mai, des fragrances de jasmin émanant des jardinets des villas à sa droite, des embruns salés de la mer à sa gauche. Après avoir roulé quelques instants derrière la dame, le commissaire se porta à sa hauteur et, penché sur le siège du passager, lui demanda :

— Vous n'avez besoin de rien, madame ?

La femme ne releva même pas la tête, ne fit pas le moindre geste, continua d'avancer.

Le commissaire alluma les phares de route, arrêta la

voiture, descendit et se plaça devant elle, l'empêchant de poursuivre. Alors seulement, la dame, nullement effrayée, se décida à le regarder. À la lumière des phares, Montalbano vit qu'elle était très âgée, mais les yeux, d'un bleu intense, presque phosphorescent, d'une jeunesse intacte, détonnaient avec le reste du visage. Elle portait des boucles d'oreilles précieuses et un splendide collier de perles.

— Je suis le commissaire Montalbano, dit-il pour la rassurer, même si la femme ne donnait pas le moindre signe d'inquiétude.

— Enchantée. Moi, je suis Mlle Angela Clemenza. Vous désirez ?

Elle avait appuyé sur le « mademoiselle ». Le commissaire explosa.

— Moi, je ne désire rien. Ça vous paraît logique de vous promener, couverte de bijoux, à cette heure de la nuit, seule ? Vous avez eu de la chance qu'on vous ait pas encore volée et jetée dans un fossé. Montez en voiture, je vous accompagne.

— Je n'ai pas peur. Et je ne suis pas fatiguée.

C'était vrai, son souffle était régulier, sur son visage, il n'y avait pas trace de sueur ; seules ses chaussures blanches de poussière révélaient que la demoiselle marchait depuis un bon moment.

Entre deux doigts, Montalbano lui prit délicatement un bras, la poussa vers la voiture.

Pendant un moment encore, Angela Clemenza le regarda, le bleu de ses yeux s'était comme troublé de violet, elle était à l'évidence en colère, mais elle ne dit rien, monta.

À peine assise dans la voiture, elle posa le sac à main sur ses genoux, se massa l'avant-bras droit. Le commissaire remarqua que le sac était gonflé, il devait peser.

— Où dois-je vous accompagner ?

— Quartier Gelso. Je vous guide.

Le commissaire poussa un soupir de soulagement, le quartier Gelso n'était pas loin, c'était du côté de la campagne, à quelques kilomètres de Marinella. Il aurait voulu demander à la demoiselle comment elle avait bien pu finir par se retrouver seule, de nuit, en train de rentrer chez elle à pied, mais la retenue et le maintien strict de la dame l'intimidaient.

De son côté, la demoiselle Clemenza n'ouvrit pas la bouche, sinon pour donner de brèves indications sur la route à suivre. Après avoir franchi un grand portail de fer battu et suivi une allée parfaitement tenue, Montalbano s'arrêta sur l'esplanade devant une villa du XIXe siècle, à trois étages, crépie de frais, nette, avec une porte et des fenêtres aux peintures vertes flambant neuves. Ils descendirent.

— Vous êtes une personne exquise. Merci, dit la demoiselle.

Et elle tendit le bras. S'étonnant lui-même, Montalbano s'inclina et lui baisa la main. La demoiselle Clemenza lui tourna le dos, fouilla dans son sac, en tira une clé, ouvrit la porte, entra, referma.

Il n'était pas encore sept heures du matin quand il fut réveillé par un coup de fil de son adjoint, Mimì Augello.

— Excuse-moi, Salvo, si je t'appelle à cette heure, mais il y a eu un meurtre. Je suis déjà sur les lieux. Je t'ai envoyé une voiture.

Il eut à peine le temps de se raser qu'arriva l'auto.

— C'est qui, qui a été tué, tu le sais ? demanda-t-il à l'agent qui conduisait.

— Un professeur à la retraite, il s'appelait Corrado Militello, répondit l'homme. Il habite après la vieille gare.

La maison de feu le professeur Militello se dressait en effet après la vieille gare, mais en pleine campagne. Avant que Montalbano franchisse le seuil, Mimì Augello, qui, ce matin-là, s'était mis en tête de jouer les premiers de la classe, l'informa.

— Le professeur avait dépassé les quatre-vingts ans. Il vivait seul, ne s'était jamais marié. Depuis une dizaine d'années, il ne sortait plus de chez lui. Chaque matin, une bonne venait, la même depuis trente ans, celle qui l'a trouvé mort et nous a téléphoné. La maison est faite comme ça : à l'étage, deux grandes chambres à coucher, deux salles de bains et un cagibi. Au rez-de-chaussée, un salon, une petite salle à manger, une salle de bains et un bureau. C'est là qu'on l'a tué. Pasquano est au travail.

Dans l'antichambre, la bonne, assise sur le bord d'une chaise, pleurait en silence, en balançant le buste. Le corps du Pr Corrado Militello gisait en travers du bureau de son cabinet de travail. Le Dr Pasquano, médecin légiste, était en train de l'examiner.

— L'assassin, dit Mimì Augello, a voulu sadiquement terroriser le professeur avant de le tuer. Regarde, là : il a tiré sur la lampe, dans la bibliothèque, sur ce tableau, il me semble que c'est la reproduction du *Baiser* de Vélasquez…

— D'Hayez, le corrigea Montalbano avec lassitude.

— … dans la fenêtre et le dernier coup, il le lui a réservé. Un revolver, il n'y a pas de douilles.

— Ne nous perdons pas dans le décompte des coups, intervint le Dr Pasquano. Il y en a eu cinq, d'accord, mais il a peut-être tiré sur le buste de Wagner, qui est en bronze, la balle a rebondi et cueilli le professeur en plein front, et l'a tué.

Augello ne répondit pas.

Dans la cheminée, une montagne de papier brûlé. Sa curiosité éveillée, Montalbano interrogea son adjoint du regard.

— La bonne m'a dit que depuis deux jours, il brûlait des lettres et des photographies, répondit Augello. Il les gardait dans ce coffre qui, maintenant, est vide.

182

Manifestement, Mimì Augello se trouvait dans un de ces jours où, quand il se mettait à parler, même au canon, on ne pouvait pas l'arrêter.

— La victime a ouvert à l'assassin, il n'y a pas de trace d'effraction. Certainement, elle le connaissait, elle se fiait à lui. Un familier. Tu sais quoi, Salvo ? Un petit neveu quelconque va sortir de je sais pas où, qui attendait depuis trop longtemps l'héritage et qui a perdu patience, il en a eu plein le cul. Le vieux était riche, des maisons, des terrains constructibles.

Montalbano ne l'écoutait pas, il était perdu dans des souvenirs de films policiers anglais. Ce fut ainsi qu'il fit une chose qu'il avait déjà vu faire dans un de ces films : il se baissa sur la cheminée, avança une main vers les cendres, tâta. Il eut de la chance, sous ses doigts, il sentit un petit carré de carton épais. C'était un fragment de photographie, grand comme un timbre. En le regardant, il ressentit une secousse électrique. Un demi-visage de femme, mais comment ne pas reconnaître les yeux ?

— Trouvé quelque chose ? demanda Augello.

— Non, dit Montalbano. Écoute, Mimì, occupe-toi de tout, moi, j'ai à faire. Salue-moi le juge, quand il vient.

— Entrez, entrez, dit Mlle Angela Clemenza, manifestement contente de le revoir. Venez par ici, la maison est devenue trop grande pour moi depuis que mon frère, le général, est mort. Je me suis réservé ces trois chambres au rez-de-chaussée, cela m'évite les escaliers.

Neuf heures et demie du matin, mais la demoiselle était impeccable ; à côté d'elle, le commissaire se sentit sale et négligé.

— Puis-je vous offrir un café ?

— Ne vous dérangez pas. Je dois seulement vous poser quelques questions. Vous connaissez le professeur Corrado Militello ?

— Depuis 1935, commissaire. J'avais alors dix-sept ans, lui un an de plus.

Montalbano la regarda fixement : rien, aucune émotion, les yeux d'un lac de montagne sans la moindre ride.

— Je suis vraiment navré, croyez-moi, d'être obligé de vous annoncer une mauvaise nouvelle.

— Mais je la connais déjà, commissaire ! C'est moi qui l'ai abattu !

À Montalbano, la terre se déroba sous ses pieds : la même impression, précisément, qu'il avait ressentie pendant le tremblement de terre de Belice. Il s'effondra sur un siège qui, heureusement, se trouvait derrière lui. Mlle Clemenza s'assit aussi, gardant un maintien parfait.

— Pourquoi ? réussit à articuler le commissaire.

— C'est une histoire vieille comme Hérode, vous allez vous ennuyer.

— Je vous garantis que non.

— Vous voyez, depuis la deuxième moitié du XVIIe siècle, pour des raisons que je ne connais pas et que je n'ai jamais voulu connaître, ma famille et celle de Corrado ont commencé à se haïr. Il y eut des morts, des duels, des agressions. Les Capulet et les Montaigu, vous vous souvenez ? Et nous deux, au lieu de nous haïr, nous sommes épris l'un de l'autre. Roméo et Juliette, exactement. Nos familles, pour une fois d'accord, nous ont séparés ; moi, on m'a mise chez les sœurs, lui, il a fini au collège. Ma mère, sur son lit de mort, me fit jurer de ne jamais épouser Corrado. Ou lui, ou personne, me dis-je en fait à moi-même. Corrado fit de même. Pendant des années et des années, nous nous sommes écrit, nous nous sommes téléphoné, nous nous arrangions pour nous rencontrer. Quand nous nous sommes retrouvés seuls survivants de nos familles, moi j'avais soixante-deux ans et lui soixante-trois. Nous sommes tombés d'accord qu'à cet âge, il aurait été ridicule de se marier.

— Oui, très bien, mais pourquoi ?…

— Voilà six mois, il m'a passé un long coup de fil. Il me dit qu'il n'en pouvait plus d'être seul. Il voulait épouser une veuve, une lointaine parente. Mais comment ça, je lui ai demandé, à soixante ans, tu trouves ça ridicule, et à quatre-vingts, non ?

— Je comprends. C'est pour cela que vous…

— Vous voulez plaisanter ? Pour moi, il pouvait se marier cent fois ! Le fait est qu'il m'a rappelée le lendemain. Il m'a dit qu'il n'avait pas fermé l'œil de la nuit. Il m'a avoué avoir menti, il ne l'épousait pas par peur de la solitude, mais parce que, de cette femme, il était vraiment amoureux. Alors, là, vous comprenez, les choses changeaient.

— Mais pourquoi ?

— Parce que nous avions pris un engagement, fait un pacte.

Elle se leva, ouvrit le même petit sac à main de la veille au soir, qui était posé sur une table, en tira un petit billet jauni, le tendit au commissaire.

Nous, Angela Clemenza et Corrado Militello, devant Dieu nous jurons ce qui suit : qui de nous deux s'éprendra d'une tierce personne paiera de sa vie cette trahison.
Lu, signé et souscrit :
Angela Clemenza, Corrado Militello
Vigàta, le 10 janvier 1936

— Vous avez lu ? C'est tout en règle, non ?

— Mais il l'a peut-être oublié ! s'exclama Montalbano. Il avait presque crié.

— Moi pas, dit la demoiselle, tandis que ses yeux viraient dangereusement au violet. Et voyez-vous, hier matin, je lui ai téléphoné pour vérifier. « Qu'est-ce que tu fais ? » je lui ai demandé. « Je suis en train de brûler tes lettres », il m'a répondu. Alors, je suis allée me relire le pacte.

Montalbano sentait un cercle de fer qui avait commencé à lui serrer le front, il suait.

— Vous avez jeté l'arme ?

— Non.

Elle rouvrit le sac, en tira un Smith & Wesson centenaire, énorme. Elle le tendit à Montalbano.

— J'ai eu du mal à l'abattre, vous savez ? Je n'avais jamais tiré avant. Pauvre Corrado, il s'est fait une belle peur !

Et maintenant, que devait-il faire ? Se lever et la déclarer en état d'arrestation ?

Il recommença à fixer le revolver, indécis.

— Il vous plaît ? demanda en souriant Mlle Angela Clemenza. Je vous l'offre. De toute façon, il ne me sert plus.

Ce que racontait Aulu-Gelle

Le chauffage de la voiture de Montalbano avait décidé une grève sans préavis, en profitant bassement du fait que soufflait une tramontane scandinave. Le vent froid s'insinuait sous forme d'une infinité de courants d'air et le commissaire, malgré la chaleur du moteur et le blouson de cuir détesté qu'il s'était mis, se sentait geler. Au sortir d'un entretien pas franchement cordial avec le nouveau questeur de Montelusa, les nerfs en pelote à cause du temps, pour tenter d'améliorer son humeur, il avait décidé d'aller essayer une auberge sur la route de Fiacca qu'un ami lui avait signalée quelques jours auparavant. L'ami lui avait dit aussi qu'il y avait une indication vers le quinzième kilomètre ; ayant dépassé le dix-septième sans avoir vu rien de rien, à Montalbano l'envie passa, il ne se sentait plus d'aller tenter le coup. Et si, par hasard, à la discussion avec le questeur, au temps pourri, s'ajoutait un mauvais repas ? Quelle nuit il se taperait, à se rouler dans son lit sans pouvoir fermer l'œil, tourmenté de nervosité ? Il allait amorcer un demi-tour quand, dans la faible lumière des phares (« S'il y avait au moins un truc qui marchait dans cette putain de bagnole ! »), il vit l'indication. Elle consistait en un morceau de planche, clouée de travers sur un pieu, où avait été écrit maladroitement, à la main : *Chez Filippo qu'on y menge bien.* Il prit le chemin de terre qui se terminait à une centaine de mètres de là sur une esplanade où se dressait une bicoque solitaire à un seul étage. De la porte et des fenêtres barricadées, aucune lumière ne filtrait. Peut-être était-ce le jour de fermeture et avait-il fait ce voyage pour rien ? Il ouvrit la portière et aussitôt le vent l'assaillit, en même temps que la rumeur de la mer soulevée par la tempête, une trentaine de mètres au-dessous. Il descendit, se mit à courir, tourna la poignée de la porte et celle-ci s'ouvrit. Montalbano entra et, immédiatement, la referma dans son dos. Une pièce avec cinq tables, pas de clients. Celui qui devait être Filippo était assis à une table et regardait un film à la télévision.

— On peut manger ? demanda le commissaire, hésitant.

Filippo ne bougea pas, ne détacha pas les yeux du téléviseur, murmurant seulement :

— Asseyez-vous où vous voulez.

Montalbano ôta son blouson, choisit la table la plus proche du poêle à bois. Au bout de cinq minutes, comme l'homme restait sous l'emprise du film, le commissaire se leva, alla au buffet, se prit un panier de pain et une bouteille de vin et s'en retourna à sa place. Enfin, au bout d'une dizaine de minutes, apparut l'inscription « Fin de la première partie » et Filippo, sortant de son état de statue, redevint un être vivant. Il s'approcha de la table et demanda :

— Qu'est-ce que vous voulez manger ?

— On m'a dit que vous savez très bien faire les poulpes à la napolitaine.

— Juste, on a dit.

— Je voudrais les goûter.

— Goûter ou manger ?

— Manger. Vous y mettez les *passuluna* de Gaeta ?

188

Les olives noires de Gaeta sont fondamentales pour les poulpes à la napolitaine.

Filippo l'examina, indigné par la question.

— Certes. Et j'y mets aussi la *chiapparina*.

Aïe ! Cela représentait une nouveauté qui pouvait se révéler délétère : il n'avait jamais entendu parler de câpres dans les poulpes à la napolitaine.

— *Chiapparina* de Pantelleria, précisa Filippo.

Les doutes de Montalbano se dissipèrent à demi : les câpres de Pantelleria, acidulées et très savoureuses, peut-être qu'elles se mariaient bien avec le plat ou, dans la pire hypothèse, qu'elles ne lui feraient pas de mal.

Avant d'aller en cuisine, Filippo regarda le commissaire dans les yeux et celui-ci releva le défi. Entre Filippo et lui, s'était engagé un duel. Un qui, en cuisine, y connaît rien, pouvait s'étonner : et c'est rien, non, deux ou trois poulpes à la napolitaine ? De l'ail, de l'huile, des « tumates », du sel, du poivre, des pignons, des olives noires de Gaeta, des raisins de Corinthe, du persil et des croûtons grillés : le tour est joué. Oui mais, et les proportions ? Et l'instinct qui doit te guider pour faire correspondre à une certaine quantité de sel, une dose précise d'ail ?

Le débat imaginaire du commissaire fut violemment interrompu par le fracas soudain de la porte ouverte à la volée et battant contre le mur.

« Le vent », pinsa Montalbano, mais il n'eut pas le temps de se lever pour aller la refermer.

Deux hommes entrèrent, le visage couvert d'un passe-montagne, pistolet à la main.

— Qu'est-ce qui fut ? demanda Filippo en arrivant de la cuisine, un rouleau à pâtisserie à la main.

— Personne bouge, intima un des deux hommes, personnage de petite taille, alors que son compagnon était une espèce de colosse.

« Deux paumés en quête de quelques milliers de lires », songea Montalbano.

Mais peut-être n'était-ce pas si simple, car le petit homme regarda le commissaire et lui dit :

— À toi, on te cherchait, et enfin, on te trouva.

À l'évidence, ils l'avaient suivi, avaient compris que ce lieu était l'endroit idéal pour faire ce qu'ils avaient en tête de faire. Et ce qu'ils avaient en tête de faire signifiait fort probablement la fin de Montalbano. On dit qu'au seuil de la mort, on revoit à toute vitesse sa vie et qu'on a quelques pensées non terrestres. Tout ce qui vint à l'esprit de Montalbano, ce fut : « Ceux-là, maintenant, ils me tuent, et adieu les poulpes. »

Tandis que le petit homme s'approchait sans se presser, il avait tout son temps, son colossal compagnon ne détachait pas ses yeux du commissaire : ce dernier éprouvait plus d'embarras de ce regard que pour l'orifice du pistolet tourné vers lui. Le petit arriva à la hauteur de la table de Montalbano.

— Si tu veux prier, prie, dit-il.

Et alors survint l'incroyable. Avec des mouvements silencieux et rapides, le colosse fit passer le pistolet de sa main droite à la gauche, prit le rouleau des mains de Filippo pétrifié, se glissa derrière le compagnon qui allait tirer et lui flanqua un grand coup de rouleau sur la tête. L'homme s'écroula, assommé, en lâchant son arme.

Puis le colosse dit à Montalbano :

— Ne bougez pas, que je veux pas faire d'erreur.

Il visa soigneusement, tira. La balle s'enfonça dans le mur à quelques centimètres de la tête du commissaire. Filippo cria. Le colosse ne sembla pas l'avoir entendu, il pivota et tira un autre coup vers le mur qu'il avait derrière lui.

Filippo tomba à genoux et se mit à prier à haute voix, en proie à une espèce de convulsion.

— On s'est compris ? demanda le colosse à Montalbano.

Il avait mis en scène un échange de coups de feu.

— Parfaitement.

Alors le géant ramassa le pistolet tombé, se le mit en poche, agrippa son compagnon évanoui par le col, le traîna, ouvrit la porte, sortit.

Montalbano se leva d'un bond, courut à Filippo qui roulait les yeux comme un dément, le gifla.

— Allez, zou, que les poulpes vont brûler !

Malgré la frousse qu'il s'était prise, Filippo sut cuisiner comme Dieu commande et Montalbano s'en lécha les doigts. Il paya une misère (et dut insister, car Filippo ne voulait pas un sou, du moment que le client débarrassait le plancher), monta en voiture, partit en direction de sa maison de Marinella. Durant le voyage, il repinsa à l'épisode. Il était clair que le colosse avait voulu lui sauver la vie ; il avait étendu son compagnon et s'était couvert en imaginant un plan. Il dirait que Filippo avait flanqué un coup sur la tête de son compagnon, qu'il avait réagi en tirant sur Montalbano, que celui-ci, à son tour, avait fait feu et qu'il avait réussi à s'enfuir en emportant, courageusement, l'ami évanoui. Mais la question principale restait toujours la même : pourquoi s'était-il résolu à sauver la vie du commissaire, au risque, si ses chefs ne croyaient pas sa version des faits, de mettre sa propre vie en danger ?

Chaque dimanche, le commissaire avait l'habitude d'acheter un journal économique qu'il se dépêchait de jeter aux poubelles, vu qu'à ces choses, il n'entendait goutte. Mais il en conservait le supplément culturel qui était bien fait, et qu'il avait l'habitude de lire le soir au lit avant de dormir.

Ce soir-là, qu'il avait les paupières qui se fermaient

seules, il envisageait d'éteindre et de se faire un bon petit somme, quand son attention tomba sur un long et lourd papier consacré à Aulu-Gelle, à l'occasion de la sortie d'un choix d'extraits de ses *Nuits attiques*. Après avoir signalé qu'Aulu-Gelle, qui avait vécu au IIe siècle après Jésus-Christ, avait composé cette vaste œuvre pour occuper son temps durant les longues nuits d'hiver passées dans une petite campagne qu'il avait en Attique, l'article se concluait sur un jugement : Aulu-Gelle était l'auteur élégant de choses absolument inutiles. Il ne serait resté dans les mémoires qu'à cause d'une anecdote rapportée par lui, celle d'Androcle et du lion.

À ce point, le commissaire, au lieu de fermer les yeux, les rouvrit, ou plutôt, les écarquilla. Androcle et le lion ! Se pouvait-il que ce qui s'était passé quatre jours auparavant dans l'auberge de Filippo fût une version modernisée et véritable de la légende rapportée par Aulu-Gelle ? L'écrivain latin racontait qu'un esclave romain d'Afrique, Androcle, ayant fui son maître qui le tourmentait, était allé se cacher dans une grotte où se trouvait un lion malade. Au lieu d'aller au plus facile en se cherchant une autre grotte plus habitable, Androcle y était resté et avait soigné le lion qui souffrait d'une infection causée par une grosse épine à une patte. Puis, le lion, guéri, était parti en courant et Androcle, après beaucoup d'aventures, s'était converti au christianisme et était arrivé à Rome. Arrêté pour sa foi, et condamné à mourir dévoré par les lions, Androcle s'était fait le signe de la croix et était entré en piste. Là, aussitôt, un lion, plus gros que les autres, avait bondi sur lui, gueule ouverte mais, ensuite, au grand émerveillement des spectateurs, il s'était couché aux pieds du chrétien et lui avait léché les mains. C'était celui qu'Androcle avait soigné en Afrique. Naturellement, l'ex-esclave avait été gracié. Exactement comme le commissaire. Mais qui était le lion ?

L'envie de dormir lui était complètement passée. Il se

leva de son lit, alla à la cuisine, se prépara un café, le but, passa à la salle de bains, se lava le visage, s'habilla de pied en cap, endossa le blouson qu'il n'aimait pas, s'en alla se promener au bord de l'eau. La tramontane s'était un peu calmée, mais la mer avait envahi une grande partie de la plage.

Il marcha deux heures, en fumant et en se souvenant.

Les souvenirs, on le sait, sont comme les cerises, on les cueille l'un après l'autre, mais de temps à autre, dans le défilé s'en glisse un indésirable et peu agréable qui fait dévier de la route principale vers des chemins sombres et sales où, au minimum, on se souille les chaussures.

En tout cas, vers quatre heures du matin, il eut la certitude d'y être arrivé, d'avoir encadré le lion dans son viseur.

Un après-midi tranquille, vers quatre heures, Montalbano, commissaire-adjoint trentenaire, rejoint en voiture un village perdu des Madonie. La route longe un ravin d'une vingtaine de mètres de profondeur, très peu de voitures passent. Montalbano est en train de réfléchir au moyen de dépasser la voiture qui le précède et qui roule trop lentement quand il la voit faire une large embardée sur la droite, franchir le bord du ravin sans même tenter de freiner, se jeter en avant. Montalbano s'arrête, sort de sa voiture en courant, arrive à temps pour voir l'automobile qui rebondit sur un rocher et va s'écraser dans une cheminée d'avalanche. Sans y pinser plus que cela, le vice-commissaire entame l'effroyable descente, en s'agrippant ici à une pierre, là à une touffe de sorgho, en se déchirant le pantalon, en perdant une chaussure. Il ne sait même pas lui-même comment il fait pour arriver près de la voiture renversée sur le côté. Il comprend immédiatement que l'homme au volant est mort, la tête fracassée. Sur le siège du passager, il y a un jeune d'une quinzaine d'années, les yeux fermés, le front ensanglanté, qui gémit faiblement. Montalbano réussit à le tirer à l'extérieur au prix d'un effort épuisant, car le garçon est une espèce de colosse. Étendu sur l'herbe, le blessé ouvre soudain les yeux, regarde Montalbano et dit :

— Aidez-moi, ne me laissez pas.

— Je ne te laisse pas, dit le commissaire-adjoint Montalbano et il ôte sa ceinture pour poser un garrot à la cuisse gauche de l'adolescent qui perd une grande quantité de sang d'une profonde blessure au mollet.

— Ne me laissez pas.

Et ces yeux effrayés et douloureux qui ne le quittent pas.

Puis, en levant la tête, le commissaire-adjoint voit que derrière sa voiture, sur le bord du ravin, s'en est arrêtée une autre, un homme est descendu et regarde en bas.

Alors, Montalbano se redresse, agite les bras, pousse des cris désespérés pour appeler à l'aide, montre le jeune blessé. L'homme sur le bord du ravin se secoue, remonte en voiture, repart.

— Par pitié, ne me laissez pas…

— Reste calme, je te laisse pas.

Puis le garçon perd conscience. Un quart d'heure plus tard, arrivent les secours.

Six mois plus tard, le commissaire-adjoint Montalbano fut transféré et perdit de vue le jeune homme qui était parfaitement guéri.

Salvatore Niscemi, tel était le nom du lion reconnaissant.

Et maintenant, que faire ? Faire émettre un mandat d'arrestation ? Mais fondé sur quoi ? Sur une histoire racontée au IIe siècle après Jésus-Christ par un certain Aulu-Gelle ? Vous voulez rigoler ?

Le vieux voleur

Orazio Genco, soixante-cinq ans passés, était cambrioleur. Romildo Bufardeci, soixante-cinq ans passés, était un ancien vigile. Orazio avait exactement une semaine de moins que Romildo. Orazio Genco était connu dans tout Vigàta et alentour pour deux raisons : la première, comme nous l'avons dit, en tant que pilleur d'appartements momentanément inhabités ; la seconde parce que c'était un homme gentil, bon, qui n'aurait pas fait de mal à une mouche. Romildo Bufardeci, quand il était encore en service, était appelé « le sergent de fer » pour la dureté et l'intransigeance qu'il manifestait envers quiconque, à son avis, avait violé la *Liggi*, la loi. L'activité d'Orazio Genco commençait début octobre et se terminait fin avril de l'année suivante : c'était la période durant laquelle les estivants et les propriétaires de maisons du littoral gardaient leurs appartements d'été fermés. Elle correspondait plus ou moins à la période durant laquelle on faisait le plus appel à la surveillance de Romildo Bufardeci. La première fois qu'Orazio Genco fut arrêté pour vol avec effraction, il avait dix-neuf ans (mais sa carrière, il l'avait commencée à quinze). Celui qui l'avait remis aux carabiniers, c'était Romildo Bufardeci, lui aussi à sa première arrestation en tant que gardien de la *Liggi*. Tous deux étaient tellement émus que l'adjudant des carabiniers, pour leur redonner courage, leur offrit un *zammù*[1] à l'eau.

Dans les années qui suivirent, Romildo arrêta encore Orazio à trois reprises. Ensuite, quand Bufardeci fut mis à la retraite du fait qu'un très grand cornard de voleur de voitures lui avait tiré un coup de revolver, en le touchant au côté (et Orazio était allé le voir au pital), Genco s'en sortit mieux, dans le sens que le garde qui avait remplacé Romildo n'avait pas le même respect sacré de la *Liggi*, il essayait de s'arranger, le flair du chien de chasse lui manquait. Les longues années passées à veiller aux heures où les autres, benoîtement, dormaient, avaient laissé une espèce de déformation professionnelle chez Romildo Bufardeci qui ne pouvait s'endormir qu'au moment où pointait la première lueur du matin. Les nuits, il les passait à faire des réussites qu'il ne réussissait jamais, même en se trompant lui-même, ou bien à regarder les programmes télévisés.

Mais certaines nuits, quand il faisait bon, il enfourchait sa bicyclette et se mettait à parcourir ce qui avait été autrefois le territoire confié à sa surveillance : de Marinella à l'Escalier des Turcs.

Comme on était à la moitié du mois d'octobre et que cette nuit particulière se présentait tellement chaude et étoilée qu'on se serait cru en été, Romildo n'y tint plus, il ne supportait plus de regarder à la télévision un film américain qui lui faisait bouillir le sang, étant donné que la police, la *Liggi*, avait toujours tort et les dilinquants toujours raison. Il éteignit l'appareil, s'assura que sa femme dormait, sortit de chez lui, enfourcha sa bicyclette et s'éloigna de Vigàta en direction de Marinella.

La portion de route littorale qui arrivait à l'Escalier des Turcs semblait morte, et pas seulement parce qu'on

---

1. *Zammù* : anis sicilien. *(N.d.T.)*

n'était plus en saison et parce que les voitures des vigiles ne passaient pas : c'étaient surtout les barcasses et les vedettes tirées à sec et couvertes de bâches imperméables qui donnaient cette impression de tombes dans un cimetière.

Après trois heures d'allées et venues, le ciel commençait à s'ouvrir, au levant apparaissait comme une blessure claire qui s'élargissait et qui, au bout d'une demi-heure, commença à teindre toute chose en violet.

Ce fut dans cette lumière particulière que Romildo Bufardeci vit une ombre qui sortait par la porte du jardinet d'une villa achevée de construire trois ans auparavant. L'individu agissait avec calme, au point de refermer le portail — mais non pas à clé — exactement comme quelqu'un qui sortirait de chez soi pour s'en aller besogner. Il semblait ne pas avoir remarqué Romildo Bufardeci, lequel, ayant mis pied à terre pour garder l'équilibre, l'observait attentivement. Ou bien, s'il s'était aperçu de la présence de l'ex-vigile, il n'y avait pas prêté attention.

D'un pas de sénateur, comme si elle avait eu à sa disposition tout le temps qu'elle voulait, l'ombre prit la route de Vigàta. Mais Bufardeci avait trop de spirience pour se laisser baiser par l'apparente tranquillité de l'autre et de fait, à un certain point, d'un coup, il repartit sur sa bicyclette.

Il avait reconnu l'ombre sans le moindre doute.

— Orazio Genco ! appela-t-il.

L'interpellé s'arrêta un instant, ne se retourna pas, puis bondit et se mit à courir. Visiblement, il s'enfuyait. Bufardeci s'étonna, la fuite n'entrait pas dans le *modus operandi* d'Orazio, trop intelligent pour ne pas comprendre quand une opération était perdue. Tu veux voir que ce n'était pas Orazio mais le propriétaire de la villa qui avait eu la frousse en entendant cette voix impérieuse et inattendue ? Non, c'était sûrement Orazio. Et Romildo reprit sa poursuite avec plus de zèle encore.

Malgré ses soixante-deux ans, Genco avait une foulée de jeune homme, il sautait des obstacles tandis que Romildo, à cause de la bicyclette, était contraint de les contourner. Conservant toujours la même allure soutenue, Orazio passa le Pont de Fer et arriva à Cannelle où se dressaient les premières maisons de Vigàta. Là, n'en pouvant plus, il s'effondra sur le rebord d'une fontaine asséchée. Il soufflait fort, il lui fallut se mettre une main sur le cœur pour l'inviter à se calmer.

— Qu'est-ce qui t'a pris de te mettre à courir comme ça ? lui demanda Romildo dès qu'il l'eut rejoint.

Orazio Genco ne répondit pas.

— Repose-toi un peu, dit Bufardeci, qu'après on y va.

— Où ça ? s'enquit Orazio.

— Comment ? Où ça ? Au commissariat, non ?

— À faire quoi ?

— Je te remets à eux, t'es en état d'arrestation.

— Qui m'arrêta ?

— Moi, je t'arrêtai.

— Tu peux pas, t'es à la retraite.

— Quel rapport, la retraite ? N'importe quel citoyen, en cas de flagrant délit, a le devoir précis.

— Mais qu'est-ce que tu racontes, putain, Romì ? Qué délit ?

— Vol avec effraction. Tu veux nier que t'es sorti par le petit portail d'une villa non habitée ?

— Et qui le nie ?

— Alors, tu vois que…

— Romì, tu m'as vu sortir pas par la porte de la villa, mais par le portail du jardin.

— Ça fait une différence ?

— Ça en fait une, une grande comme une maison.

— Raconte.

— Moi, je suis pas rentré dans la villa. Seulement dans le jardinet parce que j'avais une grosse envie et qu'il y avait le portail ouvert.

— Allons au commissariat en tout cas. Ils y penseront, eux, à te faire dire la vérité.

— Allez, Romì, si moi, ça me chante, je viens pas, tu m'y tires pas même avec des chaînes. Mais cette fois, je te dis : allons-y. Comme ça, tu vas te faire une belle honte devant les flics.

Au commissariat, il y avait en service l'agent Catarella, auquel le commissaire Montalbano, pour éviter les complications, confiait les tâches de planton ou dc standardiste. Catarella rédigea scrupuleusement le procès-verbal.

Envers à les cinq heures de ce matin Monsieur Buffoardeci Romilto, esxc-vigilant, eu égard qu'il venait à passer sur le devant d'une villa déshabittée résidente quartier juste juste à côté de l'Escalier dit des Turcs, voyait d'elle-même fourtrivement sortir un voleur repris de justice qui sélanssa dans la fuitre à la voyance du vigilant, signe inéquivocable de coupabilité ainsi qu'en outre de coscience sale…

Et ainsi de suite, dans le même registre.

— *Dottore*, il y a une histoire vraiment casse-pieds, annonça Fazio dès qu'il vit arriver au bureau, vers huit heures du matin, Salvo Montalbano.

Et il lui raconta l'histoire entre Orazio Genco et Romildo Bufardeci.

— Catarella l'a fouillé. Pas de butin. En poche, il n'avait que la carte d'identité, dix mille lires, les clés de chez lui et cette autre clé, toute neuve, qui me semble un double bien fait.

Il la tendit à son supérieur. Une de ces clés que la publicité vantait beaucoup comme impossible à reproduire. Mais pour Orazio Genco, avec la spérience qu'il avait, la chose devait avoir été seulement un tout petit peu plus difficile que d'habitude. Après tout, il avait disposé d'autant de temps qu'il fallait pour prendre et reprendre l'empreinte de la serrure.

— Orazio a protesté pour la fouille ?

— Qui ? Genco ? *Dottore*, ce type a une attitude curieuse. Ça me revient pas. Il me semble qu'il s'amuse, qu'il prend son pied.

— Et qu'est-ce qu'il fait ?

— De temps en temps, il jette un coup d'œil à Bufardeci et ricane.

— Bufardeci est encore là ?

— Certes. Il est collé à Orazio comme une sangsue. Il le lâche pas. Il dit qu'il veut voir de ses yeux à Genco quand on lui mettra les bracelets et qu'on l'enverra en prison.

— Tu as réussi à identifier le propriétaire de la villa ?

— Oui. C'est l'avocat Francesco Caruana de San Biagio Platani. J'ai trouvé son numéro de téléphone.

— Appelle-le. Dis-lui que nous avons des raisons de penser que dans sa villa du bord de mer, on a commis un cambriolage. Fais-lui savoir qu'à midi, nous l'attendrons là. Mais nous deux, on ira une demi-heure avant pour jeter un coup d'œil.

Tandis qu'ils roulaient vers l'Escalier des Turcs, colline de marne blanc à pic sur la mer, Fazio dit au commissaire qu'à son coup de fil avait répondu Mme Caruana. Au rendez-vous, ce serait elle qui viendrait, étant donné que son mari était à Milan pour affaires.

— Vous voulez savoir une chose, *dottore* ? Ça doit être une femme froide de caractère.

— Comment tu le sais ?

— Parce que quand je lui ai parlé du cambriolage éventuel, elle a pas moufté.

Comme Montalbano et Fazio l'avaient prévu, la clé trouvée dans la poche d'Orazio Genco ouvrit parfaitement la porte de la villa. Tous deux en avaient beaucoup vu, des appartements bouleversés par les voleurs, mais ici tout était en ordre, pas de tiroirs ouverts, pas d'objets hâtivement renversés à terre. À l'étage, il y avait deux chambres à coucher et deux salles de bains. L'*armuàr*[1] de la chambre principale était pleine à ras bord de vêtements d'été d'homme et de femme. Montalbano inspira profondément.

— Moi aussi, je le sens, dit Fazio.

— Qu'est-ce que tu sens ?

— Ce que vous sentez vous-même, la fumée de ciccare.

Dans la chambre à coucher, l'odeur de cigare était si forte qu'elle ne pouvait sûrement pas remonter à l'été précédent. Mais dans les deux cendriers placés sur les tables de nuit, il n'y avait trace ni de mégots ni de cendre de cigare ou de cigarette. Ils avaient été soigneusement nettoyés. Dans une des deux salles de bains, le commissaire remarqua une grande serviette de toilette pliée et pendue à un bras métallique à côté de la baignoire. La saisissant, il l'approcha de sa joue, sentit sur sa peau un reste d'humidité, la remit en place.

Quelqu'un, la veille peut-être, s'était trouvé dans cette villa.

— Allons attendre au-dehors la dame et referme la porte à clé. Attention, Fazio : ne lui dis pas que nous sommes déjà entrés.

Fazio se vexa.

— Tu me prends pour un minot, ou quoi ?

Ils attendirent devant le portail. La voiture transportant Mme Caruana arriva avec quelques minutes de retard. Au volant se trouvait un beau quadragénaire, grand, mince, élégant, les yeux bleu clair, qu'on aurait dit un acteur miricain. En parfait gentilhomme, il se

1. *Armuàr* : mot sicilien d'origine française dont on aura deviné le sens. *(N.d.T.)*

précipita pour ouvrir la portière du côté voyageur. Betty Boop en descendit, une nana qui ressemblait comme deux gouttes d'eau au célèbre personnage de dessins animés. Jusqu'aux cheveux qui étaient coupés et coiffés de la même manière.

— Je suis l'ingénieur Alberto Caruana. Ma belle-sœur a beaucoup insisté pour que je l'accompagne.

— J'ai été tellement bouleversée ! s'exclama Betty Boop la coquette, en battant coquettement des cils.

— Cela fait combien de temps que vous ne venez plus à la villa ? demanda Montalbano.

— Nous l'avons fermée le 30 août.

— Et depuis lors, vous n'y êtes plus revenue ?

— Pour quoi faire ?

Ils s'avancèrent, passèrent le portail, traversèrent le jardin, s'arrêtèrent devant la porte.

— Va devant, toi, Alberto, dit Mme Caruana au beau-frère. Moi, j'ai peur.

Et elle lui tendit la clé.

Avec un sourire à la Indiana Jones, l'ingénieur ouvrit la porte et se tourna vers le commissaire.

— Elle n'a pas été forcée !

— Il ne semble pas, dit Montalbano, laconique.

Ils entrèrent. La dame alluma la lumière, regarda autour d'elle.

— Mais on n'a rien touché, ici.

— Regardez bien.

La dame ouvrit nerveusement des petites vitrines, des petits meubles, des petits tiroirs, des petites boîtes.

— Rien.

— Allons au-dessus.

À la fin de la reconnaissance des chambres du haut, Betty Boop ouvrit sa petite bouche en forme de cœur.

— Mais vous êtes sûrs que des voleurs sont entrés ici ?

— On nous l'a téléphoné. Visiblement, on s'est trompés. Il vaut mieux, non ?

Cela ne dura qu'une demi-seconde : Betty Boop et le faux acteur miricain échangèrent un ultrarapide regard de soulagement.

Montalbano se confondit en excuses pour leur avoir fait perdre leur temps, Mme Caruana et le beau-frère ingénieur les acceptèrent avec bienveillance.

Comme pour ôter la dernière trace de doute chez le commissaire et chez Fazio, l'ingénieur, revenu au volant, avant de passer la première, s'alluma un gros cigare.

— Vire-moi Bufardeci. Fais-le sans ménagements, dis-lui qu'il nous a fait perdre la matinée et qu'il ne vienne plus me casser les couilles.

— Je mets aussi en liberté Orazio Genco ?

— Non. Envoie-le dans mon bureau. Je veux lui parler.

Orazio entra dans le bureau du commissaire, que ses yeux étincelaient de la satisfaction d'avoir fait subir à Bufardeci la honte qu'il lui avait promise.

— Qu'est-ce que vous voulez me dire, commissaire ?

— Que t'es un super-grand fils de pute.

Montalbano tira de sa poche le double de la clé, le montra au vieux voleur.

— Elle ouvre parfaitement la porte de la villa. Bufardeci avait raison. Toi, dans cette maison, tu y es entré, sauf qu'elle n'était pas inhabitée, comme tu pensais. Maintenant, je dois te dire une chose, écoute-moi bien. Il me vient la tentation de trouver une excuse quelconque pour te fourrer au trou sur-le-champ.

Orazio Genco ne parut pas impressionné.

— Qu'est-ce que je peux faire pour vous la faire passer, cette envie ?

— Raconte-moi comment ça s'est passé.

Ils se sourirent ; depuis toujours, ils avaient de la sympathie l'un pour l'autre.

— Vous m'accompagnez à la villa, commissaire ?

— J'étais sûr, très sûr, que dans la villa il y avait plus personne. Quand je suis entré, ni devant le portail, ni dans les environs, il n'y avait de voiture garée. Je me suis planqué, je suis resté à attendre au moins une heure avant de bouger. Tout était mort, même pas les feuilles qui bougeaient. La porte s'est ouverte tout de suite. Avec la torche, j'ai vu que dans la petite vitrine, il y avait des statuettes de valeur mais difficiles à revendre. Quand même, j'allai à la cuisine, je pris une grande serviette de table pour y mettre le butin. À peine j'ouvre la vitrine que j'entends une voix de femme qui crie : « Non ! Non ! Mon Dieu ! Je meurs ! » Une seconde, je restai pétrifié. Puis, sans y pinser plus que ça, je courus à l'étage pour donner un coup de main à cette pôvre femme. Ah, mon commissaire, ce que je découvris dans la chambre à coucher ! Une nana et un homme, nus, qui baisaient ! Je restai comme un stockfisch mais l'homme s'aperçut que j'étais là.

— Et comment, s'il était à…

— Vous voyez, commissaire, expliqua Orazio Genco en rougissant, étant donné que c'était un homme pudique, lui, il était dessous et elle, dessus, à cheval. Dès qu'il me vit, l'homme vire, tourne, il enjambe la femelle, se lève et me prend à la gorge. « Je te tue ! Je te tue ! » Peut-être qu'il était enragé parce que je l'avais dérangé au meilleur moment. La femme se reprit aussitôt de la surprise et ordonna à l'amant de me laisser. Que ce soit l'amant et pas le mari, je l'ai compris d'après les paroles qu'elle a dites : « Alberto, je t'en supplie, pense au scandale ! » Et le bonhomme m'a lâché.

— Et vous vous êtes mis d'accord.

— Tous les deux, y se sont rhabillés, l'homme a

allumé un cigare et on a parlé. Quand on a fini, je les ai averti que, pendant que j'étais en planque, j'avais vu passer l'ex-vigile Bufardeci : celui-là, casse-burnes comme il est, en les voyant sortir de la villa, il allait sûrement les arrêter et le scandale, ils n'y couperaient pas de toute façon.

— Un instant, explique-moi un peu, Orazio. Tu avais vu Bufardeci et tu as quand même tenté le cambriolage ?

— Commissaire, mais, moi, je le savais pas que Bufardeci, il était vraiment là ! Je me l'étais inventé pour faire monter les prix ! Ils ont rajouté une petite augmentation et je me suis chargé de me l'entraîner derrière moi de façon à leur donner la possibilité d'arriver à la voiture qu'ils avaient garée loin. Et en fait, j'ai dû me mettre à courir vraiment, passque Bufardeci, il était vraiment là.

Ils étaient arrivés à la villa. Montalbano s'arrêta, Orazio descendit.

— Vous m'attendez un moment ?

Il franchit le portail, réapparut presque aussitôt avec à la main une liasse de billets, et remonta en voiture.

— Je les avais fourrés dans le lierre. Mais j'étais en souci de les savoir là. Deux millions de lires, ils m'ont donnés.

— Je te pousse jusqu'à Vigàta ? proposa Montalbano.

— Si ça vous dérange pas, répondit Orazio Genco en se laissant aller contre le dossier, en paix avec lui-même et avec le monde.

La voyante

À Carlòsimo, Salvo Montalbano passa un des plus sombres hivers de sa jeune vie. Il avait trente-deux ans, alors, et on l'utilisait comme une espèce de commis voyageur : à chaque changement de saison, on le transférait d'un coin à un autre, ici pour faire un remplacement, là pour boucher un trou, ou pour donner un coup de main dans une situation d'urgence. Mais les quatre mois de Carlòsimo furent les pires de tous. C'était un bled de colline où, raisonnablement, il n'aurait pas dû faire toujours le froid qu'il y faisait mais une mystérieuse combinaison d'événements météorologiques faisait qu'à Carlòsimo, le lourd manteau et l'écharpe, on ne les enlevait jamais, parfois pas même en allant se coucher. Les habitants, qui étaient à peu près sept mille, n'étaient pas des mauvais bougres, au contraire ; seulement, ils n'accordaient pas leur confiance, ils avaient du mal à dire bonjour, ils étaient taciturnes. Le seul, au pays, qui fût totalement différent des autres, c'était le pharmacien Rizzitano, toujours prêt à sourire, à lancer une plaisanterie osée, à poser la main sur l'épaule. « *Jena ridens* », hyène rieuse : ainsi l'avait baptisé Montalbano, en hommage à une vieille blague, celle des deux amis qui vont au zoo et un des deux lit le panneau placé devant la cage de l'animal : « *Jena ridens*. Vit dans le désert, sort seule la nuit, se nourrit de charognes, s'accouple une fois par an. » Étonné, il se tourne vers son ami et demande :

— Mais pourquoi elle rit ?

À huit heures du soir, tous à la maison, les rues vides avec le vent qui faisait rouler des boîtes vides, qui soulevait en l'air des fantômes de papier. Pas de cinéma, à la librairie-papeterie, ils ne vendaient que des cahiers. Et il fallait ajouter pour parfaire le tableau que par la faute de cette même conjoncture (conjuration, plutôt) météorologique, les deux chaînes de télévision alors existantes n'envoyaient que des images d'ectoplasmes.

Pour le commissaire-adjoint Montalbano, responsable de l'ordre public, un paradis ; pour l'homme Montalbano, un calme plat de limbes, une incitation continue au suicide ou au jeu de cartes. Mais, dans le cercle local, les « personnes civilisées » du pays ne jouaient pas seulement leur chemise mais aussi la peau du cul et c'est pourquoi le commissaire-adjoint, qui, en outre, n'aimait pas jouer aux cartes, s'en tenait à l'écart. La seule chose à faire était de se consacrer à la lecture : durant cet hiver-là, il se fit Proust, Musil et Melville. Toujours ça de pris.

Le matin du 3 février, en allant au bureau, Montalbano vit un colleur d'affiches qui tentait d'apposer sur le mur glacé, à côté de la porte d'entrée du Grand Café Italia, un placard coloré annonçant que le soir même, place Libertà, débuteraient les représentations du Cirque familial Passerini.

Le soir, en rentrant dans l'unique hôtel du pays, Montalbano passa par la place. Le cirque était déjà monté : petit et d'un sordide qui frôlait l'indécence. La caisse, faiblement éclairée, était ouverte, deux ou trois personnes du cru s'achetaient des billets.

Une déferlante de mélancolie, haute comme celles

du Pacifique, s'abattit sur le commissaire-adjoint. Elle lui coupa même la pétit, qu'il avait pourtant robuste ; il s'enferma dans sa chambre, où il évitait la congélation avec une chaufferette électrique allumée toute la nuit, au risque d'y laisser la vie, et il se lut pour la sixième fois *Benito Cereno* de Melville, duquel il ne réussissait pas à s'arracher, le souffle suspendu.

Le lendemain matin, en entrant au bureau, il entendit des voix furieuses dans la pièce voisine de la sienne. Il alla regarder : Palmisano et Ingarrìga, deux de ses agents, le visage rouge, hors d'eux, étaient sur le point de se tomber dessus à bras raccourcis. Emporté par une fureur irrépressible, déchaînée non tant par la scène sous ses yeux que par la tristesse accumulée le soir précédent, il les insulta comme du poisson pourri, leur fit la honte.

Puis il alla dans son bureau et ferma la porte en la faisant claquer si fort qu'un morceau de crépi se détacha.

Moins de cinq minutes plus tard, Palmisano et Ingarrìga vinrent présenter leurs excuses. Et ils expliquèrent, sans qu'il leur demande, les raisons de leur engueulade.

C'était à cause du cirque.

Ils racontèrent que le clown faisait pas rigoler, que la fille qui marchait sur la corde était tombée et s'était fait mal à une cheville et que le prestidigitateur n'avait pas réussi son tour de cartes. En somme, ça faisait peine. Palmisano et Ingarrìga allaient s'en aller, d'autant que le spectacle semblait terminé, quand elle était apparue.

— Qui, elle ? demanda le commissaire-adjoint avec brusquerie.

— La voirante ! dit avec révérence Ingarrìga qui avait quelques difficultés avec l'italien.

Palmisano, lui, adopta un air de supériorité.

— Et qu'est-ce qu'elle fait, cette voyante ?

— Ah, *dottore* ! Une chose que si on la voit pas, on n'y croit pas ! Elle devine tout ! N'importe quoi !

— Elle a une combine, dit avec le plus grand calme Palmisano.

— Mais quelle combine ! Celle-là, c'est une vraie voirante ! s'insurgea Ingarrìga, prêt à reprendre la bagarre.

La rumeur qu'au cirque, il y avait une extraordinaire voyante qui ne se trompait jamais se répandit au pays et le samedi suivant, devant le guichet, il y avait la queue. Poussé par la curiosité plus encore que par l'ennui, Montalbano se mit à la file, abandonnant *Benito Cereno* dans sa chambre d'hôtel.

Ce soir-là, peut-être parce que les bancs du cirque étaient tous occupés, la troupe, électrisée par le public, se comporta bien : le clown arracha quelques rires, l'équilibriste parvint à ne pas tomber bien qu'elle en eût été bien près à plusieurs reprises, le prestidigitateur réussit un tour avec le haut-de-forme qui étonna même Montalbano. Le manège, ensuite, apparut en état de grâce. Puis les lumières s'éteignirent d'un coup sur la petite piste. Dans l'obscurité, deux tambours roulèrent. Quand un projecteur se ralluma, il illumina une femme seule au milieu de l'arène, assise sur un siège de paille.

Elle pouvait avoir une soixantaine d'années, elle portait tout le poids de son âge et ne faisait rien pour le dissimuler. Petite, modestement vêtue, les cheveux gris réunis en chignon, elle restait immobile, les yeux à terre. Et dans le cirque tomba un silence épais, à couper au couteau. Dans le cercle des projecteurs, un quinquagénaire en frac s'avança. Il souleva son haut-de-forme, s'inclina profondément, et dit :

— Mesdames et messieurs, Eva Richter.

Sans emphase, d'une voix basse, presque respectueuse. La femme ne bougea pas de son siège. Montalbano sentit que quelque chose, d'un coup, avait changé dans ce cirque misérable, on eût dit que le centre de la piste allait accueillir, non pas un jeu ou une fiction, mais un terrible moment de vérité.

L'homme en frac s'adressa de nouveau aux personnes présentes.

— Mme Eva Richter ne répond à aucune question, qu'elles soient posées par le public ou par moi. Si l'un de vous veut bien me prêter un objet personnel, Mme Richter le gardera un moment entre les mains, puis le rendra. Alors seulement, elle dira au propriétaire de l'objet quelque chose qui le concerne. Je veux vous prévenir que la réponse sera donnée à haute voix et donc qui ne désire pas que ses affaires soient exposées à tous devra éviter de participer.

Il marqua une pause, fixa le public dans le noir.

— Un objet, s'il vous plaît.

Il y eut des petits rires embarrassés, des encouragements, des commentaires à mi-voix. Puis, d'un des bancs les plus élevés, on passa de main en main, jusqu'à l'homme en frac, une cravate. Des rires éclatèrent, que l'homme coupa d'un geste impérieux.

Eva Richter, sans jamais lever la tête, prit la cravate qu'il lui tendait, la roula, la tint entre ses mains en coupe, la rendit. La cravate refit le parcours inverse.

L'homme en frac demanda :

— Le propriétaire de la cravate en a repris possession ?

— Oui, répondit une voix anonyme.

Alors, le comparse se retourna et fixa la femme assise au milieu de la piste.

Eva Richter parla d'une voix très basse, presque dans un murmure. Elle avait un vrai accent étranger.

— Le monsieur qui m'a donné la cravate est très jeune. C'est sa première cravate, qui lui a été offerte par sa sœur.

Des bancs les plus élevés partirent des applaudissements

qui gagnèrent tout le public. L'homme en frac leva une main, le silence revint.

— L'année dernière, le monsieur à la cravate a eu un accident de motocyclette. Il s'est cassé la cheville gauche.

Les occupants des bancs les plus hauts se levèrent pour applaudir, le jeune propriétaire de la cravate se mit à pousser des cris ébahis :

— C'est vrai ! Je le jure ! Tout est vrai !

Quand les applaudissements furent terminés, l'homme en frac parla de nouveau.

— Ce soir, Madame est fatiguée. Elle ne fera que deux autres exercices de voyance. Un autre objet, s'il vous plaît.

Sur un geste de lui, les veilleuses s'allumèrent sous le chapiteau, à présent le public aussi faisait le spectacle.

— Qui veut participer ?

— Moi.

Tous se retournèrent pour la regarder, elle, Mme Elvira Testa, celle qui avait parlé. Montalbano en fit autant, car il ne pouvait s'en empêcher. Elle était très belle, Elvira Testa, la trentaine, mariée à l'homme le plus riche du pays, le commerçant, et surtout usurier, Filippo Mancuso, plus que quinquagénaire, chauve et trapu.

Par le même chemin, de main en main, un collier d'or alla finir dans la paume d'Eva Richter, puis retourna à la propriétaire.

— La personne qui m'a fait passer cet objet vient juste de rentrer de New York. Elle habitait chez une amie.

Aux applaudissements d'Elvira Testa s'unirent, crépitants, ceux de tous les spectateurs.

Mais Eva Richter poursuivit.

— La personne qui m'a prêté cet objet a eu un deuil récemment. Elle en a beaucoup souffert.

Il n'y eut ni commentaires ni applaudissements. Un silence de mort tomba. L'homme en frac parut très étonné et inquiet. Même Eva Richter leva un instant la tête.

— Erreur ! Erreur ! cria, debout, livide, Filippo Mancuso.

À côté de lui, la très belle Elvira Testa avait les joues en feu. Au pays, tout le monde, Montalbano compris, savait que l'amant très aimé d'Elvira Testa avait perdu la vie deux mois auparavant dans un accident de voiture.

Immédiatement convaincu que quelque chose n'allait pas, l'homme en frac encouragea les spectateurs :

— Un autre, vite, un autre objet !

— Moi ! Moi ! Moi !

Dans la première rangée, assis entre le Dr Spalic, Triestin qui exerçait depuis quarante ans la médecine à Carlòsimo, et le maire Di Rosa, le pharmacien Rizzitano agitait un mouchoir. Peut-être pour dissiper l'atmosphère qui, un instant plus tôt, s'était installée, il riait, clignait de l'œil, s'agitait.

L'homme en frac s'approcha, prit le mouchoir, le passa à la voyante. Ce mouchoir-là aussi fut roulé en boule, tenu entre les mains. Mais Eva Richter, au lieu de le redonner à son comparse, le retint. L'homme en frac gardait la main tendue, une expression de curiosité sur le visage. Et puis, il arriva ce que personne n'attendait.

Eva Richter jeta le mouchoir à terre, poussa un cri, comme si ce bout d'étoffe l'avait brûlée d'un feu vif. Elle se leva, blême comme une morte, commença à reculer vers la toile de tente dans son dos, la main gauche pressée contre sa bouche ouverte pour empêcher l'irruption d'un autre cri. Quand elle sentit le rideau dans son dos, elle leva le bras droit, tendit l'index vers le pharmacien :

— Assassin ! Tu es l'assassin !

Cette phrase, elle l'avait murmurée plus bas que d'habitude mais tous l'entendirent car il régnait un silence tel qu'il semblait qu'à l'intérieur du cirque, plus personne ne respirait. Et elle sortit brusquement. Une agitation sans nom se déclencha. Quelques femmes se mirent à crier comme si sous leurs yeux, le pharmacien était en train de tuer de nouveau quelqu'un ; Mme Elvira Testa qui, ce soir-là, avait passé un sale moment, se fit venir un évanouissement et fut transportée à l'extérieur par son époux commerçant, usurier et maintenant aussi, publiquement cocu. Le pharmacien, malgré la stupeur, ne réussissait pas à faire disparaître le sourire de ses lèvres.

— Mais quoi, elle est folle ? demandait-il à tous.

Le maire appela Montalbano pendant que le public se dispersait.

— *Dottore*, il faut faire quelque chose !

— Quoi donc ? demanda le commissaire-adjoint, placide.

— Ben, je ne sais pas… Cette femme a semé la pagaille… Elle ne devrait pas se permettre…

— Je verrai ce que je peux faire, dit Montalbano.

Le lendemain matin, il n'y avait plus de cirque place Libertà. Et il n'y avait plus non plus, ni à Carlòsimo, sur la face de la Terre, le Dr Spalic, puisque, vers trois heures du matin, après une nuit sans sommeil passée à arpenter sa maison, comme en témoigna M. Lauricella qui habitait à l'étage en dessous, le médecin prit une corde et se pendit à la poutre du plafond.

Sur son bureau, Montalbano trouva un billet écrit au crayon. Il disait simplement : « J'étais trop jeune, je ne comprenais pas le mal que je faisais. Pardonnez-moi. »

— Mais si la voyante a dit que l'assassin, c'était le pharmacien, pourquoi c'est le Dr Spalic qui s'est tué ? se demanda le pays, ébahi.

La pharmacie de Rizzitano, le dimanche, ne restait ouverte que le matin. Montalbano y entra vers les onze heures, quand les clients qui demandaient des remèdes surtout contre le refroidissement et la grippe s'étaient raréfiés. Rizzitano profita d'un moment où il n'y avait personne et ferma à clé le tambour de la porte.

— J'ai vu ce que vous avez fait hier, dit Montalbano.

Le pharmacien ne souriait pas, une ride lui traversait le front.

— Vous avez vu quoi ?

— J'ai vu que vous avez glissé la main dans la poche gauche du manteau du Dr Spalic et que vous lui avez pris le mouchoir qu'il avait l'habitude de garder là. Ce mouchoir n'était pas à vous. Vous vouliez lui faire une blague.

— Eh oui, dit Rizzitano, amer.

— Et Eva Richter ne vous montrait pas vous, elle montrait le docteur. Mais comme il y avait eu l'histoire du mouchoir, tout le monde était sûr qu'elle s'adressait à vous.

— Eh oui, répéta Rizzitano.

— Et j'ai remarqué une autre chose, continua le commissaire-adjoint.

— Quoi donc ?

— Qu'Eva Richter a dit : « Tu es l'assassin. » Vous saisissez ? Pas un assassin en général.

— Vrai, c'est.

— Et alors, je suis là, à vous demander : Qu'est-ce que vous savez, vous, du docteur ?

Le pharmacien s'ajusta les lunettes sur le nez, regarda une ordonnance sur le comptoir. Au-dehors, on frappait à la porte, mais ni Rizzitano, ni le commissaire ne répondirent.

— Voyez-vous, se décida, pour finir, le pharmacien, si le pôvre docteur était encore vivant, moi, je ne vous dirais rien de ce que je vais vous dire, vous réussiriez pas à me l'arracher même avec les tenailles. Le Dr Spalic, Vinko de son prénom, arriva à Carlòsimo en 1952-1953, maintenant, je me rappelle plus bien. Il avait passé son doctorat à Naples. Mais il était né à Trieste et y avait passé sa jeunesse. Il ne parlait jamais de lui, ne recevait jamais de courrier de son pays natal, ne semblait y avoir laissé ni parents ni amis. Au début, il y eut une certaine curiosité à son égard, puis il est devenu un de nous. Il était fort, les gens allaient chez lui.

Le pharmacien marqua une pause, passa dans l'arrière-boutique se boire un verre d'eau, revint.

— Vinko, reprit-il, ne buvait jamais. Un soir qu'il m'avait paru particulièrement mélancolique, je l'invitai à dîner chez moi, je le convainquis de boire un demi-verre de vin. Ça lui a suffi pour se soûler complètement, au point que j'ai dû le raccompagner chez lui. En chemin, il n'arrêtait pas de pleurer, mais je comprenais que ces larmes n'étaient pas dues seulement au vin. Je rentrai avec lui dans son appartement, je voulais le voir couché, j'avais pas confiance de le laisser seul. Je lui suggérai d'aller dans la salle de bains se mouiller le visage. C'est là qu'il m'a dit une phrase très très claire : « Aujourd'hui, c'est un anniversaire. » Je lui demandai de quoi et lui : « D'un meurtre. Y a quarante et un ans, j'ai tué un jeune, à Trieste. Je faisais partie des SS. » Il m'a dit ça, et il s'est remis à pleurer. Vous vous rappelez qu'en 44, Trieste était une espèce de protectorat allemand ?

— Oui, dit Montalbano. Et il est revenu sur ce sujet ?

— Nous n'en avons jamais plus reparlé.

Montalbano se leva, remercia le pharmacien, celui-ci rouvrit le tambour et aussitôt deux clients se précipitèrent à l'intérieur. Un instant avant que Montalbano sorte, Rizzitano lui demanda à voix basse :

— Mais qui est vraiment Eva Richter ?

Arturo Passerini, propriétaire et directeur du cirque, repéré alors qu'avec ses trois caravanes, il se dirigeait vers un village voisin, déclara qu'Eva Richter s'était présentée à lui deux mois auparavant, alors qu'ils séjournaient dans un pays près de Messine. Elle avait administré une preuve impressionnante de son habileté, demandé à être engagée contre une paie minime. Elle souffrait d'une obsession : arriver le plus vite possible à Carlòsimo. Ce matin-là, aux premières lueurs du jour, quand s'était répandue la nouvelle que le spectateur de la soirée précédente s'était pendu, ils avaient préféré démonter le chapiteau et s'en aller. Ce n'est qu'au moment de monter dans les caravanes qu'ils s'étaient aperçus que Mme Richter avait disparu, en abandonnant sa valise.

Montalbano l'ouvrit. À l'intérieur, il y avait une robe, de la lingerie, un journal jauni du mois de novembre 1945. Un bref article rapportait que le criminel nazi Vinko Spalic, coupable entre autres de l'assassinat de sang-froid du jeune Gianni Richter, avait encore une fois réussi à échapper à l'arrestation. Enveloppé dans un chiffon, il y avait aussi un gros revolver chargé.

Eva Richter, qui avait mis plus de quarante ans à retrouver l'assassin de son frère, n'avait pas eu besoin de s'en servir.

Gendarmes et voleurs

Taninè, la femme du journaliste de télévision Nicolò Zito, un des rares amis du commissaire Montalbano, était une femme qui cuisinait selon le vent, c'est-à-dire que les plats qu'elle concoctait sur ses fourneaux n'obéissaient pas à des règles de cuisine précises, mais constituaient le résultat très inattendu de son caractère imprévisible.

— Aujourd'hui, je t'aurais volontiers invité à la maison pour manger avec nous, avait dit quelquefois Nicolò à Montalbano, mais malheureusement, j'ai pas l'impression que c'est le moment.

Cela signifiait que Taninè s'était levée du pied gauche, d'où pâtes trop cuites (ou pas assez), viande insipide (ou salée jusqu'à l'immangeable), sauce à laquelle il valait mieux préférer trois ans de détention dont un à l'isolement. En revanche, quand ça lui prenait, quand tout était allé à son goût, quelle lumière du paradis !

C'était une belle femme trentenaire, aux chairs fermes et pleines qui inspiraient aux hommes des pensées vulgairement terrestres : eh bien, un jour que Taninè l'avait invité à lui tenir compagnie en cuisine, où elle n'admettait jamais d'étrangers, Montalbano avait vu, ahuri, la femme qui préparait l'assaisonnement des pâtes *'ncasciata* perdre tout poids, se changer en une espèce de danseuse qui, l'air absorbé, le geste aérien, planait d'un fourneau à l'autre. Pour la première et dernière fois, en la regardant, il avait pinsé aux anges.

« Espérons que Taninè ne gâche pas cette journée », souhaita à part soi le commissaire, tandis qu'il roulait vers Cannatello.

Parce qu'en matière de sautes d'humeur, lui non plus, il ne plaisantait pas. La première chose qu'il faisait le matin, dès qu'il était debout, était d'aller à la fenêtre observer le ciel et la mer qu'il avait à deux pas de chez lui : si les couleurs étaient vives et claires, il en irait de même de son comportement du jour ; dans le cas contraire, ça tournerait mal pour lui et pour tous ceux qui passeraient à sa portée.

Chaque deuxième dimanche d'avril, Nicolò, Taninè et leur fils Francesco, sept ans cette année, rouvraient officiellement la maison de campagne de Cannatello héritée du père de Nicolò. Et il était devenu de tradition que le premier hôte fût Salvo Montalbano.

Pour y aller, au lieu de prendre la commode route à grande vitesse qui l'aurait laissé à deux kilomètres de Cannatello, le commissaire affrontait drailles, chemins muletiers, pistes poussiéreuses qui lui blanchissaient la voiture. Il profitait de l'occasion pour se recréer une Sicile disparue, âpre et dure, une étendue desséchée jaune paille interrompue de temps à autre par les dés blancs des bicoques paysannes. Cannatello était une terre maudite, rien de ce qu'on y semait ou de ce qu'on y plantait ne prenait ; ce qui donnait de brèves respirations de vert, c'étaient seulement les plaques de sorgho, des momordiques et des câpres. Un terrain de chasse, ça oui, et de temps en temps, de derrière un buisson de sorgho, jaillissaient quelques lièvres très rapides. Il arriva qu'il était presque l'heure de manger, le parfum des douze *cannoli* géants qu'il avait achetés inondait l'habitacle et aiguisait l'appétit.

Sur le seuil de la maison, ils étaient au complet à l'attendre : Nicolò souriant, Francesco impatient et Taninè les yeux brillants de contentement. Montalbano se rasséréna, peut-être la journée s'avérerait-elle tout entière comme elle avait commencé, digne d'être vécue.

Francesco ne lui laissa même pas le temps de descendre de la voiture, il se mit à sautiller autour de lui :

— On joue aux gendarmes et aux voleurs ?

Son père le gronda.

— Ne le harcèle pas ! Tu joueras après manger !

Ce jour-là, Taninè avait décidé de montrer ses talents dans un plat spectaculaire qui, va savoir pourquoi, s'appelait « maladie d'amour ». Va savoir pourquoi : en fait, il n'y avait guère de possibilité que cette soupe de cochon (poumon, foie, rate et chair maigre), à se manger avec du pain grillé, eût à voir avec le mal d'amour : peut-être avec le mal au ventre…

Ils s'en régalèrent dans un silence absolu ; même Francesco, passablement agité de nature, cette fois ne bougea pas, perdu dans le paradis de saveurs que sa mère avait réalisé.

— On joue aux gendarmes et aux voleurs ?

La question arriva, inévitable et pressante, dès que les trois grands eurent fini de boire le café.

Du regard, Montalbano appela au secours son ami Nicolò : pour l'instant il n'y arriverait pas, à courir derrière le minot.

— Oncle Salvo va se faire un pénéqué. Après, vous jouerez.

— Écoute, dit Montalbano en voyant que le petit faisait les brègues. On passe un accord : dans une heure pile, tu viens me réveiller toi-même et il nous reste tout le temps de jouer.

Nicolò Zito reçut un coup de fil qui le contraignait

à retourner à Montelusa pour une émission de télé urgente; Montalbano, avant de se retirer dans la chambre d'amis, assura à son ami qu'il se chargeait de ramener au pays Taninè et le fils.

Il eut à peine le temps de se déshabiller, les paupières lui tombaient, et de s'étendre qu'il s'écroula dans un sommeil de plomb.

Il lui semblait qu'il venait de fermer les yeux à la seconde quand il fut réveillé par Francesco qui lui secouait le bras en disant :

— Tonton Salvo, une heure précise passa. Le café je te portai.

Nicolò était parti, Taninè avait remis la maison en ordre et lisait maintenant une revue, assise sur un siège à bascule. Francesco avait disparu, il avait déjà filé se planquer en pleine campagne.

Montalbano ouvrit la voiture, prit un vieil imperméable qu'il gardait à l'arrière pour le cas où, serra la ceinture, releva le col dans une tentative de ressembler à un enquêteur de films américains, et se lança à la recherche du minot. Francesco, très habile pour se cacher, adorait être un voleur recherché par un « vrai » commissaire.

La maison de Nicolò se dressait au milieu de deux hectares de terrains incultes qui, à Montalbano, donnaient de la mélancolie, entre autres parce que, à la limite de la propriété, il y avait une bicoque délabrée, avec le toit à demi effondré, qui soulignait l'état d'abandon de la terre. Manifestement, les lointaines origines paysannes du commissaire se rebellaient devant cette négligence.

Montalbano chercha Francesco pendant une demi-heure, puis il commença à sentir la fatigue, la soupe de cochon et deux *cannoli* géants laissaient encore leur marque, il était sûr que le petit l'observait, ému et attentif.

La diabolique capacité de se cacher du gamin le tiendrait jusqu'à la nuit.

Il décida de s'avouer vaincu, en le criant à voix haute. Francesco allait sortir d'un recoin quelconque et réclamer le paiement immédiat du prix de sa victoire, consistant dans le récit, dûment embelli, d'une de ses enquêtes. Le commissaire avait remarqué que celles qu'il s'inventait purement et simplement, avec morts, blessés et coups de feu, plaisaient particulièrement au minot.

Comme il allait se déclarer battu, il lui vint une pinsée à l'improviste : tu veux voir que le petit est allé se cacher dans la cahute en ruine malgré l'ordre très sévère, édicté par Taninè et Nicolò, de ne jamais y entrer seul ?

Il s'élança, arriva en courant, le souffle court, devant la maisonnette ; la petite porte bancale n'était que tirée. Le commissaire l'ouvrit d'un coup de pied, bondit à l'intérieur et, la main droite glissée dans la poche, l'index pointé à travers le tissu, menaçant, dit d'une voix basse et rauque, terriblement inquiétante (cette voix qui faisait hennir de joie Francesco) :

— Le commissaire Montalbano, je suis. Je compte jusqu'à trois. Si tu ne sors pas, je tire. Un…

Une ombre bougea à l'intérieur de la masure, et sous les yeux écarquillés du commissaire, surgit un homme, les mains levées.

— Ne tire pas, flic.

— Tu es armé ? demanda Montalbano, dominant sa surprise.

— Oui, répondit l'homme et il fit le geste d'abaisser une main pour prendre l'arme qu'il gardait dans la poche droite de la veste.

Le commissaire s'aperçut qu'elle était dangereusement déformée.

— Bouge pas ou je te fume, intima Montalbano en tendant l'index dans sa poche d'un air menaçant.

L'homme releva les bras. Il avait des yeux de chien

enragé, l'air désespéré d'un individu prêt à tout, la barbe longue, les vêtements froissés et sales. Un homme dangereux, certes, mais c'était qui, bon Dieu ?

— Avance, vers cette maison.

L'homme se mit en mouvement, Montalbano derrière lui. Arrivé à l'esplanade où était garée la voiture, le commissaire vit débouler de derrière l'auto Francesco qui regardait la scène, surexcité.

— Maman ! Maman ! se mit-il à crier.

Taninè, s'étant ruée sur le seuil, effrayée par la voix bouleversée de son fils, d'un seul coup d'œil s'entendit avec le commissaire. Elle rentra et réapparut aussitôt, pointant un fusil de chasse sur l'inconnu. C'était un fusil à deux canons ayant appartenu au père de Nicolò que le journaliste gardait, déchargé, près de l'entrée ; jamais Nicolò n'avait consciemment tué un être vivant, sa femme disait qu'il ne se soignait pas la grippe pour ne pas assassiner les bacilles.

Tout transpirant, le commissaire ouvrit la voiture et, de la boîte à gants, tira pistolet et menottes. Il respira profondément en regardant la scène. L'homme restait immobile sous l'arme pointée par Taninè qui, brune, belle, cheveux au vent, ressemblait comme deux gouttes d'eau à une héroïne de western.

La patte de l'artiste

La sonnerie du téléphone n'était pas la sonnerie du téléphone, mais le crissement de la roulette d'un dentiste devenu fou qui avait décidé de lui forer un pertuis dans le cerveau. Il ouvrit à grand-peine les yeux, regarda le réveil sur la table de chevet : cinq heures et demie du matin. Certainement, l'un ou l'autre de ses hommes du commissariat le cherchait pour lui dire quelque chose de sérieux, il ne pouvait en être autrement, vu l'heure. Il se leva de son lit en jurant, alla dans la salle à manger, souleva le combiné.

— Salvo, tu le connais, à Potocki ?

Il reconnut la voix de son ami Nicolò Zito, le journaliste de Retelibera, une des deux télévisions privées de Montelusa qu'on recevait à Vigàta. Nicolò n'était pas du genre à lui faire des blagues de crétin, et donc il ne s'énerva pas.

— Qui est-ce que je devrais connaître ?

— Potocki, Jan Potocki.

— C'est un Polonais ?

— D'après son nom, on dirait. Il devrait être l'auteur d'un livre, mais j'ai demandé à plein de monde, personne a pu me dire. Si même toi, tu l'ignores, ma question, je peux me la mettre où je pense.

Fiat lux. Peut-être pourrait-il répondre à la demande inhabituelle de son ami.

— Tu sais pas, par hasard, si le livre s'appelle *Manuscrit trouvé à Saragosse* ?

— Celui-là, c'est ! Merde, Salvo, t'es un dieu ! Et le livre, tu l'as lu ?

— Oui, il y a bien longtemps.

— Tu pourrais me dire de quoi il s'agit ?

— Mais pourquoi il t'intéresse tant ?

— Alberto Larussa, tu l'as bien connu, il s'est suicidé. Ils ont découvert le corps vers les quatre heures de ce matin et ils m'ont tiré du lit.

Le commissaire Montalbano encaissa. Ami d'Alberto Larussa, à proprement parler, il ne l'avait pas été, mais de temps en temps, il allait le trouver, sur son invitation, dans sa maison de Ragòna et il ne manquait pas l'occasion d'emprunter tel ou tel livre de la très vaste bibliothèque que l'autre possédait.

— Il s'est flingué ?

— Qui ? Alberto Larussa ? Mais qu'est-ce que tu crois, lui, se tuer d'une manière si banale !

— Et comment il a fait ?

— Il a transformé sa chaise roulante en chaise électrique. Il s'est, en un certain sens, exécuté.

— Et le livre, quel rapport ?

— Il était à côté de la chaise électrique, sur un tabouret. Peut-être la dernière chose qu'il a lue.

— Oui, il m'en avait parlé. Il lui plaisait beaucoup.

— Alors, qui était ce Potocki ?

— Il était né dans la deuxième moitié du XVIIe siècle, d'une famille de soldats. Lui était un érudit, un voyageur, je crois qu'il est allé du Maroc à la Mongolie. Le tsar en a fait un conseiller. Il a publié des livres d'ethnographie. Un groupe d'îles, je ne me rappelle plus où elles se trouvent, portait son nom. Le roman sur lequel tu m'as interrogé, il l'a écrit en français. Voilà, c'est tout.

— Mais pourquoi il y tenait, à ce livre ?

— Écoute, Nicolò, je te l'ai dit : il lui plaisait, il le lisait et le relisait. Je pense qu'il considérait Potocki comme une âme sœur.

— Mais il n'avait jamais mis le pied hors de chez lui !

— Âme sœur en fait de dinguerie, d'originalité. Du reste, Potocki aussi s'est suicidé.

— Et comment ?

— Il s'est flingué.

— Ça me paraît pas une chose originale. Larussa a su faire mieux.

Du fait de la notoriété d'Alberto Larussa, le journal de huit heures du matin fut fait par Nicolò Zito qui, normalement, se réservait ceux, plus suivis, du soir. La première partie du journal, Nicolò la consacra aux circonstances de la découverte du cadavre et aux modalités du suicide. Un chasseur, Martino Zìcari, en passant vers les trois heures et demie de la nuit près de la villa de Larussa, avait vu de la fumée sortir d'un des fenestrons du sous-sol. Comme ça se savait qu'il y avait là le laboratoire d'Alberto Larussa, Zìcari ne s'était pas d'abord inquiété. Mais un souffle de vent lui avait porté aux narines l'odeur de cette fumée, et ça oui, ça l'avait alarmé. Il avait appelé les carabiniers et ceux-là, après avoir en vain frappé à la porte, l'avaient défoncée. Au sous-sol, ils avaient retrouvé le corps à demi carbonisé d'Alberto Larussa qui avait transformé sa chaise roulante, artisanalement, en parfaite chaise électrique. À la suite de quoi, un court-circuit s'était déclenché et les flammes avaient en partie dévasté le local. Mais, intact, à côté du mort, sur un tabouret, se trouvait le roman de Jan Potocki. Et là, Nicolò Zito utilisa les informations fournies par Montalbano. Puis il s'excusa auprès des téléspectateurs de ne pouvoir donner que des images de l'extérieur de la maison où habitait Larussa : l'adjudant de carabiniers lui avait interdit de tourner à l'intérieur. La deuxième partie présentait le personnage du suicidé. Quinquagénaire fort riche, paralysé depuis trente ans à la suite d'une chute de cheval, Larussa n'avait jamais réussi à sortir des murs de sa ville natale, Ragòna. Il ne s'était jamais marié, avait un frère cadet qui vivait à Palerme. Lecteur passionné, il possédait une bibliothèque de plus de dix mille volumes. Après la chute de cheval, il avait tout à fait par hasard découvert sa vraie vocation : celle d'orfèvre. Mais un orfèvre particulier. Il n'utilisait que des matériaux pauvres, du fil de fer, du cuivre, des bouts de verre de différentes couleurs. Mais le dessin de ces jouets de verre était d'une extraordinaire élégance d'invention, à en faire de véritables objets d'art. Larussa ne les vendait pas, il les offrait à des amis ou à des personnes qui lui étaient sympathiques. Pour mieux travailler, il avait transformé le sous-sol en un atelier fort bien équipé. Où il s'était tué, sans laisser aucune espèce d'explication.

Montalbano éteignit le téléviseur, appela Livia, espérant la trouver encore chez elle à Boccadasse, faubourg de Gênes. Elle y était. Il lui communiqua la nouvelle. Livia avait connu Larussa, ils avaient sympathisé. Chaque Noël, l'homme lui envoyait une de ses créations. Livia n'avait pas la larme facile, mais le commissaire entendit sa voix se briser.

— Et pourquoi il a fait ça ? Il ne m'a jamais donné l'impression d'une personne capable d'un geste pareil.

Vers trois heures de l'après-midi, le commissaire téléphona à Nicolò.

— Y a du neuf ?

— Ben, pas mal. Tu sais, dans son atelier, Larussa avait une partie de son installation électrique à 380 volts triphasée. Il s'est mis nu, s'est serré des bracelets aux poignets et aux chevilles, une large bande métallique sur la poitrine, des espèces d'écouteurs aux tempes. Pour que le courant lui fasse plus d'effet, il a trempé ses pieds dans une bassine d'eau. Il voulait être sûr de son coup. Naturellement, son matériel, il se l'était fabriqué lui-même, avec une patience d'ange.

— Tu le sais, comment il a fait pour actionner l'interrupteur du courant ? Il me semble avoir compris qu'il était attaché.

— Le chef des pompiers m'a dit qu'il y avait un déclencheur à retardement. Génial, non ? Ah, il s'était descendu une bouteille de whisky.

— Il buvait jamais, tu le savais ?

— Non.

— Je veux te dire une chose qui m'est venue à l'esprit pendant que tu me parlais du système qu'il s'était fabriqué lui-même pour se faire passer le courant dans le corps. Il y a une explication au fait qu'il ait laissé à côté de lui le roman de Potocki.

— Alors, tu me le dis, ce qu'il y a dans ce livre béni ?

— Non, parce que ce n'est pas le roman qui nous intéresse dans notre cas, c'est l'auteur.

— C'est-à-dire ?

— Je me suis rappelé comment Potocki s'est tué.

— Mais tu me l'as dit ! Il s'est flingué !

— Oui, mais à l'époque, il y avait les pistolets qu'on chargeait par la gueule, avec une seule balle.

— Eh bè ?

— Trois ans avant de tirer sa révérence, Potocki a dévissé une boule qui ornait le couvercle d'une théière d'argent. Chaque jour, il passait quelques heures à la limer. Il a mis trois ans à lui donner la circonférence voulue. Puis il l'a fait bénir, l'a glissée dans le canon de son pistolet et s'est tué.

— Oh Seigneur ! Moi, ce matin, j'avais déclaré Larussa vainqueur pour l'originalité, mais maintenant, j'ai l'impression qu'il est à égalité avec Potocki ! Donc ce livre, en bref, serait une sorte de message : je me suis suicidé d'une manière extravagante, comme l'a fait mon maître Potocki.

— Disons que le sens pourrait être celui-là.

— Pourquoi tu dis « pourrait » au lieu de dire que c'est ça ?

— Bah, sincèrement, j'en sais rien.

Le lendemain, au contraire, ce fut Nicolò qui le chercha. Sur le suicide de Larussa, qui continuait à susciter la curiosité en raison de son mode d'exécution imaginatif, il avait quelque chose d'intéressant à lui montrer. Montalbano se rendit exprès dans les bureaux de Retelibera. Nicolò avait interviewé Giuseppe Zaccaria, qui était le curateur des intérêts de Larussa, et le lieutenant de carabiniers Olcese, qui avait conduit les enquêtes. Zaccaria était un homme d'affaires palermitain, grossier et renfrogné.

— Je ne suis pas tenu de répondre à vos questions.

— Bien sûr que vous n'y êtes pas tenu, moi, je vous demandais seulement d'avoir la courtoisie de…

— Mais allez vous faire foutre, vous et votre télévison !

Zaccaria tourna le dos, fit mine de s'éloigner.

— C'est vrai que Larussa avait un patrimoine estimé à cinquante milliards ?

À l'évidence, c'était un bluff de Zito, mais Zaccaria tomba dans le piège. Il se retourna brusquement, furieux.

— Mais qui vous a dit une connerie pareille ?

— Mais, d'après mes informations…

— Écoutez, le pauvre Larussa était riche, mais pas à ce point. Il avait des actions, des titres divers mais, je le répète, il n'atteignait pas les chiffres que vous avez balancés.

— À qui ira l'héritage ?

— Vous ne le savez pas qu'il avait un frère plus jeune ?

Le lieutenant Olcese était un échalas d'un mètre quatre-vingt-neuf. Courtois, mais un vrai glaçon.

— Les rares éléments nouveaux qui ont apparu vont tous, je dis bien tous, dans le sens du suicide. Très compliqué, certainement, mais suicide quand même. Le frère aussi…

Le lieutenant Olcese s'interrompit d'un coup.

— Ce sera tout, au revoir.

— Vous disiez que le frère…

— Au revoir.

Montalbano regarda son ami Nicolò.

— Pourquoi tu m'as fait venir ici ? Ça me semble pas deux interviews révélatrices.

— J'ai décidé de te tenir toujours au courant. Ça me convainc pas, Salvo. Ce suicide te paraît bizarre, je me trompe ?

— C'est pas qu'il me paraisse bizarre, il me met plutôt mal à l'aise.

— Tu veux m'en parler ?

— Parlons-en, de toute façon, je ne m'en occupe pas. Mais tu dois me jurer que tu ne t'en sers pas pour ton journal.

— Promis.

— Livia, au téléphone, m'a dit que, d'après elle, Larussa n'était pas du genre à se tuer. Et moi, je crois à la sensibilité de Livia.

— Oh, mon Dieu ! Salvo ! Tu vois, tout le dispositif de la chaise électrique porte la signature d'un original comme Larussa ! Il y a, comment dire, sa marque !

— Et ça, c'est le point qui me met mal à l'aise. Est-ce que tu as jamais entendu dire que quand on a commencé à parler des objets artistiques qu'il fabriquait, il ait jamais accepté d'accorder une interview aux revues de mode qui l'assiégeaient ?

— Il n'a même pas voulu m'en donner une à moi, un jour que je la lui ai demandée. C'était un ours.

231

— Un ours, d'accord. Et quand le maire de Ragòna voulait faire une exposition de ses travaux pour une œuvre de bienfaisance, lui qu'est-ce qu'il a fait ? Il a refusé la proposition, mais il a envoyé au maire un chèque de vingt millions de lires.

— Vrai, c'est.

— Et puis, il y a le roman de Potocki mis bien en évidence. Une autre touche d'exhibitionnisme. Non, tout ça, ce sont pas des choses qui appartiennent à ses façons de faire habituelles.

Ils se regardèrent en silence.

— Tu devrais essayer d'interviewer le frère cadet, suggéra au bout d'un moment le commissaire.

Au journal télévisé de huit heures, Nicolò Zito diffusa les deux interviews dont il avait donné la primeur à Montalbano. Le journal de Retelibera terminé, le commissaire passa à celui de Televigàta, l'autre télévision privée, qui commençait à huit heures et demie. Naturellement, l'ouverture était consacrée au suicide de Larussa. Le journaliste Simone Prestìa, beau-frère de l'agent Galuzzo, interviewa le lieutenant Olcese.

— Les rares éléments nouveaux qui ont apparu, déclara le lieutenant en utilisant exactement les mêmes termes qu'avec Nicolò Zito, vont tous, je dis bien tous, dans le sens du suicide. Très compliqué, certainement, mais suicide quand même.

« Mazette, quelle imagination il a, ce lieutenant ! » pinsa le commissaire, mais l'homme continuait :

— Le frère aussi…

Le lieutenant Olcese s'interrompit d'un coup :

— Ce sera tout, au revoir.

— Vous disiez que le frère aussi…

— Au revoir, dit le lieutenant Olcese.

Et il s'éloigna, raide comme la justice. Montalbano en resta bouche bée. Puis, comme à l'image, on n'avait vu que le lieutenant, tandis que de Prestìa, on n'avait entendu que la voix hors champ, il lui vint un doute : Zito avait peut-être passé l'enregistrement à Prestìa ; quelquefois, les journalistes se rendaient entre eux ce genre de service.

— Tu lui as donné ton interview d'Olcese, à Prestìa ?
— Mais jamais de la vie !

Il raccrocha, pensif. Qu'est-ce que ça signifiait, cette comédie ? Peut-être le lieutenant Olcese, avec ses deux mètres de hauteur, était-il moins con qu'il ne voulait le paraître.

Et quel pouvait être le but de cette comédie ?

Il n'y en avait qu'un possible : lancer, déchaîner les journalistes contre le frère du suicidé. Et que voulait-il obtenir ? En tout cas, une chose était sûre : au nez du lieutenant, ce suicide sentait le roussi, c'était le cas de le dire.

Pendant trois jours, à Palerme, Nicolò, Prestìa et d'autres journalistes assiégèrent le frère de Larussa, qui se prénommait Giacomo, sans jamais réussir à le coincer. Ils se postèrent devant chez lui, devant le lycée où il enseignait le latin : rien, il semblait devenu invisible. Puis le proviseur de l'école, sous l'assaut, décida d'annoncer que le Pr Larussa avait pris dix jours de congé. Il ne se fit même pas voir aux funérailles du suicidé (qui se déroulèrent à l'église, les riches qui se tuent sont considérés comme ayant perdu la tête et donc absous pour leur moment de folie). Ce fut un enterrement comme tant d'autres, ce qui déclencha dans la mémoire du commissaire un certain souvenir confus. Il appela Livia.

— Il me semble me rappeler qu'un jour où nous étions allés trouver Alberto Larussa, il t'a parlé des funérailles qu'il aurait voulues.

— Mais bien sûr. Il plaisantait, mais pas tant que

ça. Il m'a emmenée dans son bureau et m'a montré les dessins.

— De quoi ?

— De ses funérailles. Tu n'as pas idée d'à quoi ressemblait le carrosse funèbre, avec des anges en pleurs de deux mètres de hauteur, des petits amours, des trucs de ce genre. Tout acajou et or. Il a dit que, le moment venu, il se le ferait construire exprès. Il avait même dessiné l'uniforme des porteurs de couronnes. Le cercueil, ensuite, je te dis pas : les pharaons, peut-être, en ont eu de pareils.

— Bizarre.

— Quoi ?

— Que quelqu'un comme lui, retiré du monde comme il l'était, presque un ours, ait rêvé de funérailles pharaoniques, comme tu dis, un enterrement d'exhibitionniste.

— Eh oui, je m'en suis étonnée, moi aussi. Mais il a dit que la mort constituait un changement tel qu'autant valait se montrer, après le décès, le contraire de ce qu'on avait été durant sa vie.

Une semaine plus tard, Nicolò Zito diffusa sur les ondes un véritable scoop. Il avait réussi à filmer les instruments du suicide fabriqués par Alberto Larussa dans son atelier : quatre bracelets, à mettre aux chevilles et aux poignets ; une bande de cuivre, large d'au moins cinq doigts, avec laquelle il s'était ceint le thorax ; une espèce de casque d'écoute où, à la place des écouteurs, se trouvaient des plaques de métal rectangulaires à placer sur les tempes. Montalbano les vit au cours du journal télévisé de minuit. Aussitôt, il appela Nicolò, il voulait se repasser ces images. Zito les lui promit pour le lendemain matin.

— Mais pourquoi elles t'intéressent ?

— Nicolò, tu les as bien regardées ? Ces trucs, même toi et moi qu'on sait pas les faire, on aurait su les fabriquer. Ce sont des objets si grossiers que même les *vo' cumpra'*[1] oseraient pas les vendre sur la plage. Un artiste comme Alberto Larussa, jamais au grand jamais il les aurait fabriqués, il se serait pris la honte de se faire trouver avec des objets si mal faits sur lui.

— Et qu'est-ce que ça veut dire, selon toi ?

— Ça veut dire, selon moi, qu'Alberto Larussa ne s'est pas suicidé. Il a été assassiné, et celui qui l'a tué s'est arrangé pour que les modalités du suicide cadrent bien avec la dinguerie, l'originalité de Larussa.

Faudrait peut-être prévenir le lieutenant Olcese.

— Tu veux savoir une chose ?

— Bien sûr.

— Le lieutenant Olcese en sait plus long que toi et moi mis ensemble.

Il en savait tellement, le lieutenant Olcese, qu'exactement vingt jours après la mort d'Alberto Larussa, il arrêta le frère de ce dernier, Giacomo. Le soir même, sur Retelibera, on présenta le procureur-adjoint Giampaolo Boscarino, lequel était du genre à vouloir paraître à son avantage quand il se pointait à la télé.

— *Dottor* Boscarino, de quoi est accusé le professeur Larussa ? demanda Nicolò Zito qui s'était précipité à Palerme.

Boscarino, avant de répondre, lissa ses petites moustaches blondettes, se toucha le nœud de cravate, se passa une main sur le revers de la veste.

— Du meurtre atroce de son frère Alberto qu'il a tenté de faire passer pour un suicide grâce à une macabre mise en scène.

— Comment en êtes-vous arrivé à cette conclusion ?

---

1. *Vo' cumpra'* : déformation sicilienne de *vucompra*, surnom italien des vendeurs africains à la sauvette, fabriqué à partir de leur question rituelle (selon les Italiens) : *Vu compra ?* déformation de *Vuoi comprare ?* : « Tu veux acheter ? » *(N.d.T.)*

— Je regrette, il y a le secret de l'instruction.

— Mais vous ne pouvez vraiment rien nous dire ?

Il se passa une main sur le revers de la veste, se toucha le nœud de cravate, lissa ses petites moustaches blondettes.

— Giacomo Larussa s'est embrouillé dans des contradictions flagrantes. Les investigations brillamment conduites par le lieutenant Olcese ont en outre mis au jour des éléments qui aggravent la position du professeur.

Il lissa ses petites moustaches blondettes, se toucha le nœud de cravate et l'image changea, le visage de Nicolò Zito apparut.

— Nous avons réussi à interviewer M. Filippo Alaimo, de Ragòna, retraité, soixante-quinze ans. Son témoignage a été considéré comme fondamental par l'accusation.

Un paysan long et maigre apparut en pied, un gros chien couché devant lui.

— Alaimo Filippo, je suis. Vous devez savoir, monsieur le jornaliste, que moi, d'insomnie, je souffre ; le sommeil, jamais je peux le trouver. Alaimo Filippo, je suis…

— Ça, vous l'avez déjà dit, rappela, hors champ, la voix de Zito.

— Et alors, merde, qu'est-ce que je disais ? Ah oui. Donc, alors quand j'en peux plus de rester dans la maison, à n'importe quelle heure de la nuit, j'aréveille le chien et je l'emmène promener. Alors le chien, qui s'appelle Pirì, quand il vient, aréveillé au milieu de son sommeil, y sort de la maison un peu énervé.

— Que fait le chien ? demanda, toujours hors champ, Nicolò.

— Je voudrais vous y voir, monsieur le jornaliste, si on vous réveillait comme ça au milieu de la nuit et qu'on vous oblige à vous faire une promenade de deux heures ! Vous vous mettriez pas en colère ? Et pareil pour le chien. Et comme ça, Pirì dès qu'il voit une chose qui bouge, homme, animal ou bagnole, il y court après.

236

— Et c'est ce qui est arrivé la nuit du 13 au 14, n'est-ce pas ?

Nicolò avait décidé d'intervenir, il avait peur que les téléspectateurs, au bout d'un moment, n'y comprennent plus rien.

— Vous, poursuivit-il, vous vous trouviez près du logement de M. Larussa quand vous avez vu sortir du portail une voiture, à grande vitesse…

— Oh que oui, monsieur. Juste comme vous dites. La voiture sortit, Pirì y courut dessus et ce cornard qui conduisait me renversa le chien. Regardez-moi ça, monsieur le jornaliste.

Filippo Alaimo se baissa, prit le chien par le collier, le souleva : la bête avait les pattes arrière bandées.

— Quelle heure était-il, monsieur Alaimo ?

— Mettons qu'il était dans les deux heures et demie, les trois heures du matin.

— Et vous, qu'est-ce que vous avez fait ?

— Moi, j'y gueulai, au chauffeur, qu'il était un sale cornard. Et j'ai pris le numéro.

Le visage de Nicolò Zito réapparut.

— Selon des sources assez fiables, le numéro relevé par M. Alaimo correspondrait à la plaque d'immatriculation du professeur Giacomo. Maintenant, la question qui se pose est la suivante : que faisait à cette heure de la nuit Giacomo Larussa chez son frère, alors qu'on sait, entre autres, qu'ils ne s'entendaient pas ? Nous allons poser la question à maître Gaspare Palillo, qui assure la défense du suspect.

Gros, rouge, maître Palillo était l'exact sosie d'un des trois petits cochons.

— Avant de répondre à votre question, je voudrais, de mon côté, en poser une. Je peux ?

— Je vous en prie.

— Qui donc a conseillé au soi-disant témoin Alaimo Filippo de ne pas porter ses lunettes alors que, normalement, il en porte ? Ce retraité de soixante-quinze ans a une myopie de huit dixièmes par œil avec une vision très réduite. Et à deux heures et demie de la nuit, à la faible lumière d'un lampadaire, il aurait été en mesure de lire la plaque d'une auto en mouvement ? Allons donc ! Maintenant, j'en viens à votre question. On doit préciser que durant les derniers mois, les rapports entre les deux frères s'étaient améliorés, au point que par trois fois au moins, mon client est allé à Ragòna chez son frère. Je précise que l'initiative de ce rapprochement, c'est le suicidé lui-même qui l'a prise, lequel a déclaré à plusieurs reprises à mon client qu'il ne pouvait plus supporter la solitude, qu'il se sentait très déprimé et avait besoin du réconfort fraternel. C'est vrai, le 13, mon client est allé à Ragòna, il s'est entretenu quelques heures avec son frère, qui lui est apparu plus déprimé que les autres fois, et il s'en est retourné à Palerme avant le dîner, vers vingt heures. Il a appris la nouvelle du suicide le lendemain matin par la radio locale.

Dans les jours qui suivirent, survint ce qui survient d'ordinaire en ces affaires.

Michele Ruoppolo, Palermitain, qui, le 14, à quatre heures du matin, rentrait chez lui, déclara avoir vu arriver à cette heure la voiture du professeur Giacomo Larussa. De Ragòna à Palerme, il faut au très grand maximum deux heures. Si le professeur avait laissé la maison de son frère à vingt heures, comment avait-il pu mettre huit heures pour accomplir ce parcours ?

Maître Palillo rétorqua que le professeur était retourné chez lui à vingt-deux heures, mais qu'il n'avait pas réussi à dormir, préoccupé qu'il était par l'état de son frère. Vers trois heures du matin, il était descendu, s'était mis au volant et avait fait un tour sur le front de mer.

Arcangelo Bonocore jura ses grands dieux que le 13, vers six heures du soir, en passant aux abords de la maison d'Alberto Larussa, il avait entendu à l'intérieur les cris et les bruits d'une violente altercation.

Maître Palillo dit que son client se souvenait bien de ce moment. Il n'y avait eu aucune altercation. À un certain moment, Alberto Larussa avait allumé la télévision pour regarder une série qui l'intéressait, appelée *Marshall*. Dans cet épisode, il y avait une violente rixe entre deux personnages. L'avocat Palillo était en mesure de fournir une cassette vidéo de l'épisode diffusé. M. Bonocore avait été victime d'un quiproquo.

Il en alla ainsi pendant une semaine jusqu'à ce que le lieutenant Olcese tire un as de sa manche, comme l'avait prévu le juge Boscarino. Immédiatement après la découverte du cadavre, raconta le lieutenant, il avait donné l'ordre de rechercher un papier, un écrit quelconque qui permette d'expliquer les motivations d'un geste aussi atroce. On ne le trouva pas parce que Alberto Larussa n'avait rien à expliquer, vu que l'idée du suicide ne lui était même pas passée par l'antichambre du cerveau. À la place, dans le premier tiroir à gauche du bureau, qui n'était pas fermé à clé, souligna Olcese, on trouva une enveloppe bien en évidence, sur laquelle était écrit : « À ouvrir après ma mort. » Puisque M. Larussa était mort, spécifia le lieutenant avec la logique de La Palisse, on l'ouvrit. Quelques lignes : « Je laisse tout ce que je possède, en titres, actions, terrains, maisons et autres propriétés à mon frère cadet bien-aimé, Giacomo. » Suivait la signature. Pas de date. Ce fut justement le défaut de date qui éveilla un soupçon chez le lieutenant, lequel fit soumettre le testament à un double examen, chimique et graphique. L'examen chimique révéla que la lettre avait été écrite au maximum un mois auparavant, étant donné le type d'encre particulier utilisé, le même que celui qu'employait habituellement Alberto Larussa. L'examen graphologique, confié à l'expert du tribunal de Palerme, aboutit à une conclusion sans équivoque : l'écriture d'Alberto Larussa avait été habilement contrefaite.

L'affaire du faux testament, maître Palillo ne la digéra pas.

— Je sais quel est le tableau que se sont fabriqué dans leur tête ceux qui mènent les investigations. Mon client va trouver son frère, prend dans sa voiture les objets pour l'exécution qu'il s'est fait confectionner par quelqu'un à Palerme, transporte son frère sans connaissance dans l'atelier (qu'il connaît très bien, cela, il l'a admis, du fait qu'Alberto l'y a souvent reçu) et organise la macabre mise en scène. Mais moi, je me demande : quel besoin avait-il d'écrire ce faux testament, alors qu'il en existe un, régulièrement enregistré, qui, déjà, disait la même chose ? Je m'explique mieux : le testament d'Angelo Larussa, père d'Alberto et de Giacomo, disait ce qui suit : « Je laisse mes biens, meubles et immeubles, à mon aîné Alberto. À sa mort, tous les biens passeront à mon fils cadet Giacomo. » Alors, moi, je me demande : *Cui prodest ?* À qui pouvait bien servir cet inutile deuxième testament ?

Montalbano écouta les déclarations d'Olcese et de maître Palillo au journal de minuit, alors qu'il était déjà en caleçon et sur le point d'aller se coucher. Ces propos le mirent mal à l'aise, lui firent passer l'envie de se mettre au lit. La nuit était extraordinairement calme et alors, tel qu'il était, en caleçon, il alla se promener au bord de la mer. Le deuxième testament ne collait pas. Bien que partisan de la culpabilité, le commissaire sentait quelque chose d'excessif dans la confection de ce document. Certes, tout avait été excessif dans cette affaire. Mais le second testament était comme un coup de pinceau en plus sur un tableau, une surcharge de couleur. *Cui prodest ?* avait demandé maître Palillo. Et la réponse lui vint aux lèvres, naturelle et irrésistible, il lui sembla voir un éclair aveuglant, comme si un photographe avait fait jaillir un flash, il sentit ses jambes se dérober sous lui, il dut s'asseoir sur le sable mouillé.

— Nicolò ? Montalbano, je suis. Qu'est-ce que tu faisais ?

— Avec ta permission, étant donné l'heure, je m'apprêtais à aller me coucher. Tu as entendu Olcese ? Tu as toujours eu raison, toi : Giacomo Larussa n'est pas seulement un assassin par intérêt, mais aussi un monstre !

— Écoute, tu te sens capable de prendre quelques notes ?

— Attends que je me trouve un papier et un stylo. Voilà. Dis-moi.

— Je te préviens, Nicolò, que ce sont des choses délicates que moi, je peux pas faire faire par mes hommes parce que si les carabiniers l'apprennent, ça tournera au vinaigre. En conséquence, même moi, je dois pas apparaître. C'est clair ?

— C'est clair. Il s'agit de mes propres initiatives.

— Bien. Pour commencer, je veux savoir le motif pour lequel Alberto Larussa, pendant des années et des années, n'a plus voulu voir son frère.

— J'essaierai.

— Deuxièmement, dès demain, tu dois aller à Palerme contacter l'expert graphologue désigné par Olcese. Tu dois seulement lui poser cette question, note-la bien : est-il possible que quelqu'un écrive un billet en réussissant à le faire paraître contrefait ? C'est tout pour aujourd'hui.

Nicolò Zito était une pirsonne très intelligente, il mit dix secondes à comprendre le sens de la question qu'il allait devoir poser à l'expert.

— Merde ! s'exclama-t-il.

Le monstre avait les honneurs, comme on dit, de la première page. La plus grande partie des journaux, car

241

l'affaire avait pris une ampleur nationale, s'attardait sur la personnalité du professeur Giacomo Larussa, enseignant impeccable selon le proviseur, les collègues, les élèves, et impitoyable assassin qui s'était insinué comme un serpent dans la faiblesse momentanée de son frère pour lui arracher sa confiance et ensuite, poussé par de sordides intérêts, l'assassiner d'une manière atroce. La condamnation, les moyens de communication l'avaient déjà prononcée, à ce point le procès serait peut-être un rite inutile.

Le commissaire se sentait ronger le foie à la lecture de ces articles portant condamnation sans appel, mais il n'avait encore rien en main pour déclarer l'incroyable vérité qu'il avait devinée la nuit précédente.

Enfin, tard dans la soirée, Nicolò Zito lui téléphona.

— Je viens juste de rentrer. Mais je reviens pas les mains vides.

— Dis-moi.

— Je procède par ordre. Maître Palillo connaît la raison de la haine, parce que c'était à ce point-là, entre les deux frères. C'est son client, comme il aime l'appeler, qui le lui a raconté. Donc : Alberto Larussa n'est jamais tombé de cheval il y a trente et un ans, contrairement à ce qu'on dit au pays. Ce fut un bruit mis en circulation par le père, Angelo, pour cacher la vérité. Au cours d'une violente dispute, les deux frères en vinrent aux mains et Alberto dégringola de l'escalier, en s'abîmant la colonne vertébrale. Il dit que c'est Giacomo qui l'a poussé. Ce dernier, au contraire, assura qu'en fait Alberto avait posé un pied de travers. Angelo, le père, tenta de dissimuler la chose avec l'histoire de la chute de cheval, mais il punit Giacomo dans son testament, en le soumettant d'une certaine manière à Angelo. Ça sent très fort la vérité, d'après moi.

— D'après moi aussi. Et l'expert ?

— L'expert, que j'ai eu du mal à approcher, en

entendant ma question, il s'est pétrifié, il s'est troublé, il s'est effaré, s'est mis à balbutier. Bref, il a dit qu'il peut y avoir une réponse positive à cette demande. Il a ajouté une chose très intéressante : qu'on aurait beau essayer de contrefaire sa propre graphie, un examen attentif finirait par révéler la tromperie. Et alors, moi, je lui ai demandé si cet examen, il l'avait fait. Il m'a répondu, en toute candeur, que non. Et tu sais pourquoi ? Parce que la demande du substitut du procureur était de savoir si l'écriture d'Alberto Larussa avait été falsifiée et non pas si Alberto Larussa avait falsifié sa propre écriture. Tu comprends la subtile différence ?

Montalbano ne répondit pas, il était en train de pinser à une autre tâche à confier à son ami.

— Écoute, il faudrait absolument que tu découvres quel jour est arrivé l'accident de la chute d'escalier d'Alberto.

— Pourquoi, c'est important ?

— Oui, du moins, je le crois.

— Bah, mais je le sais déjà. Ce fut le 13 avril…

Il s'interrompit d'un coup, et Montalbano entendit que Nicolò avait le souffle coupé.

— Oh, bon Dieu ! l'entendit-il murmurer.

— Alors, tu as fait tes comptes ? demanda Montalbano. L'accident est arrivé le 13 avril, voilà trente et un ans. Alberto Larussa meurt, suicidé ou tué, le 13 avril, trente et un ans plus tard. Et le chiffre 31 n'est autre que le 13 inversé.

— Le livre de Potocki, Larussa l'avait laissé à côté de la chaise électrique comme un défi, un défi de comprendre, dit Montalbano.

Il était avec Nicolò à la trattoria San Calogero en train de s'empiffrer de rougets ultrafrais en sauce.

— De comprendre quoi ? demanda Nicolò.

— Tu vois, quand Potocki a commencé à limer la

balle de la théière, il fit un calcul temporel : moi je vivrai jusqu'à ce que la balle puisse entrer dans le canon du pistolet. Alberto Larussa devait faire sa vengeance exactement trente et un ans après et à l'échéance exacte, le 13 avril. Un calcul temporel, comme celui de Potocki, un moment fixé à l'avance. Qu'est-ce qu'il y a ?

— Il y a, dit Nicolò, qu'il me vient une remarque : pourquoi Alberto Larussa n'a-t-il pas réalisé sa vengeance treize ans après sa chute ?

— Je me le suis demandé moi aussi. Peut-être que quelque chose l'a rendue impossible, peut-être que le père était encore vivant et qu'il aurait compris, si tu veux, on peut enquêter. Mais le fait est qu'il a dû attendre toutes ces années.

— Et maintenant, comment nous comportons-nous ?

— En quel sens ?

— Comment, en quel sens ? Toutes ces belles histoires, nous nous les racontons entre nous et nous laissons Giacomo Larussa en taule ?

— Toi, qu'est-ce que tu veux faire ?

— Ben, je sais pas… Aller voir le lieutenant Olcese pour tout lui raconter. Il m'a l'air d'une pirsonne bien.

— Il te rira au nez.

— Pourquoi ?

— Parce que c'est que des mots, du vent. Ils veulent des preuves à présenter à un tribunal et nous, nous ne les avons pas, rends-toi compte.

— Et alors ?

— Laisse-moi y pinser cette nuit.

Dans son habituel costume de téléspectateur, c'est-à-dire en tricot de corps, caleçon et pieds nus, il glissa dans le magnétoscope la cassette que, quelques jours auparavant, lui avait fait avoir Nicolò ; il s'alluma une cigarette, s'installa confortablement dans le fauteuil et fit démarrer le film. Quand il arriva à la fin, il le rembobina et le repassa. Il répéta l'opération à trois reprises, en scrutant les objets qui avaient servi à changer la chaise roulante en chaise électrique. Ses yeux commençaient à se fermer seuls de fatigue. Il éteignit, se leva, gagna sa chambre à coucher, ouvrit le tiroir du haut de sa commode, y prit une boîte, retourna s'asseoir dans le fauteuil. À l'intérieur de la boîte, il y avait une splendide épingle à cravate que lui avait offerte le pôvre Alberto Larussa. Il la regarda longuement puis, la tenant toujours en main, relança la bande vidéo. Soudain, il éteignit le magnétoscope, replaça la boîte dans la commode, regarda sa montre. Trois heures du matin. Il lui fallut vingt secondes pour surmonter ses scrupules. Il souleva le combiné, composa un numéro.

— Mon amour ? Salvo, je suis.

— Oh mon Dieu, Salvo, qu'est-ce qui se passe ? demanda Livia, inquiète, la voix pâteuse de sommeil.

— Il faut que tu me rendes un service. Excuse-moi, mais c'est trop important pour moi. Qu'est-ce que tu as, toi, d'Alberto Larussa ?

— Une bague, deux broches, un bracelet, deux paires de boucles d'oreilles. Ils sont splendides. Je les ai sortis l'autre jour, quand j'ai su qu'il était mort. Mon Dieu, quelle histoire épouvantable ! Être tué par son frère de cette manière atroce !

— Peut-être que ça n'est pas comme on dit, Livia.

— Quoi ?

— Je t'expliquerai après. Voilà, ce qui m'intéresse, c'est que tu me décrives les objets que tu as, pas spécialement la forme, plutôt le matériau utilisé, tu as compris ?

— Non.

— Oh, mon Dieu, Livia, c'est clair, pourtant ! Par exemple, de quelle épaisseur sont les fils de fer ou de cuivre ou du métal quelconque utilisé ?

Le téléphone de Montalbano sonna qu'il n'était même pas encore sept heures du matin.

— Alors, Salvo, qu'est-ce que tu as pensé à faire ?

— Écoute, Nicolò, nous pouvons avancer dans une seule direction, mais c'est comme marcher sur un fil.

— Donc, on est dans la merde.

— Oui, mais nous en avons jusqu'à la poitrine. Avant qu'elle nous submerge complètement, nous avons au moins un coup à jouer. Le seul qui peut nous dire quelque chose de nouveau, sur la base de ce que nous soupçonnons, c'est Giacomo Larussa. Tu dois téléphoner à son avocat, qu'il se fasse raconter minutieusement ce qui s'est passé durant les trois visites qu'il est allé faire à Alberto. Mais, alors, tout. Même si une mouche a volé. Dans quelles pièces ils sont entrés, qu'est-ce qu'ils ont mangé, de quoi ils ont parlé. Même les détails minuscules, même ce qui lui paraît inutile. J'insiste, hein. Qu'il se chope une hernie à la cervelle, de l'effort.

« Cher Dr Zito, commençait la lettre de maître Palillo à Nicolò, je vous transmets la transcription très fidèle du compte rendu des trois visites de mon client à son frère advenues les 2, 8 et 13 avril de cette année. »

L'avocat était un homme ordonné et précis, malgré son aspect de petit cochon disneyen.

Lors de la première visite, celle du 2, Alberto n'avait cessé de s'excuser et de regretter de s'être obstiné à rester loin de son frère. À présent, cela n'avait plus de sens de revenir sur l'accident, cela n'avait pas de sens d'établir calmement si ça avait été lui qui avait trébuché ou Giacomo qui l'avait poussé. Enterrons ça, avait-il dit. Parce que, en plus, affectivement, il était seul comme un chien et cette situation commençait à le fatiguer. En outre, ce qui ne lui était jamais arrivé avant, il avait des journées de dépression, il restait sur sa chaise roulante sans rien faire. Certaines fois, il tirait les rideaux et restait là, à penser.

À quoi ? lui avait demandé Giacomo. Et Alberto : À la faillite de mon existence. Puis il lui avait fait visiter son atelier, lui avait montré les objets sur lesquels il travaillait, et lui avait offert une magnifique chaîne de montre. La visite avait duré trois heures, de quinze à dix-huit heures.

La deuxième visite, celle du 8, s'était déroulée tout entière comme une photocopie de la précédente. Le cadeau, cette fois, avait été une pince à cravate. Mais la dépression d'Alberto s'était manifestement aggravée : Giacomo, à un certain moment, eut l'impression que son frère retenait à grand-peine ses larmes. Durée de l'entrevue : deux heures et demie, de seize à dix-huit heures trente. Ils se quittèrent d'accord que Giacomo reviendrait le 13, pour l'heure du déjeuner, et qu'il resterait au moins jusqu'à vingt heures.

Le compte rendu de la dernière visite, celle du 13, présentait quelques différences. Giacomo était arrivé un peu en avance et avait trouvé son frère de très mauvaise humeur, très énervé. Il s'en était pris à la bonne en cuisine, avait carrément jeté une poêle par terre pour se passer les nerfs. Il marmonnait entre ses dents, il n'adressait quasiment pas la parole à Giacomo. Un peu avant midi, on frappa à la porte, Alberto insulta la bonne qui n'allait pas ouvrir. Ce fut Giacomo qui y alla : c'était un coursier avec un paquet de grosses dimensions. Giacomo signa pour son frère et eut le temps de lire la raison sociale de l'expéditeur, imprimée sur une étiquette collée. Alberto lui arracha pratiquement le paquet des mains, le serra contre sa poitrine comme s'il s'agissait d'un enfant adoré. Giacomo lui demanda ce que ça pouvait être de si important, mais Alberto ne répondit pas, il dit seulement qu'il n'espérait plus que ça arrive à temps. À temps pour quoi ? Pour une chose que je dois faire dans la journée : telle avait été la réponse. Puis il était descendu poser le paquet dans l'atelier, mais sans inviter son frère à le suivre. Giacomo tenait à souligner que cette fois, il n'y était pas entré, dans l'atelier. Après l'arrivée du paquet, l'attitude d'Alberto avait complètement changé. Ayant retrouvé une humeur normale, il s'était abondamment excusé auprès de son frère et même de la bonne, laquelle, après avoir servi à manger, avait débarrassé la table, nettoyé la cuisine et s'en était allée vers quinze heures. Durant le déjeuner il n'avait pas même bu une goutte de vin, Giacomo y tenait, à souligner aussi ce point, ils ne buvaient ni l'un ni l'autre. Alberto avait invité son frère à se reposer une petite heure, il lui avait fait préparer un lit dans la chambre d'amis. Il ferait de même. Giacomo s'était relevé vers seize heures trente, il était allé à la cuisine, où il avait retrouvé Alberto qui lui avait préparé le café. Giacomo le trouva très affectueux, mais comme perdu dans ses pensées, presque mélancolique. Il ne fit aucune allusion au malheur survenu trente et un ans auparavant, comme Giacomo l'avait redouté. Ils avaient passé ensemble un bon après-midi, à parler du passé, de leurs parents, de leur famille. Alors qu'Alberto s'était éloigné de tout le monde, Giacomo avait gardé de bons rapports, surtout avec la très vieille sœur de leur mère, la tante Ernestina. Alberto s'était beaucoup intéressé à cette tante qu'il avait littéralement oubliée, il avait demandé comment elle vivait et si la santé, ça allait, allant jusqu'à proposer de lui apporter une aide économique consistante par l'intermédiaire du même Giacomo. Ils avaient continué ainsi jusqu'aux alentours de vingt heures, quand Giacomo avait repris la voiture pour rentrer à Palerme. Ils s'étaient quittés en ayant décidé de se revoir le 25 du même mois. Quant au nom de l'expéditeur du paquet, Giacomo s'était efforcé de s'en souvenir avec exactitude, mais il n'y était pas parvenu. Ce pouvait être Roberti (ou peut-être Goberti ou Foberti, Romerti, Roserti) S.A. — Seveso. Que le paquet vînt de Seveso, Giacomo en était plus que certain : il avait eu, dans ses premières années d'enseignement, une brève relation avec une collègue qui était justement de Seveso.

Montalbano craignait que la nouvelle de son enquête parallèle filtre à l'extérieur et il se rendit donc en pirsonne au bureau de poste qui, comme poste de téléphone public, possédait tous les annuaires. Roberti Fausto était dentiste, Roberti Giovanni, dermatologue, Ruberti, en revanche, était une société anonyme. Il tenta le coup. Une voix féminine chantonnante répondit.

— Ruberti. J'écoute.

— J'appelle de Vigàta. Le commissaire Montalbano, je suis. J'ai besoin d'une information. La Ruberti S.A., qu'est-ce que c'est ?

L'autre eut un moment d'hésitation.

— Vous voulez dire qu'est-ce qu'elle produit ?

— Oui, merci.

— Des conducteurs électriques.

Montalbano dressa l'oreille, peut-être avait-il vu juste.

— Pourriez-vous me passer le directeur du service des ventes ?

— La Ruberti est une petite entreprise, commissaire. Je vous passe l'ingénieur Tani qui s'occupe aussi des ventes.

— Allô, commissaire ? Tani, à l'appareil. Je vous écoute.

— Je voudrais savoir si vous avez reçu une commande de matériel de la part de monsieur…

— Un instant, le coupa l'ingénieur, vous parlez d'un particulier ?

— Oui.

— Commissaire, nous ne vendons pas aux particuliers. Notre production n'est pas pour les magasins d'électricité, car elle n'est pas destinée à l'usage domestique. Comment avez-vous dit que s'appelle ce monsieur ?

— Larussa. Alberto Larussa, de Ragòna.

— Ah, fit l'ingénieur Tani.

Montalbano ne posa pas de questions, il attendit que l'autre revienne de sa surprise.

— J'ai appris par les journaux et la télévision, dit

l'ingénieur. Quelle fin terrible et folle ! Oui, M. Larussa nous a téléphoné pour acheter du Xeron 50, dont il avait entendu parler par une revue.

— Excusez-moi, mais, moi, je ne comprends pas. C'est quoi, le Xeron 50 ?

— C'est un hyperconducteur dont nous possédons le brevet. Pour parler clair, c'est une espèce de multiplicateur d'énergie. Très coûteux. Il a tellement insisté, c'était un artiste, je lui ai fait expédier les cinquante mètres qu'il avait demandés, vous comprenez, une quantité dérisoire. Mais le Xeron n'est pas arrivé à destination.

Montalbano sursauta.

— Il n'est pas arrivé à destination ?

— Cette première fois, non. Il nous a téléphoné plusieurs fois en nous le réclamant. Vous savez, il est allé jusqu'à m'envoyer une merveilleuse paire de boucles d'oreilles pour ma femme. Je lui ai fait expédier encore cinquante mètres par une messagerie. Et ils sont certainement arrivés à destination, malheureusement.

— Comment pouvez-vous en être sûr ?

— Parce que j'ai vu à la télévision les macabres images de tout ce qu'il avait manipulé pour construire sa chaise électrique. Je veux parler des bracelets des mains et des pieds, du pectoral. Un coup d'œil m'a suffi. Il a utilisé notre Xeron 50.

Le commissaire alla au bureau, se fit remplacer par son adjoint Mimì Augello, retourna à sa maison de Marinella, se déshabilla, se mit en uniforme de téléspectateur, glissa la cassette si souvent revue, s'assit sur le fauteuil muni d'une bière et de quelques feuilles de papier quadrillé, démarra le magnétoscope. Il mit deux heures à mener à bien son travail, aussi bien pour la difficulté objective du comptage que parce qu'il n'avait jamais su s'y prendre avec les chiffres. Il réussit à établir combien de cercles de Xeron avaient été utilisés par Larussa pour fabriquer les bracelets des mains et des pieds, le pectoral, le casque. Jurant, suant, effaçant, recalculant, récrivant, il finit par se convaincre qu'Alberto Larussa avait utilisé une trentaine de mètres de Xeron 50. Alors, il se leva de son fauteuil et convoqua Nicolò Zito.

— Tu vois, Nicolò, ce fil spécial, il en avait absolument besoin, pour deux raisons. La première, c'est qu'il s'agissait d'un matériau d'une trop grosse circonférence ; pour ses objets d'art, il utilisait des fils qu'on aurait dit de la toile d'araignée, et donc n'importe qui le connaissant dirait que la chaise électrique n'avait pas été construite par Alberto, elle était d'un dessin trop grossier et dans un matériau trop épais. Même moi, j'ai marché. La seconde raison, c'est qu'Alberto voulait avec certitude, avec sécurité, être tué par la chaise électrique, pas simplement brûlé. Et donc, il devait se couvrir : il avait besoin du Xeron 50. Voilà pourquoi son frère Giacomo l'a trouvé si nerveux quand il est allé le voir le matin du 13 : le paquet n'était pas encore arrivé. Et sans le Xeron, il ne se sentait pas de s'asseoir sur la chaise électrique. Quand Giacomo est parti, vers les huit heures du soir, il s'est mis à besogner comme un fou pour préparer la mise en scène. Et je suis convaincu qu'il a réussi à se tuer avant minuit.

— Alors, qu'est-ce que je fais ? Je vais voir Olcese et je lui raconte tout ?

— À ce point, oui. Dis-lui tout. Et dis-lui aussi que d'après tes, je dis bien *tes* calculs, Alberto Larussa doit avoir utilisé une trentaine de mètres de Xeron 50. Donc, dans l'atelier, peut-être enfumés depuis le début de l'incendie, il doit se trouver encore une vingtaine de mètres de ce fil. Et j'insiste : mon nom, il ne faut pas le mentionner, moi, j'ai rien à voir avec ça, je n'existe pas.

— Salvo ? Nicolò, je suis. On a réussi. Dès que je t'ai quitté, j'ai téléphoné à Ragòna. Olcese m'a dit qu'il n'avait

251

pas de déclarations à faire aux journalistes. Je lui ai répondu que je voulais le voir en tant que citoyen privé. Il a accepté. Une heure après, j'étais à Ragòna. Je te dis tout de suite que parler avec un iceberg est plus confortable. Je lui ai tout raconté, je lui ai dit d'aller voir à l'atelier s'il y avait encore ces vingt mètres de Xeron. Il a répondu qu'il allait vérifier. Je t'ai pas rapporté ce premier entretien pour éviter que tu te mettes en colère.

— Tu as mentionné mon nom ?

— Tu veux rigoler ? Je suis pas né d'hier. Bon, cet après-midi, vers quatre heures, il me convoque à Ragòna. La première chose qu'il me dit, mais sans montrer le moindre trouble, alors que ce qu'il me communiquait signifiait qu'il s'était complètement trompé dans son enquête, la première chose qu'il me dit, donc, c'est que dans le laboratoire d'Alberto Larussa, il y avait les vingt mètres de Xeron. Pas un mot de plus, ni de moins. Il m'a remercié avec autant de chaleur que si je lui avais donné l'heure, il m'a tendu la main. Et comme on se disait au revoir, il me fait : « Mais vous, vous n'avez jamais tenté d'entrer dans la police ? » Le temps de me remettre de ma surprise, je lui demande : « Non, pourquoi ? » Et tu sais, ce qu'il m'a répondu ? « Parce que je pense que votre ami, le commissaire Montalbano, en serait très heureux. » Quel grand fils de pute !

Giacomo Larussa fut mis hors de cause, le lieutenant Olcese reçut des éloges, Nicolò Zito réalisa un scoop mémorable, Salvo Montalbano fêta ça avec une bouffe telle qu'il mit deux jours à s'en remettre.

L'homme qui suivait les enterrements

À Cocò Alletto, un câble d'amarrage qui s'était cassé sans crier gare durant une marée lui avait tranché net la jambe gauche et il n'avait donc plus été en mesure de continuer son métier de chef arrimeur, la jambe artificielle ne lui permettant pas d'arpenter les passerelles et les planches des bateaux.

Homme singulier, ce qui, chez nous, signifie aussi bien maigre de corps que dépourvu de pinsées de femme et d'enfants, la pinsion que le gouvernement lui versait lui permettait une pauvreté digne et son frère Jacopo, qui s'en sortait un peu mieux que lui, lui offrait une paire de chaussures ou un costume neuf quand s'en présentait la nécessité. Le malheur, à Cocò, lui était arrivé qu'il n'avait pas quarante ans. Une fois qu'il avait réussi à se remettre droit, il avait pris l'habitude de rester toute la sainte journée assis sur une bitte d'amarrage à regarder le trafic portuaire. Et ainsi avait-il eu la possibilité de voir, d'année en année, toujours moins de navires entrer dans le port et accoster pour charger ou décharger, jusqu'à ce qu'il ne reste plus que la navette pour Lampedusa, à croire que le coma du port ne fût pas irréversible. Les grands navires porte-conteneurs, les gigantesques pétroliers, passaient désormais au large, filaient le long de l'horizon.

Alors Cocò dit adieu pour toujours au port et se transporta sur un muret près de la mairie, dans la grand-rue de Vigàta. Un jour, un enterrement solennel passa devant lui, avec l'orchestre en tête et une cinquantaine de couronnes ; même lui ne sut jamais pourquoi il fut pris de l'impulsion irrésistible de marcher de son pas sautillant derrière le cortège : il suivit le fourgon funéraire jusque sur la colline où se trouvait le cimetière.

À partir de ce jour, cela devint une habitude, il ne manquait jamais un enterrement, qu'il pleuve ou qu'il vente. Hommes et femmes, vieux ou minots, il ne faisait pas de différence.

Il advint donc que, quand Totuccio Sferra fut rappelé à lui par le Seigneur (« Visiblement, le Seigneur a des envies de belote », fut le commentaire unanime, car Totuccio n'avait jamais rien fait d'autre dans sa vie que de jouer aux cartes), beaucoup remarquèrent que Cocò ne s'était pas présenté au cortège et s'en demandèrent l'un à l'autre la raison. Simone Sferra, frère du mort, qui était un homme à respecter, prit la chose comme une offense, une mauvaise manière personnelle. Abandonnant les funérailles à mi-parcours, il alla frapper à la porte de chez Cocò pour lui réclamer des explications, mais personne ne répondit. Il allait s'en aller quand il lui sembla entendre quelqu'un qui gémissait : comme il était du genre rapide dans la décision, il défonça la porte et trouva Cocò gisant dans une mare de sang, il était tombé et s'était méchamment cassé la gueule. Ainsi se répandit la rumeur que Cocò avait été sauvé en remerciement de tous les morts qu'il avait accompagnés.

Quand les enterrements se raréfiaient et que Cocò, sur son muret, se laissait gagner par la nervosité, quelques âmes charitables l'approchaient pour lui donner des nouvelles réconfortantes :

« Il paraît qu'à Ciccio Butera, le curé lui porta l'huile sainte. Une question d'heures. »

« Il paraît que le fils de don Cosimo Laurentano, celui qui s'est fichu en l'air avec la Ferrari, il va pas s'en sortir. »

Le matin, Cocò se levait tôt, qu'il faisait encore nuit ; à peine le café Castiglione s'ouvrait qu'il entrait et allait s'asseoir à une table, en attendant l'arrivée des brioches juste sorties du four. Il s'en mangeait deux, en les trempant dans un bon verre de granité de citron, et ensuite ressortait pour aller suivre le travail des afficheurs. Au milieu des annonces de la mairie et des réclames, il ne se passait pas un jour sans qu'apparaisse un faire-part bordé de noir. Certains jours heureux, il y avait deux ou trois avis et Cocò devait prendre note des horaires et surtout des églises, si nombreuses à Vigàta, où se tiendraient les cérémonies. Quand il y eut l'épidémie de grippe maligne qui emporta les vieux et les minots, à Cocò, il s'en fallut de peu que ne lui vienne l'épuisement nerveux, à courir d'un bout à l'autre du pays du matin au soir, mais il y arriva, il n'en manqua pas un.

Au commissaire Montalbano, qui le connaissait depuis qu'il avait été affecté à Vigàta, il sembla sur le moment ne pas avoir bien entendu.

— Eh ? fit-il.

— Sur Cocò Alletto, on a tiré, répéta Mimì Augello, son adjoint.

— On l'a tué ?

— Oui, d'un seul coup. On l'a touché à la face. Il était assis sur son muret, il était tôt, il attendait l'ouverture du café.

— Il y a des témoins ?

— Mon cul, oui, répondit lapidairement Mimì Augello.

— Tiens-moi au courant, conclut le commissaire.

Ce qui signifiait que l'enquête était, délicatement, déposée sur les épaules d'Augello.

Quatre jours plus tard, pour les funérailles de Cocò Alletto, un pays entier se vida, il n'y eut pas âme qui vive à vouloir les manquer, des femmes enceintes qu'il y avait péril qu'elles mettent bas au milieu du cortège, des vieux tenus debout à grand-peine par les enfants et les petits-enfants, le conseil communal au complet. Derrière le cercueil marcha même un moribond : Gegè Nicotra, parvenu au terme d'un mal incurable, et qui n'avait pas encore passé la cinquantaine. Sa présence à l'enterrement impressionna, les gens ne surent s'ils éprouvaient plus de peine pour le mort ou pour l'encore vivant déjà irrémédiablement marqué.

On comprit tout de suite, au commissariat, que l'enquête n'aboutirait à rien. Le seul fait certain était qu'un coup de feu lui avait été tiré en plein visage (comme si on avait voulu effacer ses traits) par quelqu'un qui s'était placé devant lui à un ou deux mètres de distance, debout ou assis dans une automobile. Mais qui et pourquoi ? C'était sûr, Cocò n'avait jamais fait de mal à personne et donc il n'avait pas d'ennemis, au contraire. Et alors ? Peut-être qu'en suivant un enterrement, il avait vu quelque chose qu'il n'aurait pas dû voir ? Mais Cocò, avec son pas disloqué, gardait toujours la tête baissée vers le sol, comme s'il craignait un faux pas. Et même s'il avait vu quelque chose, à qui en aurait-il parlé ? C'était bien le diable si dans une journée il lâchait trois mots. Plus que taiseux, une vraie tombe.

« Et jamais une expression ne fut plus adaptée », pinsa Montalbano.

Le premier enterrement auquel Cocò ne put prendre part, étant mort depuis trois jours, fut celui du pôvre

Gegè Nicotra, lequel, rentré chez lui après avoir accompagné Cocò à sa dernière demeure, profitant que sa femme était allée faire les commissions, avait écrit deux lignes et s'était tiré une balle dans le cœur.

« Je demande pardon, je suis désespéré, je ne supporte plus la maladie », disait simplement le billet.

Quand il voulait mieux pinser à un problème ou plus simplement prendre un peu d'air, Montalbano avait l'habitude de s'acheter un cornet de *calìa e simenza*, c'est-à-dire de pois chiches grillés et de pépins de courge, avant d'aller faire une longue promenade jusque sous le phare qui se trouvait au bout du môle du levant. Promenade et rumination du cerveau autant que de la bouche.

Ce fut durant une de ces promenades qu'il dut intervenir pour séparer deux pêcheurs qui s'engueulaient. Des insultes, des malédictions et des gros mots, les deux hommes paraissaient sérieusement décidés à passer aux actes. Le commissaire, bien qu'il n'en eût aucune envie, fit son devoir : il se présenta, s'interposa, en agrippa un par le bras en ordonnant à l'autre de s'éloigner. Mais ce dernier, au bout de quelques pas, se retourna et cria à son adversaire :

— Toi, à moi, tu me viendras pas derrière !

L'homme que Montalbano tenait par le bras parut secoué par une décharge électrique, il se mordit les lèvres et n'ouvrit pas la bouche. Quand l'autre se fut assez éloigné, le commissaire lâcha le bras de son prisonnier et l'avertit : qu'il ne s'y risque pas, à faire le malin, la bagarre s'arrêtait là.

Arrivé sous le phare, il s'assit sur une roche et entreprit de manger la *calìa e simenza*.

« Toi, à moi, tu me viendras pas derrière ! »

Cette phrase, entendue quelques instants plus tôt, lui trottait dans la cervelle.

« Toi, à moi, tu me viendras pas derrière ! »

Pour un non-Sicilien, ces paroles auraient été certainement peu compréhensibles, mais pour Montalbano, elles étaient claires comme de l'eau de roche. Elles signifiaient : toi, tu ne viendras pas à mes funérailles, ce sera moi qui assisterai aux tiennes, parce que je t'aurai tué avant.

Le commissaire s'immobilisa, puis se leva d'un bond et se mit à courir vers le pays, tandis que dans sa tête se dessinait une scène si précise et si claire qu'il lui semblait la voir au cinématographe.

Un homme qui se sait condamné à mort par la maladie et auquel il reste, si on veut vraiment être généreux, quelques semaines de vie, tourne et vire dans son lit sans réussir à trouver le sommeil. À côté de lui, en revanche, sa femme dort, elle s'est volontairement assommée de somnifères et de tranquillisants, se ménageant ainsi une petite oasis d'oubli dans le désert d'angoisse quotidien qu'elle est contrainte de traverser. L'homme allume la lumière et regarde fixement le réveil sur la table de nuit : à chaque seconde qui passe il entend le pas de la mort qui approche, à chaque instant un peu plus. Aux toutes premières lueurs de l'aube, moment toujours critique pour qui a de mauvaises intentions, l'homme comprend qu'il a brûlé en totalité sa capacité à affronter les quelques journées qui lui restent. Sa capacité à affronter non seulement la mort, mais aussi la conscience de devoir mourir et que le sablier est presque vide dans sa partie supérieure. Alors, il quitte le lit sur la pointe des pieds pour ne pas réveiller sa femme, s'habille, glisse le revolver dans sa poche, sort pour aller se tuer loin de chez lui, afin d'épargner à son épouse, réveillée par le coup de feu, le spectacle affreux de son mari râlant entre les draps trempés de sang.

Arrivé sur le cours, l'homme voit Cocò Alletto posé sur le muret comme un hibou. Il est là, immobile. Il attend.

« Il attend de venir à mon enterrement », pense l'homme. Alors, il se plante devant Cocò qui lui jette un regard interrogateur, sort le revolver sans y pinser et lui tire dessus. En plein visage, pour effacer le regard de la mort qui le regardait, les yeux dans les yeux. Et aussitôt après, il comprend que la mort ne peut mourir d'un coup de revolver. Il se rend compte de l'inutilité, de l'absurdité de son geste : en outre, ce meurtre gratuit l'a pour ainsi dire évidé de l'intérieur, maintenant, il a à peine la force de rentrer chez lui, de se coucher à côté de sa femme qui ignore ce qui s'est passé.

Dès qu'il fut rentré au bureau, le commissaire appela Jacomuzzi, le chef de la police scientifique de la questure de Montelusa. On lui répondit que le *dottore* était en réunion, qu'on lui passerait le message et qu'il rappellerait dès que possible.

À la Scientifique, ils avaient aussi bien le projectile qui avait tué Cocò Alletto que celui extrait du cœur de Gegè Nicotra. Et son revolver. S'il apparaissait que les deux balles avaient été tirées par la même arme, son hypothèse recevrait une confirmation indiscutable, comme si Gegè avait signé son crime.

Il sourit, satisfait.

Et puis ?

La question, soudain, lui traversa la cervelle. Et l'exultation qu'il ressentait commença de s'évaporer. Et puis ?

Allait-il déclarer coupable d'homicide un mort qui gisait à quelques pas de la tombe de la victime ? Quel sens ça avait, putain ?

Qu'est-ce que ça voulait dire, de noyer la veuve dans un océan de douleurs nouvelles et différentes, rien que pour son bénéfice personnel ?

Le téléphone sonna.

— Qu'est-ce que tu voulais ? demanda Jacomuzzi.

— Rien, répondit le commissaire Montalbano.

Une délicate affaire

Le professeur Pasquale Loreto, directeur pédagogique de l'école maternelle communale Luigi Pirandello (tout, à Montelusa et alentour, se réclamait de l'illustre concitoyen, des hôtels aux bains de mer en passant par les pâtisseries), était un quinquagénaire chauve, soigné de sa personne, avare de paroles. Quant à cette dernière qualité, Montalbano l'appréciait toujours, sinon que l'embarras évident dans lequel mijotait le directeur changeait de temps à autre la brièveté naturelle du discours en un balbutiement décousu qui avait déjà outrepassé les limites de la patience du commissaire. Lequel, à un certain point, décida que s'il ne prenait pas les choses en main, ils y passeraient la nuit. Et il n'était que dix heures du matin.

— Si j'ai bien compris, en vous, directeur, serait né le soupçon qu'un de vos maîtres manifesterait des attentions… disons particulières, envers une enfant de cinq ans qui fréquente la maternelle. C'est ça ?

— Oui et non, articula Pasquale Loreto, couvert de sueur, en se tordant les mains.

— Expliquez-vous mieux, alors.

— Ben, pour être bien précis : le soupçon, ce n'est

261

pas moi qui l'ai eu, mais la mère de la fillette qui est venue me parler.

— Très bien, la mère de l'enfant a voulu signaler l'affaire à vous, en votre qualité de directeur pédagogique.

— Oui et non, rétorqua l'homme, en se tordant tellement les doigts que pendant un instant, il ne parvint plus à les démêler.

— Expliquez-vous mieux, alors, dit Montalbano, réitérant ainsi une réplique précédente : il lui semblait répéter une comédie.

Sauf que cette histoire n'avait rien d'une comédie.

— Ben, la mère de l'enfant n'est pas venue pour formuler une plainte en bonne et due forme, sinon j'aurais dû me comporter différemment, vous ne croyez pas ?

— Oui et non, répondit Montalbano méchamment, volant sa réplique à l'autre.

D'abord déconcerté, Pasquale Loreto se laissa aller à une improvisation sur le texte.

— En quel sens, excusez-moi ?

— Dans le sens que vous, avant de dénoncer à votre tour le maître à l'administration compétente, auriez dû recueillir quelques éléments à charge. Mener, comment dire, votre enquête personnelle à l'intérieur de la maternelle.

— Cela, je ne l'aurais jamais fait.

— Et pourquoi pas ?

— Mais qu'est-ce que vous croyez ! En une heure, tout le monde dans l'établissement aurait su que je posais des questions sur M. Nicotra ! Déjà qu'ils parlent et déparlent à vide, imaginez-vous si je leur donne un minimum de prétexte. Moi, je ne peux agir qu'à coup sûr.

— Et moi, je ne peux agir sans une plainte !

— Mais, écoutez, coco… commissaire, la mè… mère é… é… éprouve des scru… scru… scrupules…

— Faisons comme ça, coupa Montalbano qui sentait

262

que l'autre retombait dans le balbutiement, vous connaissez Mme Clementina Vasile Cozzo ?

— Évidemment ! s'exclama le directeur Loreto, tandis
que son visage s'éclairait. Elle a été mon institutrice !
Mais quel rapport ?

— Ça peut être une solution. Si je rencontre la mère
de l'enfant chez Mme Vasile Cozzo pour un entretien
informel, ça ne provoquera ni curiosité, ni bavardage.
Différent, ce serait, si je venais à l'école ou si la mère se
présentait ici.

— Très bien. Elle doit amener sa fille ?

— Pour l'instant, je ne crois pas que ce soit nécessaire.

— Elle s'appelle Laura Tripòdi.

— La mère ou la fille ?

— La mère. La fille, Anna.

— D'ici une heure maximum, j'appelle l'école. Je
dois d'abord joindre Mme Clementina pour savoir quand
elle serait disposée à nous recevoir.

— Mais, commissaire, quelle question ! Vous pouvez
venir chez moi avec qui vous voulez et quand vous
voulez !

— Ça vous irait, alors, demain matin à dix heures ?
Comme ça, Mme Tripòdi accompagne la petite à l'école
et puis vient chez vous. J'espère ne pas vous déranger
longtemps.

— Dérangez-moi y compris jusqu'à l'heure du déjeuner. Je vous fais préparer quelque chose qui vous plaira.

— Vous êtes un ange, madame.

Il raccrocha et convoqua Fazio.

— Toi, tu y connais quelqu'un à la maternelle Pirandello ?

— Non, *dottore*. Mais je peux me renseigner, ma
nièce Zina y envoie son fils Tanino. Qu'est-ce que vous
voulez savoir ?

Mme Clementina servit le café en se déplaçant avec désinvolture dans sa chaise roulante puis, discrètement, disparut du salon. Elle ferma même la porte. Laura Tripòdi ne ressemblait en rien à ce qu'avait imaginé le commissaire. Elle devait avoir passé de peu la trentaine et était, physiquement, une femme bien digne de considération. Rien de voyant, et même le sobre tailleur qu'elle portait tendait à effacer ses formes : mais la sensualité contrôlée de la femme, presque palpable, affleurait dans le regard, dans les mouvements des mains, dans la manière de croiser les jambes.

— L'affaire que m'a rapportée le directeur Loreto est très délicate, attaqua Montalbano, et j'ai besoin, pour pouvoir agir, d'avoir une image claire de la situation.

— Je suis là pour ça, dit Laura Tripòdi.

— C'est Anna, je crois qu'elle s'appelle comme ça, qui vous a parlé des attentions particulières de son maître d'école ?

— Oui.

— Qu'est-ce qu'elle vous a dit exactement ?

— Que le maître l'aimait plus que les autres, qu'il était toujours prêt à lui enlever et à lui mettre son petit manteau, qu'il lui donnait des bonbons en cachette des autres.

— Il ne me semble pas que…

— À moi non plus, au début. Bien sûr, j'étais ennuyée que la petite se sente privilégiée, je m'étais en fait promis d'en parler un jour ou l'autre à M. Nicotra. Puis, il est arrivé une chose…

Elle se tut, rougissante.

— Madame, je comprends que cela vous pèse de revenir sur un sujet aussi déplaisant, mais faites un effort.

— J'étais allée la chercher, comme du reste je fais toujours, si je ne peux pas, c'est ma belle-mère qui y va, et je l'ai vue sortir, comment dire, échauffée. Je lui ai demandé si elle avait couru. Elle m'a répondu que non, et m'a dit qu'elle était contente parce que le maître l'avait embrassée.

— Où ?

— Sur la bouche.

Montalbano eut la certitude que s'il avait approché une allumette de la peau du visage de la femme, elle se serait enflammée.

— Où étaient-ils, quand le maître l'a embrassée ?

— Dans le couloir. Il l'aidait à mettre son imperméable parce qu'il pleuvait.

— Ils étaient seuls ?

— Je ne crois pas, c'était l'heure où tous sortent des classes.

Le commissaire se demanda combien de fois il avait embrassé des enfants sans que les mères aient pensé à de mauvaises intentions. Mais voilà qu'était sortie l'histoire, nationale et internationale, des pédophiles.

— Il s'est passé autre chose ?

— Oui. Il l'a longuement caressée.

— Comment est-ce qu'il l'a caressée ?

— Je n'ai pas eu le courage de le demander à Anna.

— Où est-ce que ça s'est passé ?

— Dans les toilettes.

Aïe. Les toilettes, c'est pas le couloir.

— Et qu'est-ce qu'il a dit, le maître, pour la convaincre de le suivre dans les toilettes ?

— Non, commissaire, ça ne s'est pas passé comme ça. Anna s'était coupé un doigt, elle s'est mise à pleurer et alors le maître…

— Compris, dit Montalbano.

En réalité, il n'avait pas compris grand-chose.

— Madame, si les attentions du maître se sont limitées à…

— Je le sais bien, commissaire. Ça peut bien être seulement des gestes d'affection sans autres motivations.

Mais si ce n'est pas le cas ? Et si un jour, il se décidait à faire quelque chose d'irréparable ? Et mon cœur de mère…

Elle glissait dans le mélodrame, elle avait posé une main sur son cœur, le souffle court. En suivant l'indication de la main, Montalbano ne pensa pas au cœur de Laura Tripòdi, mais à la chair suave qui le couvrait.

— … me dit que les intentions de cet homme ne sont pas sincères. Que dois-je faire ? Porter plainte, je ne veux pas, je pourrais le détruire pour un quiproquo. Voilà pourquoi j'en ai parlé au directeur : on pourrait l'éloigner, discrètement, de l'école.

Discrètement ? Ce serait pire qu'une condamnation : devant un tribunal, il aurait pu se défendre, mais ainsi, éloigné en catimini et abandonné à la merci des ragots, il ne lui resterait plus qu'à se flinguer. Peut-être la fillette courait-elle quelque danger, mais celui qui, à tous les coups, se trouvait en ce moment même dans un vilain guêpier, c'était précisément M. Nicotra.

— Vous en avez parlé avec votre mari ?

Laura Tripòdi eut un rire de gorge, comme un roucoulis de colombe. Cette femme n'arrivait pas à faire une chose, même la plus simple, sans que dans l'esprit de Montalbano passent des images de lits défaits et de corps nus.

— Mon mari ? Mais moi, je suis quasiment veuve, commissaire.

— Qu'est-ce que ça signifie, quasiment ?

— Mon mari est technicien de l'Eni[1]. Il travaille en Arabie saoudite. Avant, il habitait à Fela, puis nous avons déménagé à Vigàta parce que sa mère vit là et peut m'aider pour la petite. Mon mari revient à Vigàta deux fois par an pour quinze jours. Mais il gagne bien sa vie et je dois me contenter comme ça.

1. Eni : Office national des hydrocarbures. *(N.d.T.)*

Ce « contenter » ouvrit d'un coup un abîme de sous-entendus, au bord duquel la pensée du commissaire s'arrêta, effrayée.

— Vous vivez donc seule avec la petite.

— Pas exactement. Je n'ai pas beaucoup d'amies, mais deux ou trois fois par semaine, nous allons dormir chez ma belle-mère qui est vieille et veuve. Nous nous tenons mutuellement compagnie. Même, ma belle-mère voudrait que nous déménagions définitivement chez elle. Et peut-être que ça finira comme ça.

« Nicotra Leonardo, né à Minichillo, province de Raguse, le 7/5/1965, de feu Giacomo Leonardo et de feu Anita Leonardo, née Colangelo, libéré de ses obligations militaires. »

Ça, c'était du tout neuf, ça venait de sortir ! Libéré de ses obligations militaires ! Montalbano se mettait en fureur contre les méticuleux états civils livrés par Fazio, il ne comprenait pas pourquoi chaque fois, son subordonné s'obstinait à lui donner des détails inutiles. Il leva brusquement les yeux de ses papiers et fixa Fazio. Leurs regards se croisèrent et le commissaire comprit qu'il l'avait fait exprès, pour le provoquer. Il décida de ne pas s'y laisser prendre.

— Continue.

Un peu déçu, Fazio reprit.

— Depuis deux ans, il vit à Vigàta, rue Edison, n° 25. Il est maître suppléant à la maternelle Pirandello. On ne lui connaît ni vices ni femmes. Ne s'occupe pas de politique.

Il replia le feuillet avec ses notes, se le mit en poche, resta à regarder son supérieur.

— Ben ? Tu as fini ? Qu'est-ce que tu as ?

— Vous deviez me le dire... lança Fazio sur un ton offensé.

— Qu'est-ce que je devais te dire ?

— Qu'il y a des bruits qui courent sur M. Nicotra.

Le commissaire sentit son sang se geler. Tu veux voir qu'il y a un autre cas ? Qu'il ne s'agissait pas de l'imagination d'une femme dont le mari est absent depuis trop longtemps ?

— Qu'est-ce que tu as entendu dire ?

— Ma nièce Zina m'a appris que, depuis une semaine, il y a cette rumeur qui dit que M. Nicotra serre de trop près les minotes. Avant le maître, on l'adorait, ils étaient tous là à répéter : Comme il est bon, comme il est brave, le maître ! Mais maintenant, il y a des mères qui pensent à enlever leur fille de la classe.

— Mais il y a eu quelque chose de concret ?

— De concret, rien. Juste des bruits. Ah, je l'oubliais : ma nièce dit que la fiancée lui a porté malheur.

— J'ai rien compris.

— Le maître d'école s'est fiancé avec une fille de Vigàta et quelques jours après, les rumeurs ont commencé.

— Monsieur le directeur ? Le commissaire Montalbano, je suis. Il semble que la situation se précipite.

— Eh… eh oui… j'ai… j'ai su…

— Écoutez. Demain matin, à dix heures et demie, je viens chez vous à l'école. Arrangez-vous pour que je puisse rencontrer Anna, la fillette. Il y a une entrée secondaire ? Je ne voudrais pas être vu. Et ne dites rien à la mère, je ne veux pas l'avoir sur le dos, sa présence pourrait influencer la petite.

Tandis qu'il continuait à besogner au bureau, de temps en temps, une pinsée ennuyeuse lui passait par la tête et c'était que lui, sans la plainte d'une mère ou du directeur lui-même, il n'était pas autorisé à faire un pas. Par nature, des autorisations, il était porté à s'en contrefoutre éperdument, mais là, il y avait une petite au milieu et à la seule idée de devoir lui parler avec délicatesse, avec prudence, pour ne pas en troubler l'innocence, il se sentait des sueurs froides. Non, il devait absolument obtenir une plainte de Mme Tripòdi. Il avait le numéro qu'elle-même lui avait donné dans la matinée. Il eut un répondeur à l'autre bout du fil.

« Je suis momentanément absente. Laissez un message ou appelez au 53 52 67. »

Ce devait être le numéro de la belle-mère. Il allait le composer, mais s'arrêta. Peut-être valait-il mieux la prendre par surprise, Laura Tripòdi. Il irait en personne, sans la prévenir.

— Fazio !

— À vos ordres !

— Donne-moi l'adresse du 53 52 67.

L'agent revint avant qu'une minute soit passée.

— Ça correspond à Barbagallo Teresa, 25 rue Edison.

Montalbano sortit du commissariat, fit quelques pas, s'arrêta d'un coup, s'appuya au mur : l'éclair qui lui avait explosé dans la tête l'avait aveuglé.

— Vous vous sentez mal, commissaire ? demanda un passant qui le connaissait.

Sans répondre, il retourna en courant au commissariat.

— Fazio !

— Qu'est-ce qui fut, *dottore* ?

— Où est le feuillet ?

— Quel feuillet ?

— Celui que tu m'as lu avec les informations sur le maître.

Fazio se glissa une main dans la poche, en tira le feuillet, le tendit au commissaire.

— Lis-le, toi. Où donc habite le maître d'école ?

— 25 rue Edison. Tè ! Comme c'est curieux ! Justement là où vous alliez à l'instant.

— Je n'y vais plus, j'ai changé d'idée. Je rentre droit chez moi. Rue Edison, c'est toi qui y vas.

— À quoi faire ?

— Regarde comment est la maison, à quel étage habite Mme Barbagallo et à quel étage M. Nicotra. Après, tu me donnes un coup de fil. Ah, écoute : renseigne-toi aussi pour savoir si Mme Barbagallo est la belle-mère d'une jeune dame qui s'appelle Tripòdi et qui a une petite fille. Mais ne fais pas de bruit, essaie d'être discret.

— Soyez tranquille, je vais pas m'emmener l'orchestre municipal ! s'exclama Fazio qui ce jour-là était du genre susceptible.

Le coup de fil de Fazio tomba pile à la fin d'un film policier pour lequel Montalbano s'était passionné bien qu'il l'eût déjà vu au moins cinq fois : *Le Crime était presque parfait*, d'Alfred Hitchcock. Oh que oui, monsieur, Teresa Barbagallo était la belle-mère de Laura Tripòdi, elle avait un appartement au deuxième étage du petit immeuble, au troisième et dernier habitait M. Nicotra. L'immeuble était fait de sorte qu'à chaque étage, il n'y avait qu'un appartement. Mme Tripòdi, avec sa fille, dormait souvent chez la belle-mère. Au premier étage habitait un certain… Ça ne vous intéresse pas, qui habite au premier ? Bon, alors, bonne nuit.

Pour le commissaire, ce fut une nuit non pas bonne, mais excellente : il se fit six heures de sommeil de plomb. Maintenant qu'il savait ce qu'il devait faire, le malaise d'avoir à interroger une minote, il ne l'éprouvait plus.

Les taches d'encre sur les doigts certifiaient qu'elle était vraie, sinon, la petite robe rouge et vaporeuse, le nœud sur les petites boucles blondes, les grands yeux azur, la minuscule bouche parfaite, le petit nez légèrement en trompette l'auraient fait paraître fausse, une poupée grandeur nature.

Tandis que le commissaire était là, à se triturer le cervelet pour savoir comment commencer la discussion, Anna attaqua la première.

— Qui tu es, toi ?

Un instant, Montalbano s'affola, il redouta une attaque de dysmorphobie, ce qui serait, comme le lui avait expliqué un ami psychologue, la peur de ne pas se reconnaître dans le miroir. Certes, la petite fille n'était pas un miroir, mais elle le confrontait à une définition d'identité sur laquelle il nourrissait de sérieux doutes.

— Je suis un ami de papa, s'entendit-il dire : en lui, quelque chose avait tranché.

— Papa revient d'ici un mois, assura la minote. Et chaque fois, il m'apporte beaucoup de cadeaux.

— En attendant, il t'a fait porter ça par moi.

Et il lui tendit un paquet qu'Anna ouvrit aussitôt. C'était une boîte en plastique de couleurs vives, en forme de cœur qui, en s'ouvrant, montrait à l'intérieur un minuscule appartement meublé.

— Merci.

— Tu veux un petit chocolat ? demanda le commissaire, en ouvrant le sachet qu'il avait acheté.

— Oui, mais ne le dis pas à maman. Elle, elle veut pas, elle dit que ça me fait bobo au ventre.

— Ton maître, il t'en donne, des chocolats, quand tu es gentille avec lui ?

Et voilà le ver Montalbano qui commence à creuser la pomme de l'Éden d'innocence.

— Non, lui, il me donnait des bonbons.

— Il te donnait ? Pourquoi, maintenant, il ne te les donne plus ?

— Non, c'est moi qui les veux pas. Il est devenu méchant.

— Mais qu'est-ce que tu racontes ? Ta maman m'a raconté qu'il t'aime tant, qu'il te fait des câlins, des bisous…

Et voilà, le ver à l'intérieur de la pomme qui commence à pourrir.

— Oui, mais moi, je ne veux plus.

— Pourquoi ?

— Parce qu'il est devenu méchant.

Le téléphone sonna soudain dans le bureau, comme une rafale de mitraillette. En jurant dans sa tête, Montalbano décrocha, porta le récepteur jusqu'à sa bouche, marmonna : « On est tous morts », raccrocha, souleva de nouveau le combiné, le laissa décroché.

La petite fille rit.

— T'es rigolo, toi.

— Tu le veux, un autre chocolat ?

— Oui.

Avale-moi ça, et tant pis s'il te vient bobo au ventre.

— Écoute, tu t'es disputée, avec le maître ?

— Moi ? Non.

— Il t'a grondée ?

— Non.

— Il t'a fait faire des choses que tu ne voulais pas ?

— Oui.

Montalbano éprouva un très vif sentiment de déception. Il s'était trompé du tout au tout, ça se présentait exactement comme l'avait raconté la mère de la minote.

— Et quelles choses ?

— Il voulait m'aider à mettre mon manteau, mais moi, je lui ai donné un coup de pied dans les jambes.

— Ben, alors, j'ai l'impression que c'est toi, la méchante.

— Non, lui.

Le commissaire inspira comme pour descendre en apnée, il plongea.

— Tu paries que, moi, je sais pourquoi tu dis que le maître, il est devenu méchant ?

— Non, tu le sais pas, c'est un secret que je connais moi, seulement.

— Et moi, je suis un magicien. Parce qu'il a mis ta maman en colère.

La petite fille ouvrit au maximum ses grands yeux et sa petite bouche.

— Tu es un vrai magicien, toi ! Oui, c'est pour ça, il a fait pleurer maman. Il ne l'aime plus. Il lui a dit comme ça que maman doit plus aller le trouver quand tout le monde dort. Et maman pleurait. Moi, j'étais réveillée, et j'ai tout entendu. Mémé, elle a rien entendu, elle, celle-là, elle entend jamais rien, elle prend le cachet pour dormir et puis elle est un peu sourde.

— Tu lui as dit, à maman, que tu avais entendu ?

— Non. C'était mon secret. Mais quand papa reviendra, moi, à lui, je le dirai, que le maître a fait pleurer maman, comme ça, il ira le taper. Tu m'en donnerais pas encore un, de chocolat ?

— Bien sûr. Écoute, Anna, tu es vraiment une gentille petite fille. Quand papa revient, ne lui dis rien. Elle est en train de s'en occuper, maman, de faire pleurer le maître, M. Nicotra.

Le yack

passé

En seconde, au lycée, Mme Ersilia Castagnola, professeur de sciences, enchantait littéralement scs élèves quand elle se mettait à parler des animaux, surtout quand elle racontait les bêtes de haute montagne à des fils de gens qui n'avaicnt de rapport, d'une façon ou d'une autre, qu'avec la mer. Mme Castagnola était, comme on dirait aujourd'hui, une extraordinaire conteuse et cela permettait à l'imagination des minots, après ses récits, de se déchaîner. Salvo Montalbano, ou plutôt Montalbano Salvo, selon le cahier d'appel, et ses camarades arrivaient à organiser, dans la cour de l'école, des chasses aventureuses tantôt au marko, espèce de grosse chèvre sauvage du Béloutchistan, tantôt à l'argali, dont le premier à en avoir parlé n'est autre que Marco Polo.

Mais l'animal qui, plus que tous, les fascina, fut le yack qui, rien que par son nom, leur plaisait déjà.

— Le yack, expliqua ce jour-là Mme Ersilia Castagnola, est appelé aussi le bœuf grognon. Il vit dans les zones les plus glacées du Tibet et ne peut absolument pas être emmené loin de son tcrritoire. Impossible de le tenir en captivité ; dans les régions tempérées, en fait, il est condamné à dépérir, à tomber gravement malade et à perdre toute sa vigueur.

275

Le premier effet des paroles de Mme Castagnola fut que vingt-quatre têtes, prises par la même pinsée, se retournèrent à l'unisson vers le dernier banc où somnolait le vingt-cinquième camarade, Totò Aguglia. Trapu, velu, les bras trop longs, les cheveux crépus poussant directement au-dessus des yeux, Totò, ou bien marmonnait, ou bien grognait, il était rare qu'il lâche un monosyllabe digne de ce nom. Pour la moitié de la classe, cela ne fit aucun doute, Totò était sans équivoque un yack. Mais durant la ricréation, l'autre moitié adhéra à l'école de pensée de Tano Cumella.

— Attention à ne pas tomber dans une dangereuse erreur de classification, avertit Tano. Totò Aguglia est l'unique exemple au monde d'homo sapiens (façon de parler) vivant. Et puis, lui, il aime quand ça chauffe, vous ne voyez pas qu'il est toujours le premier dans les castagnes, le premier à balancer des mornifles, des marrons, des ramponneaux ?

— Eh non, intervint Nenè Locicero qui était poète, vous l'avez pas vu au moment où la prof a dit « yack ». Pendant un instant, ses yeux, noirs comme le charbon, sont devenus d'un bleu si clair qu'ils avaient l'air blancs.

— Et qu'est-ce que ça signifie ? demanda Tano Cumella, sur un ton polémique.

— Ça signifie qu'à cet instant, il était en train de fixer les interminables étendues de glace du Tibet, son pays d'origine.

— Et comment on fait tenir ça avec le fait qu'il aime quand ça chauffe ?

— On le fait tenir que tu utilises mal une métaphore, confondant l'agressivité avec le climat. Les ours polaires, selon toi, quand ils voient un homme, ils l'embrassent et le couvrent de baisers ?

Ce dernier argument apparut plus convaincant que tous les autres. À partir de ce moment, Totò Aguglia fut surnommé le Yack ; il finit par l'apprendre et grogna de satisfaction.

En première, Yack ne fréquenta plus le lycée, il paraît que le père, directeur de la capitainerie du port, avait été transféré à Augusta. Du bœuf grognon, Salvo Montalbano n'entendit plus parler.

En 1968, le futur commissaire, qui avait dix-huit ans, fit scrupuleusement tout ce qu'il y avait à faire pour un jeune de son âge : il manifesta, occupa, proclama, baisa, fuma des joints, se battit. Avec la police, naturellement. Durant un affrontement particulièrement dur, il se retrouva à côté d'un camarade au visage masqué qui ricanait et grognait tandis qu'il allumait un cocktail Molotov. Il lui sembla percevoir en lui quelque chose de vaguement familier.

— Yack ? hasarda-t-il.

Le camarade s'arrêta un instant, la bouteille dans la main gauche et le briquet dans la droite, puis alluma la mèche, jeta la bouteille, embrassa Salvo, grogna quelque chose comme « heureux », disparut.

Voulait-il se dire heureux de se retrouver au milieu de ce grand bordel ou d'avoir retrouvé son vieux camarade d'école ? Peut-être les deux à la fois.

Vingt ans plus tard, comme dans les romans de Dumas, Montalbano rencontra par hasard à Palerme Nenè Locicero qui ne faisait plus le poète, il était devenu un gros promoteur immobilier et se trouvait momentanément « retenu » dans la prison de l'Ucciardone, sous l'accusation de corruption, recel et collusion avec la mafia.

Ils s'embrassèrent dans un élan fraternel.

— Salvù !

— Nenè !

Grand seigneur, le commissaire affecta de ne pas s'étonner de rencontrer Nenè à l'Ucciardone. Et tout autant grand seigneur, Nenè ne dit mot sur ses tracas récents.

— Comment tu t'en sors ?

— Je peux pas me plaindre, Salvù.

— Tu écris toujours ?

Un voile de mélancolie descendit sur les pupilles de l'ex-poète.

— Non, j'y arrive plus. Mais je lis beaucoup, tu sais ? J'ai redécouvert deux poètes presque oubliés, Gatto et Sinisgalli. Putain ! En comparaison, ceux d'aujourd'hui, ils font rire !

Ils en vinrent à parler des vieux camarades de classe, d'Alongi qui s'était fait curé, d'Alaimo devenu sous-secrétaire…

— Et Totò Aguglia, qu'est-ce qu'il est devenu ? demanda le commissaire.

L'autre le regarda, ébahi.

— Tu ne sais pas ?

— Non, sincèrement.

— Mais enfin ! Il était dans les journaux ! Les revues, même, lui ont consacré des articles !

C'est ainsi que, héberlué, Montalbano apprit qu'en Afrique, dès que naissait une guérilla de n'importe quelle couleur politique, elle engageait un mercenaire légendaire, partout connu sous le surnom de Yack, chef d'une bande d'une centaine d'hommes féroces et sans scrupules. Un journaliste plus courageux que les autres avait réussi à l'approcher dans une dense forêt équatoriale et l'avait interviewé. Yack, après avoir précisé qu'il s'appelait Salvatore Aguglia et qu'il était sicilien, avait prononcé une phrase inexplicable, que le journaliste reproduisait fidèlement :

— Et bien le bonjour à Mme Ersilia Castagnola, si elle est encore vivante.

Le journaliste, honnêtement, ajoutait que la phrase pouvait être celle-là ou une autre, l'interprétation n'était pas claire, les longues années passées en Afrique avaient soumis le parler de Salvatore Aguglia — c'était du moins ce que supposait le journaliste — à la forte influence de certains sons gutturaux typiques des dialectes de quelques tribus du Burundi ou du Burkina Faso.

Montalbano avait pris possession de son bureau de commissaire à Vigàta, quand il fut invité à passer une journée à Mazara del Vallo par son ami le vice-questeur Valente. Tout de suite, Montalbano se mit sur la défensive, en manifestant les plus grands doutes sur la possibilité de trouver une journée libre : la nourriture préparée par la femme de Valente était en tout et pour tout assimilable à un meurtre prémédité.

— Je suis seul, précisa Valente. Ma femme est allée dans sa famille pour quelques jours. On pourrait aller dans cette trattoria que tu connais…

— Demain midi, au plus tard, je suis chez toi, coupa aussitôt le commissaire.

À peine arrivé au bureau de son ami, le commissaire se convainquit qu'il tombait mal. Des voix excitées, des agents qui couraient, une voiture de service avec quatre hommes à bord qui partait, sirènes hurlantes.

— Qu'est-ce qui fut ?

— Mon très cher ami, tu arrives au mauvais moment. Je pars moi aussi sur les lieux. Attends-moi là.

— Tu rêves, répondit Montalbano, je viens avec vous.

En roulant, Valente lui dit le peu qu'il savait sur ce qui était en train de se passer. Un individu, dont il ne connaissait pas encore le nom, s'était barricadé dans sa villa, aux confins de la ville, presque en campagne, et, sans aucun motif, s'était mis à tirer contre tous ceux qui passaient à sa portée. Valente avait envoyé une voiture avec quatre hommes, mais ils avaient demandé des renforts : ce fou détenait une grenade et un fusil-mitrailleur.

— Il y a eu un mort ?

— Non. Il a touché à la jambe le facteur qui passait à bicyclette.

Quand ils arrivèrent dans les parages de la villa à un étage, le commissaire eut l'impression de voir un film : outre les deux voitures de Valente, il y avait encore deux autos de carabiniers. Tout le monde se tenait à l'abri, arme au poing. L'arrivée de Valente et de Montalbano fut saluée par une interminable rafale de mitrailleur qui contraignit les deux hommes à se jeter à plat ventre. Au bout de quelques instants, en progressant par sauts de kangourou, Valente rejoignit ses hommes et se mit à barjaquer avec eux. Montalbano, lui, s'approcha en rampant de l'adjudant de carabiniers.

— Le commissaire Montalbano, je suis.

— Enchanté. Tòdaro.

— Adjudant, vous le connaissez, celui-là qui tire ?

— Tu parles ! C'est un qui habite là depuis deux ans, il est pas du pays. Il se trouvait à Mazara de passage, il a vu une jeunesse, il en est tombé amoureux, il se l'est mariée. Au bout de même pas quinze jours, il a commencé à la mettre noire de coups.

— Elle le trompait ?

— Mais jamais de la vie ! Celle-là, une sainte, c'est ! Vous le remettez, ce film de Fellini que, au bord de la mer, il y a une jeune complètement 'nnocente qui sourit ?

— Valeria Ciangottini ?

— Celle-là. La femme de ce misérable ressemble comme deux gouttes d'eau à cette actrice.

— Mais vous avez compris pourquoi il la battait ?

— À moi, c'est les voisins qui m'ont averti, une fois, ils ont dû l'accompagner au pital, elle dit qu'elle était tombée. Alors, moi, j'ai fait appeler son mari, je lui ai

280

solennellement remonté les bretelles et puis je lui ai demandé la raison du pourquoi il traitait si mal cette pôvre femme.

Ils durent s'interrompre parce que le fou avait recommencé à tirer au jugé et les assaillants avaient répondu. L'adjudant lui-même tira deux coups au hasard avec son revolver.

— Et vous savez ce qu'il m'a répondu ? poursuivit l'adjudant Tòdaro. Que lui, il était un yack. Moi, je ne l'ai pas bien compris. « Un yack ? » je lui demandai. Il m'a donné une réponse que je n'y ai rien compris.

Mais le commissaire, lui, avait très bien compris.

— Par hasard, il s'appellerait pas Salvatore Aguglia ?

— Oui, fit l'adjudant ébahi. Vous le connaissez ?

Le commissaire ne répondit pas. Absurdement, lui étaient revenus en mémoire les termes précis utilisés par Mme Ersilia Castagnola : « … ne peut absolument pas être éloigné de son territoire, impossible de le garder en captivité… » En captivité, Totò Aguglia s'y était placé de lui-même par amour et puis, comprenant son erreur, il avait tenté désespérément et bestialement de se libérer des filets qui lui avaient été balancés dessus. Bien sûr, il aurait pu ne pas rentrer chez lui un soir, disparaître, retourner dans son milieu naturel, une guerre perdue dans un coin encore plus perdu. Mais de cette femme, de ce piège, à l'évidence, il ne réussissait pas à s'éloigner, pôvre Yack.

— Sa femme est à l'intérieur avec lui ? demanda-t-il à l'adjudant.

— Mais non, commissaire ! C'est pour ça qu'il y a tout ce bordel ! Elle n'en pouvait plus de vivre avec lui et justement hier soir, elle l'a quitté après une engueulade épouvantable, d'après les voisins.

Alors Montalbano, d'un coup, se mit debout.

— Restez baissé, nom de Dieu ! lui cria l'adjudant Tòdaro en lui agrippant la veste.

Le commissaire se libéra d'une poussée, avança d'un pas, complètement à découvert.

— Salvo ! Tu es devenu fou ? Baisse-toi ! entendit-il crier Valente.

Montalbano leva les bras, les agita pour se faire bien voir.

— Yack ! Totò ! Montalbano, je suis. Tu me remets ?

Le temps s'arrêta. Les hommes armés aussi se figèrent comme des statues. Puis, de l'intérieur, leur parvint une voix gutturale.

— Salvuzzo, c'est toi ?

— Moi, je suis. Viens dehors, Yack !

La porte de la maison s'ouvrit lentement et le Yack sortit. Il était exactement comme Montalbano se le rappelait de l'époque des bancs de l'école, sauf qu'il avait les cheveux complètement blancs. À la main, il tenait un pistolet.

— Jette-le, Yack ! dit Montalbano en s'avançant.

Ce fut ainsi qu'il vit les yeux de Totò changer de couleur, devenir d'un bleu très clair, presque blanc. Était-il en train de contempler les infinies étendues de glace du Tibet, comme l'avait dit Nenè Locicero quand il était encore poète ?

Et à ce moment précis, un imbécile l'abattit.

Les deux philosophes et le temps

Aux toutes premières lueurs de l'aube, le pétrolier *Nostradamus*, qui n'avait que deux ans de mer et était considéré comme un miracle de l'informatisation, jeta l'ancre au large de Vigàta. Entrer dans le port, il n'y fallait pas même penser : long comme il était, le navire serait resté pour un quart dedans et trois quarts dehors. Durant la nuit, le commandant avait informé par radio la capitainerie que, à cause d'une avarie, ils devaient rester au mouillage pour au moins quatre jours.

Vers cinq heures de l'après-midi, un gros bateau pneumatique amena à terre six marins tirés à quatre épingles comme des petits messieurs, ils avaient même la cravate. Ils n'avaient rien de ces hommes de mer auxquels les Vigatais étaient habitués, on eût dit des employés de banque à l'heure de la fermeture. Éduqués, courtois, discrets. Il s'agissait d'un peu moins de la moitié de l'équipage : désormais, c'était l'électronique qui gouvernait des mastodontes de cette jauge, et non plus des pirsonnes en chair et en os.

Non seulement ceux-là n'étaient pas vêtus comme des marins, mais ils ne se comportaient pas comme tels. Quatre s'en allèrent au cinéma et entre deux films, *Bouches ardentes de baigneuses trempées* et *Les*

Affinités électives, ils choisirent ce dernier. Le cinquième fit irruption dans la librairie-papeterie, rafla une dizaine de polars qu'il commença aussitôt à lire assis à une table du café Castiglione tandis qu'il se faisait servir des cappuccinos bouillants l'un après l'autre, vu que ce jour-là, il gelait à pierre fendre. Le sixième, ayant acheté pour cent mille lires de carte téléphonique, s'installa dans une cabine pour en faire sa maison et sa boutique.

À sept heures et demie, ils se retrouvèrent tous pour aller manger et boire (sobrement) à la trattoria San Calogero. Une heure après, ils étaient déjà sur le bateau pneumatique, de retour sur le pétrolier.

Les trois putes officielles du pays, Mariella, Graziella et Lorella, qui escomptaient une substantielle augmentation de revenu, restèrent ébahies et déçues, elles se consultèrent par téléphone et parvinrent à la conclusion que ceux-là, non seulement c'étaient pas des marins, mais pas non plus des hommes.

Peut-être la faute en revenait-elle au pétrole qu'ils avaient à bord, les exhalaisons, visiblement, s'attaquaient à ces parties par lesquelles l'homme est homme. « Les pôvres petits ! » les plaignirent les braves femmes.

À neuf heures du soir, le bateau fit le voyage inverse pour amener à terre deux autres membres de l'équipage. On eût pu croire qu'ils venaient d'un autre navire, tant ils semblaient des marins de la vieille espèce. Et ils le démontrèrent aussitôt. Celui qui s'appelait Gino, pour commencer, entra dans la taverne de Pipìa, se descendit, sans le moindre amuse-gueule, deux litres et puis, après s'être informé de l'adresse, il alla trouver Lorella. Cependant, son compagnon, qui portait le nom d'Ilario, suivait la route inverse : d'abord Mariella et Graziella d'un seul élan et puis la taverne de Pipìa.

Là, à onze heures moins le quart, Gino le rejoignit. Il semblait — aux dires des clients présents, peu nombreux, vu l'heure, fort tardive, pour Vigàta — agité et énervé. Il ne voulut pas du dernier verre qu'Ilario lui offrait et donc, tous deux sortirent de la taverne en continuant à discuter. Mais on ne comprenait pas ce qu'ils disaient. On les vit se diriger vers le quai où était amarré leur bateau pneumatique.

Avant minuit, Lorella, entendant frapper à la porte, alla ouvrir et se trouva devant un homme masqué qui, sans mot dire, la poussa à l'intérieur et lui donna un coup au visage qui lui fit perdre connaissance. Quand elle émergea de son évanouissement, elle s'aperçut que l'inconnu, en plus de lui avoir volé deux petits colliers et un bracelet d'or, une montre de dame, quatre cent mille lires et une radio, l'avait, pour faire bon poids, violée.

Elle courut déposer plainte au commissariat et déclara aussi que l'homme qui l'avait agressée, bien qu'il se fût dissimulé derrière le col du pull-over remonté jusqu'au nez et le bonnet descendu sur les yeux, lui avait semblé ressembler à son dernier client, celui du *Nostradamus* qui s'appelait Gino.

— Maintenant, toi, tu me racontes ce qui s'est passé hier soir entre toi et ce marin, dit Montalbano, le lendemain matin, et pas de boniment, hein, c'est dans ton propre intérêt.

— Il ne s'est rien passé, commissaire.

— Gaffe, Lorè.

Lorella esquissa un sourire, aussitôt interrompu par une grimace douloureuse. Elle avait les lèvres éclatées, le nez gonflé et violacé.

— Maintenant, je vous explique pourquoi je dis qu'il s'est rien passé. Ce marin est arrivé qu'on aurait dit une furie, il a dit qu'il avait une envie de femme qui lui traînait depuis un mois. On se déshabille, on se met au lit, mais il se passe rien. Il y arrivait pas. Moi, je le besognai, j'y ai mis tout mon art. Rien, on aurait dit un mort. À la fin, vu que ça marchait pas, il a commencé à se rhabiller. Moi je lui ai dit de me payer et lui il voulait pas parce qu'il gueulait que c'était ma faute, que j'avais pas été assez brave. À la fin, il m'a payée, mais il me menaça.

— Qu'est-ce qu'il te dit ?

— Qu'avec moi, la bite, il se la ferait venir dure avec un autre système. Et il avait raison, le cornard.

— Explique-toi mieux.

— Et qu'est-ce qui y a à expliquer ? Il y en a beaucoup, des hommes comme lui ! Ils ont besoin d'être violents, de voir le sang pour faire la chose. J'ai rendu l'idée ?

— Parfaitement. Tu es sûre que c'était lui ?

— Non, commissaire, sûre, non. Je l'ai vu qu'une seconde et puis il était masqué. Mais la stature…

— C'est bon. Tu peux y aller.

Le fait que Lorella n'était pas sûre d'avoir reconnu d'une manière certaine son agresseur persuadait le commissaire qu'elle disait la vérité. Instinctivement, il se méfiait de tous ceux qui venaient exposer ce qu'ils avaient vu avec une certitude absolue, qui étaient prêts à en mettre leur main au feu. Et qui souvent finissaient par se retrouver la main carbonisée comme Mucio Scevola. Il était persuadé que le témoignage le plus sincère était celui que fécondait la semence du doute, et donc incertain sinon contradictoire.

Avec l'aide de la capitainerie du port, il envoya arrêter le marin Gino Rocchi. Au retour, Fazio lui raconta que le commandant du *Nostradamus* avait mis longtemps avant de céder son homme et que la perquisition dans la cabine de Rocchi, qu'il partageait avec trois autres membres de l'équipage, n'avait pas donné de résultat. Il y avait eu tout le temps qu'on voulait pour bien cacher le butin. Le marin se déclarait 'nnocent, il soutenait s'être embarqué sur le bateau pneumatique avec son compagnon pour rentrer sur le bateau, qu'il était même pas encore onze heures et demie. Le marin de garde jurait que tous deux étaient montés à bord vers onze heures et demie-minuit moins le quart, pas avant ni après. Mais celui-là, pour donner un coup de main à ses petits copains, il aurait fait n'importe quoi.

— Mais vous, où voulez-vous en venir?
— À la vérité, rétorqua brusquement Montalbano.

Le bonhomme assis de l'autre côté de son bureau arbora un petit sourire de supériorité.

Ce quinquagénaire, comme marin, était un stéréotype, un figurant de série B. Ou plutôt, un mélange de Long John Silver et de Popeye.

Plutôt dodu, barbiche coupée à la Cavour, il portait un pantalon noir à pattes d'éléphant, un tricot à rayures horizontales rouges et noires, des sabots de bois. Pour rendre encore plus carnavalesque son costume, à son oreille gauche pendait un gros anneau d'or.

Le commissaire avait envie de lui demander pourquoi, sur le *Nostradamus*, une partie de l'équipage s'habillait en comptable et l'autre partie en pirate, mais il préféra dire :

— Pourquoi souriez-vous?

Cet homme, à Montalbano, était apparu 'ntipathique au premier coup d'œil, il devait faire un effort continu pour ne pas le traiter mal.

— À quelle vérité, commissaire, entendez-vous vous référer? À la vérité absolue, j'espère que non parce qu'elle n'existe pas. La vérité est prismatique, nous devons nous contenter de la face qu'il nous est permis de voir.

Il débitait de la philosophie de quatre sous. Le commissaire s'énerva au point de faire un faux pas.

— Comment avez-vous dit que vous vous appeliez, vous?

— Ilario Burlando.

— Et vous pensez qu'on peut prendre au sérieux vos déclarations avec un prénom et un nom pareils[1] ?

Elle lui avait vraiment échappé, sa méchanceté, et il s'en repentit aussitôt.

— Si je m'étais appelé, que sais-je, Onorio Del Vero[2], vous, au contraire, vous m'auriez cru immédiatement ? Je suis navré, commissaire, par votre banal conformisme.

Il se l'était vraiment cherchée, et ne répliqua pas.

— Donc, vous êtes venu témoigner…

— Spontanément. Parce que vos hommes ne m'ont pas interrogé, signe qu'ils avaient une idée préconçue sur la culpabilité de Gino.

— … témoigner que vous et votre collègue, à minuit moins le quart, vous étiez déjà sur le navire. Et que l'agression ayant été commise autour de cette heure, elle ne peut être l'œuvre de Gino Rocchi.

— Exactement.

— Écoutez, vous pouvez me dire ce que vous a raconté votre ami quand il vous a rejoint à la taverne de Pipìa ? On m'a rapporté qu'il semblait agité.

— Bien sûr que je peux, il était dans tous ses états, il n'y était pas arrivé avec la putain, il disait que c'était la faute de cette femme qui semblait un bout de glace.

Montalbano ne s'attendait pas à cet aveu, il tendit l'oreille.

— Et il ne manifesta pas le désir de se venger ?

— Certainement. Il était complètement soûl. Mais moi, je l'en ai dissuadé, je l'ai convaincu de s'embarquer sur le pneumatique.

— Comment est-ce que vous expliquez ça, vous, que ce que Rocchi avait dit vouloir faire a été ponctuellement exécuté ?

Ilario Burlando prit une tête de penseur.

1. Ilario Burlando : littéralement, « Hilaire Plaisantin ». *(N.d.T.)*
2. Littéralement : « Honoré du Vrai ». *(N.d.T.)*

— J'aurais deux hypothèses.

— Dites-les-moi.

— La première est qu'il s'agit de la concrétisation, à distance, d'un désir, d'une volonté si forte que…

— Cassez-vous, vite, dit Montalbano, glacial.

— Je suis ici pour innocenter ce marin arrêté, déclara tranquillement au commissaire le professeur Guglielmo La Rosa, plus que sexagénaire, ex-titulaire de la chaire de philosophie théorique à l'université. Mais avant, pour suivit-il, j'aurais besoin que vous répondiez à quelques-unes de mes questions.

Il fouilla dans sa poche, en tira une feuille qu'il se mit à lire. Il plissa le front, replia la feuille, se la remit en poche ; évidemment, ce n'était pas la bonne.

Il en tira une autre, et tordit la bouche, celle-là non plus n'allait pas.

Montalbano le fixait, glacé. Il nourrissait un complexe devant les professeurs de philosophie, qui le paralysaient : le phénomène remontait à l'époque du lycée, quand le professeur Javarone, très sévère et redoutable, l'avait écorché vif avec une interrogation sur Kant.

— Je ne trouve pas les notes que j'avais prises, dit La Rosa en se rendant, donc je vous poserai une seule question.

Le commissaire sentit lui venir une bonne suée : « Là, je rate l'examen », pensa-t-il. Car il était retourné sur les bancs de l'école.

— À quelle heure, exactement, a eu lieu la chose ?

Montalbano poussa un soupir de soulagement, il avait révisé ; la réponse, il la savait.

— Avant minuit. C'est ce qu'a déclaré la… la…

Comment devait-il l'appeler ? La pute ? Ce n'était pas respectueux envers le professeur. La jeune fille ? Mais elle avait quarante ans !

— La victime, le secourut le professeur.

— Voilà, oui, dit le commissaire, encore embarrassé.

— Alors, s'il en est ainsi, le marin n'est pas coupable, assura le professeur, catégorique.

Montalbano, toujours sur son banc d'école, leva un doigt.

— Permettez ? Comment faites-vous pour le savoir ?

— Parce que hier soir, vers les onze heures et demie, à une minute près, j'étais sur le quai et j'ai vu deux marins qui se dirigeaient vers le bateau pneumatique.

— Excusez-moi, professeur, mais que faisiez-vous à cette heure sur le quai ?

— Je pensais. Voyez-vous, très cher, le froid élève la pensée. En tout cas, tout de suite après, je me suis rendu à la pharmacie de nuit. Là, je me suis mis à bavarder, je suis arrivé à minuit, à une minute près. Je le sais avec certitude parce que avant d'entrer dans la pharmacie, j'avais regardé l'horloge. Elle donnait vingt-trois heures trente. Pour rentrer à la maison, je suis repassé par le quai et la barque n'était plus là. Donc.

Ce n'était pas un « donc » suivi de points de suspension, mais un « donc » sec, avec un point unique.

Montalbano écarta les bras, désolé et résigné.

Dès que le professseur La Rosa fut sorti, il appela Fazio et lui dit de remettre le marin Gino Rocchi en liberté.

La conclusion était qu'avec sa « minute près », le professeur Guglielmo La Rosa lui avait mis le bordel dans une histoire qui semblait très simple.

Il sentit la mauvaise humeur le gagner. Et il décida que le seul moyen, pour se la faire passer, était d'aller se taper une grande bouffe. Il jeta un coup d'œil à sa montre et s'aperçut qu'elle était arrêtée, il avait oublié de la remonter. Une pinsée soudaine lui traversa l'esprit : et si la montre du professeur marchait mal ?

Il se leva d'un bond de son siège, se précipita à sa

poursuite, le rejoignit comme il n'était encore qu'à quelques pas du commissariat.

— Professeur, excusez-moi, vous me faites voir votre montre ?

— Quelle montre ?

— La vôtre.

— Mais moi, je ne porte jamais de montre. Je les déteste, ces mécanismes qui scandent l'heure de notre mort.

Banal, très banal. D'un coup, le commissaire n'eut plus peur de Guglielmo La Rosa.

— Et alors, comment avez-vous pu savoir que, comme vous m'avez dit tout à l'heure, il était onze heures et demie, à une minute près, quand vous êtes entré dans la pharmacie ?

— Venez avec moi.

Montalbano se mit à ses côtés ; malgré l'âge, le professeur marchait d'un pas vif.

— Regardez vous-même, dit Guglielmo La Rosa en indiquant la boutique de l'horloger Scibetta, juste en face de la pharmacie.

L'enseigne du magasin était une énorme montre, aux chiffres romains, suspendue à une haute barre, à côté de l'entrée. Elle constituait, en un certain sens, l'attraction du pays, en raison de sa précision. Montalbano se persuada que la tentative d'invalider le témoignage du professeur avait échoué, d'autant que l'horloge, éclairée de l'intérieur, restait visible jour et nuit.

— Ben, excusez-moi, commença-t-il à dire mais il s'arrêta en voyant l'expression ébahie de Guglielmo La Rosa.

— Qu'y a-t-il, professeur ?

— Comment ai-je pu commettre une erreur pareille ? se demanda l'enseignant, à voix basse.

Mais Montalbano l'entendit.

— Expliquez-vous mieux, professeur.

Sans mot dire, La Rosa montra l'horloge qui indiquait douze heures trente.

— Eh bè ? interrogea le commissaire, sur le point de perdre toute patience.

— C'est seulement maintenant que je me rends compte que hier soir...

— Continuez, nom de Dieu !

Les bancs d'école s'étaient perdus dans une brume lointaine.

— Hier soir, je n'ai pas regardé directement cette horloge, mais son reflet. Et j'ai été trompé par la position des aiguilles.

Montalbano se retourna brusquement.

L'horloge reflétée dans la vitrine de la pharmacie indiquait onze heures trente. Tout ce qu'avait raconté le professeur devait être déplacé une heure plus tard et l'alibi se transformait en témoignage à charge.

Étant donné qu'il ne pouvait jeter en prison pour tentative de faux témoignage le professeur Guglielmo La Rosa, philosophe majeur, le commissaire Montalbano, outre Gino Rocchi, fit arrêter pour complicité Ilario Burlando, philosophe mineur.

Cinquante paires de chaussures à clous

Les Américains, en 1943, quand ils débarquèrent en Sicile, amenèrent l'usage des bottes à semelles de caoutchouc en dotation dans leur armée et en conséquence, ce fut la fin des durs brodequins à clous qu'utilisaient aussi bien les soldats de notre infanterie que les paysans. Michele Borruso, propriétaire de chèvres à Castro, au plus terrible du débarquement allié, pilla un dépôt militaire italien précipitamment abandonné et emmena chez lui, entre autres choses, cinquante paires de brodequins, de quoi chausser une dynastie entière. Quand il mourut, son fils Gaetano hérita des chèvres, des pâturages et de quarante-huit paires de chaussures à clous. Bien des années après, à Gaetano, on vola une trentaine de chèvres et le vol de bétail parut, cette fois, passer sans mal, dans la mesure où Borruso, non content de ne pas porter plainte, s'abstint aussi, au pays, d'exprimer des projets de vengeance. Et ainsi, les voleurs, persuadés qu'un deuxième vol serait digéré comme le premier, tentèrent de nouveau le coup et firent disparaître cette fois une centaine de bêtes, vu qu'entre-temps les affaires de Borruso avaient prospéré. Quinze jours après le deuxième vol, Casio Alletto, un homme violent que tous au pays connaissaient comme chef d'une bande qui volait sans discrimination n'importe quelle bête à deux ou quatre pattes, fut retrouvé sur le bord du torrent Billotta massacré à coups de poing, de pied, de bâtons et de pierres. À l'agonie, on le transporta au pital de Villalta, où il arriva mort. Que Gaetano Borruso eût laissé sa marque était indiscutable : les traces de chaussures à clous sur le visage de Casio Alletto parlaient clairement.

Deux jours auparavant, le questeur de Villalta avait appris que le commissaire De Rosa, détaché à Castro, avait eu un accident de cheval durant une battue de chasse. Il ne pourrait donc s'occuper de cette affaire. Alors le questeur dépêcha Salvo Montalbano, qui à l'époque avait dépassé de peu la trentaine, pour donner un coup de main au brigadier Billè sur les épaules duquel était retombé le fardeau, en vérité assez léger, d'une enquête qui apparaissait fort simple.

Si l'enquête était légère, on ne pouvait en dire autant de la montée que ce matin-là, Montalbano et Billè étaient en train de se taper pour arriver au parc à chèvres où Borruso s'était fabriqué un logement d'une seule pièce en pierres sèches et où il habitait d'ordinaire. Avec l'argent qu'il avait, il pouvait certes s'offrir une habitation plus confortable, mais la chose n'entrait pas dans les traditions familiales des Borruso qui, non contents d'être des chevriers, tenaient à apparaître comme tels. Après avoir parcouru quatre kilomètres en voiture au départ de Castro, Montalbano et Billè avaient dû la laisser et entamer une épuisante grimpée en file indienne, Billè devant et Montalbano derrière, sur un sentier que les chèvres elles-mêmes auraient déclaré impraticable. Sur ce chemin, le brigadier Billè, qui dissimulait certainement sous l'uniforme une structure physique de faune, sautillait agilement et caprinement, tandis que Montalbano se traînait, la poitrine en soufflet de forge. Le premier quart d'heure d'ascension (parce qu'ensuite il lui était devenu difficile de commander à ses pensées) avait servi à Montalbano pour se tracer une ligne de conduite sommaire dans l'interrogatoire de Borruso, très subtile et tactique, ligne de conduite qui s'était, dès le deuxième quart d'heure, condensée en un dessein fort simple : À la seconde où ce con fait des difficultés, je l'arrête. Quant à trouver dans la cabane de Borruso des godillots à clous tachés de sang, cela ne lui était même pas passé par l'antichambre de la cervelle : à ce type, il restait quarante-sept paires en réserve pour brouiller les cartes.

La matinée était d'une limpidité de vitre frottée de frais. Le bleu du ciel semblait crier à l'univers qu'il était deux fois plus bleu, tandis que les arbres et les plantes, de toute la force qu'ils possédaient, lui opposaient leur vert plus vert. Il fallait garder les paupières *a pampineddra*, « en petites feuilles », c'est-à-dire mi-closes, car les couleurs blessaient violemment, tout comme l'air fin piquait les narines. Après une demi-heure de montée, Montalbano éprouva l'impossibilité de repousser davantage le moment de la pause. Honteux, il le dit au brigadier, qui lui répondit de s'armer encore d'un peu de patience : d'ici peu, ils pourraient se reposer, juste à mi-parcours, dans la maison d'un paysan que Billè connaissait bien.

Quand ils arrivèrent, deux hommes et une femme, assis autour d'une vieille table de bois qui portait un gros tas de grain, étaient occupés à nettoyer le froment de ses impuretés. Ils ne semblèrent pas remarquer l'apparition des deux étrangers. Mais un minot qui avait dans les deux ans courut sur ses jambes incertaines *trìnguli mìnguli*, en vacillant, comme un veau nouveau-né, et arrima solidement ses menottes souillées de confiture au pantalon de Montalbano. La femme, qui était manifestement la mère, se leva d'un bond et courut prendre le petit dans ses bras.

— Ce minot mettrait Jésus en colère ! Il en pense une, il en combine cent !

— Bonjour, brigadier, dit l'un des deux hommes en se levant tandis que l'autre, resté assis, portait deux doigts à la casquette.

— Pardon pour le dérangement, Peppi, dit le brigadier, je suis de passage avec le *dottore* Montalbano. Tu nous le donnerais, un verre d'eau ?

— D'eau ? Dans l'eau, on se noie. Asseyez-vous, que je vous apporte un vin qui va vous faire passer la fatigue, rétorqua Peppi en se dirigeant vers la maison.

La femme, le minot au bras, le suivit.

— Non, excusez-moi, lança Montalbano à haute voix, je voudrais vraiment un peu d'eau. Je bois jamais à jeun, ajouta-t-il comme pour se justifier.

— Si c'est que ça, on peut y remédier.

— Non, merci. Je ne veux que de l'eau.

Ils s'assirent à table. L'homme à la casquette continua son travail.

— Comment ça va, en ce moment, Totò ? lui demanda le brigadier.

— Mieux, répondit sèchement l'homme.

— Vous avez été mal ? s'enquit courtoisement Montalbano tandis qu'il notait que Billè prenait une expression troublée.

— Oui, j'ai été mal, dit Totò et d'un coup, il regarda Montalbano dans les yeux. D'après vous qui êtes un *dottore*, comme on se sent à rester six mois en prison quand on se sait 'nnocent ?

— Notre ami ici présent, essaya d'expliquer Billè, a été envoyé en prison par les carabiniers à cause d'une erreur de personnes. Il s'agissait…

— Voilà l'eau et le vin ! l'interrompit Peppi en repassant le seuil.

Il n'avait pas apporté un verre d'eau, mais un *bùm-mulo* entier. Le récipient de terre cuite suait, signe qu'il avait été bien cuit. Montalbano approcha les lèvres du col et but longuement l'eau d'une fraîcheur parfaite. Pendant ce temps, Billè s'était descendu un premier verre de vin. Quand ils se levèrent pour reprendre le chemin, l'homme à la casquette se dressa, serra la main de Montalbano, recommença à le regarder fixement et dit :

— Essayez de pas refaire le coup avec Tano Borruso.

— Qu'est-ce qu'il voulait dire ? demanda Montalbano quand ils eurent repris la montée vers le parc à chèvres.

Le brigadier s'arrêta, se retourna.

— Il a voulu dire ce que vous avez compris. Il ne croit pas que Tano Borruso ait tué Casio Alletto.

— Et comment il fait à en être sûr ?

— Comme beaucoup de gens du pays.

— Vous aussi, brigadier ?

— Moi aussi, affirma tranquillement Billè.

Montalbano garda le silence pendant encore cinq minutes puis parla de nouveau.

— Je voudrais que vous exposiez plus clairement votre pensée.

De nouveau, le brigadier s'arrêta et se retourna.

— Puis-je vous poser, moi, une question, *dottore* ?

— Certainement.

— Vous voyez, le commissaire De Rosa m'aurait dit d'aller prendre Borruso et de l'amener au commissariat. Vous, au contraire, quand je vous ai demandé si vous vouliez que j'aille le chercher, vous m'avez répondu que vous préfériez venir vous-même, même si c'était, et ça l'est, bien fatigant. Pourquoi ça ?

— Bah, brigadier, peut-être parce qu'il me paraît juste de voir les personnes dont je dois m'occuper dans leur environnement quotidien. Je crois, c'est peut-être une illusion, je crois comprendre mieux comment elles sont faites.

— Voilà, précisément c'est ça, *dottore* : tout le monde, au pays, sait comment est fait Tano Borruso.

— Et comment il est fait ?

— Il est fait qu'il arracherait pas une ortie, alors, tuer un homme…

Il sourit, sans détacher les yeux de Montalbano.

— Vous ne le prendriez pas mal, une chose que vous dirait un homme qui a trente ans de services dans la police et part bientôt à la retraite ?

— Non, allez-y.

— J'aurais beaucoup aimé, quand j'étais jeune, besogner sous vos ordres.

Le logement de Gaetano Borruso consistait en une seule pièce, mais plutôt grande. Derrière, il y avait un parc à chèvres immense, duquel s'élevait un chœur assourdissant de bêlements. Devant la maison s'ouvrait une esplanade de terre battue, sur un côté de laquelle se dressait une vaste pergola. Sous cette dernière, justement, se trouvaient, à l'étonnement de Montalbano, une vingtaine de tabourets rustiques, fabriqués avec des tronçons de branches. Trois sièges étaient occupés par des paysans qui discutaient avec animation. Leurs voix baissèrent quand ils virent apparaître le brigadier et Montalbano. Le plus vieux des trois, qui était assis en face des deux autres, leva la main dans un geste d'excuse, comme pour dire que pour l'instant, il était occupé. Billè hocha la tête et alla prendre deux tabourets qu'il plaça à l'ombre, mais assez loin de la pergola.

Ils s'assirent. Montalbano sortit le paquet de cigarettes, en offrit aussi à Billè qui accepta.

Tandis qu'il fumait, Montalbano ne put se retenir de jeter de temps à autre un coup d'œil aux trois hommes qui continuaient à discuter. Le brigadier intercepta ses regards et, à un certain moment, parla :

— Il est en train d'administrer.

— Ces deux-là besognent pour lui ? Ce sont des employés ?

— Borruso a huit hommes qui surveillent les chèvres, qui font le fromage et d'autres choses. Les chèvres sont pas seulement celles que vous voyez là, il y en a tellement. Mais ces deux-là ne sont pas à ses ordres.

— Mais pourquoi alors, vous avez dit que Borruso est en train d'administrer ? Qu'est-ce qu'il administre ?

— La justice.

Montalbano le considéra d'un air ébahi. Avec la gentillesse qu'on utilise pour les minots et les déficients mentaux, le brigadier expliqua.

— *Dottore*, on sait que Gaetano Borruso est un homme de sagesse et d'expérience, toujours prêt à donner un coup de main, à dire les mots qu'il faut. Et comme ça, les gens, quand ils ont une discussion, un motif de dispute, peu à peu, ils ont pris l'habitude de venir en parler avec lui.

— Et après, ils font ce qu'il a arrêté ?

— Toujours.

— Et s'ils décident d'agir autrement ?

— S'ils ont trouvé une solution plus juste, Borruso y souscrit immédiatement, il est toujours prêt à reconnaître s'être trompé. Mais si au contraire, la dispute dégénère et que des paroles, on en vient aux voies de fait, Borruso ne veut plus les revoir. Et un homme que Borruso ne veut plus voir est un homme avec qui plus personne ne veut avoir à faire. Il vaut mieux qu'il change de région. Et quand je parle de région, je veux pas dire seulement celle de Castro.

— Un splendide exemple de comportement mafieux, ne put s'empêcher de commenter Montalbano.

Le visage faunesque du brigadier se durcit.

— Vous, pardonnez-moi, mais si vous raisonnez comme ça, ça veut dire que vous savez même pas où elle est, la mafia. Qu'est-ce qui lui vient dans sa poche, à Borruso, pour ce qu'il fait ?

— Du pouvoir.

— Vous parlez comme un flic, commença le brigadier après une pause. Il semble bien que Borruso n'ait jamais utilisé son pouvoir que dans une seule direction : éviter les effusions de sang. Vous avez connu le commissaire Mistretta, qui a été tué dans un affrontement armé il y a six ans ?

— Je n'ai pas eu ce plaisir.

— Il vous ressemblait. Ben, lui, après qu'il a eu fréquenté Borruso, qu'il avait rencontré par hasard, vous savez ce qu'il me dit ? Que Borruso était le dernier des rois pasteurs. Et il m'expliqua ce qu'étaient les rois pasteurs.

Montalbano ramena son regard vers la pergola. Les trois hommes étaient maintenant debout, ils buvaient chacun à leur tour dans une fiasque de vin que Borruso avait gardée jusque-là sur le sol près de son tabouret. Il ne s'agissait pas simplement de se désaltérer : la lenteur des mouvements, les regards qu'ils s'échangeaient à chaque fois qu'ils se passaient le récipient, suggéraient une espèce de rite. Chacun but trois fois, puis ils se serrèrent la main. Après avoir salué sans rien dire, avec les yeux, Billè et Montalbano, les deux hommes venus parler avec Borruso s'éloignèrent.

— Approchez, approchez, lança Borruso, en les invitant avec un grand geste à venir sous la pergola.

— Le *dottor* Montalbano et moi, commença Billè, nous sommes là pour l'affaire du meurtre de Casio Alletto.

— Je m'y attendais. Vous voulez m'arrêter ?

— Non, dit Montalbano.

— Vous voulez m'interroger ?

— Non.

— Alors, que voulez-vous ?

— Parler avec vous.

Distinctement, Montalbano perçut un changement chez l'homme qu'il avait devant lui. Si, dans un premier temps, ce dernier avait posé ses questions avec une sorte d'indifférence, à présent, le policier voyait dans les yeux qui l'observaient une attention différente. Et il s'étonna lui-même. Pendant qu'il se tapait la grimpette jusqu'au parc à chèvres, ne s'était-il pas promis d'arrêter Borruso à la première difficulté ? Pourquoi alors accordait-il tant de temps à la rencontre ?

Ils s'assirent. Et Montalbano vit, avec les yeux d'un autre, que le brigadier et lui se trouvaient dans la même position, sur les mêmes tabourets, que les deux paysans venus demander justice à Borruso. Sauf que la perspective devait être renversée : jusqu'à preuve du contraire, c'étaient le brigadier et lui qui représentaient la justice. Et Borruso, sinon l'accusé, au moins le suspect. Mais Gaetano Borruso était assis sur son tabouret avec la simplicité et en même temps l'autorité d'un juge naturel.

— Vous prendrez bien un peu de vin ? demanda-t-il en tendant la fiasque.

Billè accepta et but une gorgée, Montalbano refusa d'un geste courtois.

— Ce n'est pas moi qui ai tué Casio Alletto, déclara tout uniment et calmement Borruso. Si je l'avais fait, je me serais déjà constitué prisonnier.

Chaque mot qu'on prononce vibre d'une manière particulière, les mots qui disent la vérité ont une vibration différente de toutes les autres.

— Pourquoi pensez-vous que c'est moi ?

— Parce qu'on sait que c'est Alletto qui a fait voler vos chèvres, dit Montalbano.

— Moi, je n'ôterais pas la vie, même à quelqu'un qui me volerait toutes les chèvres que je possède.

— Et puis, il y a l'histoire des chaussures à clous. Comme celles que vous portez maintenant.

Gaetano Borruso les regarda comme s'il les voyait pour la première fois.

— Celles-là, je les mets depuis cinq ans, dit-il. Ce sont des chaussures solides, des bonnes chaussures. On dit que celles de nos soldats en Russie, dans la dernière guerre, avaient une semelle de carton. Celles-là, elles ont la semelle de cuir, c'est sûr. Dans les années qui lui sont restées, après les avoir prises dans le dépôt, mon père a réussi à en user une seule paire. Il l'avait aux pieds quand il est mort à la campagne, pendant qu'il besognait la terre. Moi, quand je l'ai habillé, je lui en ai mis une paire neuve. Il m'en resta quarante-huit.

— Et au jour d'aujourd'hui, combien en avez-vous ?

Gaetano Borruso ferma à demi ses yeux très clairs.

— C'est la deuxième paire que j'utilise, depuis un an. Il en est donc resté quarante-six, mais cinq paires, je les ai données à des pirsonnes qui en avaient besoin, les pôvres.

Il saisit quelque chose dans l'expression de Montalbano.

— Ne vous faites pas une fausse opinion, *dottore*. Les personnes auxquelles je les ai données ont bon pied bon œil et n'ont rien à voir avec l'affaire du meurtre. En cas de besoin, vous pourrez toujours contrôler. Je ne rejette pas la faute sur quelqu'un d'autre.

— Donc, il vous en reste quarante et une paires.

— Il devrait, mais j'en ai compté quarante.

— Il en manque une paire ?

— Oh que si, monsieur. Quand j'ai su cette histoire, que sur le visage de Casio, il y avait des marques de clous, je suis allé voir parce qu'il m'était venu une pinsée.

— À savoir ?

— À savoir qu'on m'aurait volé des chaussures et qu'on les aurait utilisées pour faire croire que c'était moi. Venez avec moi.

Ils se levèrent, entrèrent dans la pièce unique. La couche avec la table de chevet à gauche, une table avec quatre chaises au centre, la cuisine et un grand buffet contre le mur en face de la porte d'entrée. Dans le mur de droite s'ouvraient deux petites portes, de l'une on entrevoyait le cabinet. Borruso ouvrit l'autre en tournant la poignée et alluma la lumière. Ils se retrouvèrent dans une vaste pièce transformée en dispense et débarras.

— Les chaussures sont là, annonça Borruso en montrant un rayonnage rustique.

Montalbano réussissait tant bien que mal à contenir sa nausée. À l'instant où ils étaient entrés, une puanteur violente de ranci lui avait tordu l'estomac.

Les chaussures étaient alignées sur quatre niveaux du rayonnage, chaque paire enveloppée dans des feuilles de journaux. Borruso en prit une, écarta le papier, la fit voir à Montalbano. Et ce dernier comprit alors d'où venait la mauvaise odeur qui le rendait malade : sur chaque chaussure, il y avait un doigt de gras.

Je l'ai mis il y a quinze jours, dit Borruso, comme ça elles se conservent comme neuves.

Le brigadier commença à compter et Montalbano en profita pour chercher à comprendre les dates des feuilles de journal. Elles étaient toutes anciennes ; une vingtaine de numéros étaient entassés sur le côté vide d'une des étagères.

— Je me les suis fait donner par le tabac de Castro, expliqua Borruso, comprenant ce que Montalbano pensait.

— … et quarante, conclut le brigadier. Je les ai comptées deux fois, pas d'erreur.

— Sortons, dit Montalbano.

L'air frais lui fit aussitôt passer la nausée, il inspira profondément, éternua.

— À vos souhaits.

Ils s'assirent de nouveau sous la pergola.

— Selon vous, ce voleur, comment il aurait fait à entrer chez vous pendant que vous y étiez pas ?

— Par la porte, répondit Borruso avec une très légère trace d'ironie et il ajouta : Je laisse tout ouvert. Je ne ferme jamais à clé.

La première chose que fit Montalbano à son retour à Villalta, ce fut de courir chez le médecin légiste, un petit vieux courtois.

— Docteur, il faut m'excuser, mais j'ai besoin d'une information qui concerne le cadavre de Casio Alletto.

— Je n'ai pas encore rendu mon rapport, dites-moi.

— Sur le visage, en plus des marques de clous, il y avait des traces de gras ?

— Des traces ? rétorqua le docteur, il y en avait un demi-quintal !

Le lendemain matin, Montalbano arriva en retard à Castro, il avait crevé et lui, il était incapable non seulement de changer un pneu, mais même de savoir où se trouvait le cric. Il entra au commissariat et devant lui surgit le brigadier Billè, souriant.

— Je crois vraiment que Borruso n'a rien à voir dans l'histoire. Ça s'est passé comme il l'a dit, on lui a volé les chaussures pour le faire soupçonner lui, lui qui, des raisons de s'en prendre à Casio Alletto, il en avait. Il faut recommencer du début.

Billè continuait à sourire.

— Ben, qu'est-ce que vous avez ?

— J'ai qu'il y a pas un quart d'heure que j'ai arrêté l'assassin. Il a avoué. Je voulais vous en avertir, j'ai téléphoné à la questure, mais on m'a dit que vous arriviez.

— Qui est-ce ?

— Cocò Sampietro, un de la bande de Casio, un à moitié débile.

— Comment avez-vous fait ?

— Ce matin, à sept heures, au marché, est arrivé quelqu'un qui venait d'ailleurs pour vendre des fèves. Il montait une mule. Je lui ai vu les chaussures et j'en ai eu un coup de sang. Mais je n'ai pas fait de bruit, je l'ai pris à part et je lui ai demandé où il les avait achetées. Il m'a dit, tranquillement, que le soir précédent, un certain Cocò Sampietro les lui avait vendues. Alors, on s'est mis en position et dès que Sampietro est sorti de chez lui, on lui a passé les menottes. Il s'est mis tout de suite à table. Il a dit que toute la bande s'était rebellée contre Casio parce qu'il ne respectait pas ses engagements.

— Mais si c'est un demi-débile, comme vous dites, peut-être qu'il n'était pas capable de penser à faire retomber la faute sur Borruso.

— Ça n'est pas lui. Il nous a dit que le plan, c'est Stefano Botta, le bras droit de Casio, qui l'a mis au point.

— Compliments.

— Merci, *dottore*. Voulez-vous venir avec nous ? Il reste encore cinq personnes à arrêter.

Montalbano n'hésita qu'un instant.

— Non, dit-il, allez-y, vous. Moi, je vais trouver le roi pasteur. Il sera content d'apprendre que l'affaire est finie.

Le rat assassiné

Dix heures du matin d'une belle journée de début mai. Le commissaire Montalbano, ayant découvert qu'il n'avait rien de particulier à faire au bureau et vu que son adjoint Mimì Augello, touché par la grâce divine, avait paru sérieusement décidé à besogner, le commissaire, donc, décida qu'une longue promenade jusqu'au phare était ce qu'il pouvait faire de mieux. Il passa à son habituelle boutique de graines et semences, s'acheta un gros sachet de cacahuètes, de pépins de courge et de pois chiches grillés et se dirigea vers le môle du levant.

Peu avant d'arriver à son rocher préféré, juste sous le phare, il fut contraint de s'écarter brusquement de son chemin : sans s'en rendre compte, il allait mettre le pied sur un gros rat mort. Par rapport à ces bêtes, Montalbano était absolument féminin : elles lui répugnaient et le troublaient, mais il réussissait à ne pas le montrer. Au bout de trois pas, il s'arrêta.

Quelque chose, dont il ne savait expliquer ni le pourquoi ni le comment, l'avait subtilement inquiété. En cela consistait son privilège et sa malédiction de flicné : cueillir, à fleur de peau, à vue de nez, l'anomalie, le détail peut-être imperceptible qui ne s'accordait pas à l'ensemble, la faille minuscule par rapport à l'ordre habituel et prévisible. Il manquait trois pas jusqu'au rocher à la pointe du môle, il les franchit, s'assit. Il ouvrit le sac de plastique avec les graines, mais sa main resta à l'intérieur, immobilisée. Impossible de faire mine de rien. Dans le monde que son regard couvrait, quelque chose détonnait, hors norme.

— C'est comme ça, Seigneur ! murmura-t-il, acceptant sa condamnation. Observons.

À quelques pas de là une haussière tenait amarré à la bitte du quai, par la poupe, un gros bateau de pêche de haute mer. Il s'appelait *Saint Pierre Pêcheur*, port d'attache Mazara del Vallo. Le bateau restait parfaitement immobile, il ne bougeait pas sur la mer d'huile. À bord, il ne devait pas y avoir âme qui vive. Plus loin à droite, en direction du bourg, il y avait un pêcheur à la ligne, un habitué que le commissaire connaissait depuis toujours et qui le saluait chaque fois.

Et voilà. Rien d'autre. Mais pourquoi alors, aigu, ce sentiment de malaise ? Puis son regard tomba sur le rat mort qu'un instant avant il avait failli écraser sous son pied et la vibration interne qu'il ressentait augmenta de fréquence. Se pouvait-il que la cause de son malaise fût un rat mort ? Combien on en voyait, morts et vivants, de jour et de nuit, à l'intérieur de l'enceinte du port ? Qu'est-ce qu'il avait ce rat, de particulier ? Il posa le sachet de graines sur la roche, se leva, s'approcha du rat, s'accroupit pour mieux le regarder. Non, sa sensation était juste, il y avait quelque chose d'étrange. Il regarda autour de lui, vit un bout de cordage, le ramassa et s'en servit pour déplacer la carcasse, en surmontant, non sans mal, son dégoût. Comment est-ce qu'on tue un rat, généralement ? Avec du poison, à coups de bâton ou de pierre. Celui-là était intact, sauf qu'on lui avait ouvert le ventre avec une lame très effilée avant de lui retirer entièrement tous les viscères. On eût dit un poisson nettoyé. Et l'opération n'avait pas dû être faite très longtemps auparavant, le sang était encore rouge, en partie non coagulé. Qui donc a envie de tuer un rat en l'étripant ? Il éprouva un frisson le long du dos, une très légère secousse électrique. En se maudissant, il alla sur le rocher, vida le sachet de plastique transparent dans la poche de sa veste, y mit à l'intérieur le rat en s'aidant du bout de cordage. Puis il entoura le sac dans le journal qu'il avait acheté, pour qu'au pays, on dise pas que le commissaire avait perdu la tête et se promenait avec un rat mort. Mais quand, à travers le journal et le plastique, il sentit le corps mou de l'animal, il eut envie de vomir. Et vomit.

— Qu'est-ce que vous voulez, bon sang ? Ça fait quinze jours qu'on m'a pas apporté de mort à vous ! s'exclama le Dr Pasquano, médecin légiste, tandis qu'il le faisait asseoir dans son bureau.

Quand on savait le prendre, Pasquano était bien brave, mais il avait un caractère impossible.

Montalbano se sentait trempé de sueur, le plus difficile venait maintenant. Il ne savait par où commencer.

— J'aurais besoin d'un service.

— Et comment donc ! Allez, dites-moi, que j'ai pas beaucoup de temps.

— Voilà, docteur, mais avant, vous devez me promettre de ne pas vous mettre en colère, autrement je ne vous dis rien.

— Et comment je fais ? Vous voulez un miracle ! Moi, je suis en colère du matin au soir ! Et avec une prémisse pareille, moi, déjà, je me mets deux fois plus en colère !

— Puisque c'est ça…

Et Montalbano fit mine de se lever de sa chaise. Il était sincère, venir voir Pasquano avait été une connerie de première, il était en train de s'en persuader.

— Eh non, trop facile ! Maintenant que vous êtes là, vous devez tout me raconter, lui intima le docteur, agacé.

Sans mot dire, le commissaire tira un paquet qui déformait la poche de sa veste et le posa sur le bureau. Pasquano s'en approcha, l'ouvrit, regarda, devint écarlate. Montalbano s'attendait à une explosion mais le médecin se contrôla, se leva, s'approcha, lui posa une main paternelle sur l'épaule.

— J'ai un collègue qui est très bien. Et puis, discret, une tombe. Si vous voulez, on va le voir ensemble.

— Un vétérinaire ? demanda le commissaire en se méprenant.

— Mais non, mais qu'est-ce que vous allez chercher ! se récria Pasquano toujours plus convaincu que Montalbano avait perdu la tête. Un psychiatre. Il s'occupe de choses de ce genre, stress, épuisement nerveux…

Alors le commissaire comprit et aussitôt se mit en fureur.

— Mais vous me prenez pour un dingue ? cria-t-il.

— Mais non, mais non, assura le docteur, conciliant.

L'attitude de Pasquano exaspéra le commissaire qui donna un grand coup de poing sur le bureau.

— Calmez-vous, tout va s'arranger, dit le docteur sur un ton serviable.

Montalbano se rendit compte que si ça continuait comme ça, il allait sortir de là en camisole de force. Il s'assit, se passa un mouchoir sur le front.

— Je ne suis pas du tout épuisé nerveusement, je perds pas la boule. Je vous demande de m'excuser, c'est ma faute si vous vous êtes mépris. Faisons comme ça, moi, je vous raconte pourquoi je vous ai amené ce rat et ensuite, vous décidez s'il faut ou non appeler les infirmiers.

Le téléphone sonna au beau milieu du film d'espionnage avec Michael Caine auquel le commissaire s'efforçait désespérément de comprendre quelque chose. Montalbano fixa instinctivement sa montre avant de soulever le combiné, il était onze heures du soir.

— Pasquano à l'appareil. Vous êtes seul chez vous ?

Il avait une voix de conspirateur.

— Oui.

— J'ai fait cette chose.

— Qu'est-ce que vous avez découvert ?

— Ben, c'est très étrange. Ils l'ont gazé.

— Je n'ai pas compris, excusez-moi.

— Pour le tuer, on a dû utiliser un gaz ou quelque chose de ce genre. Après, on lui a fait une laparatomie.

Montalbano en resta comme deux ronds de flan.

— Ça me semble un système compliqué pour éliminer un…

— Taisez-vous !

— Qu'est-ce qui vous prend ? Pourquoi est-ce que vous avez si peur de dire que vous avez fait l'autopsie d'un…

— Et vous en remettez une louche ! Vous le savez, oui ou non, que par les temps qui courent, nos téléphones peuvent être sur écoute ?

— Et pourquoi ?

Qu'est-ce que j'en sais, merde ! Allez le leur demander, à eux !

— Mais à eux, qui ?

— À eux, à eux !

Peut-être que le stressé, dans l'affaire, celui qui avait besoin de l'ami psychiatre, c'était le Dr Pasquano.

— Écoutez, docteur, essayez de raisonner. Même s'ils nous interceptent et qu'ils entendent que nous sommes en train de parler d'un…

— Mais vous voulez ma peau ! Vous le comprenez pas que si nous nous mettons à parler ouvertement d'un… de ce que vous savez, vous, eux ils y croient pas et ils pensent qu'on communique en code ? Va leur expliquer, après !

Le commissaire comprit qu'il valait mieux changer de sujet.

— Une information, docteur. Un corps tombé à la mer, il lui faut combien de temps pour se remettre à flotter ?

— Disons quarante-huit heures. Mais soyons clairs, commissaire : si vous, vous m'en apportez un autre, moi, je vous fous tous les deux par la fenêtre !

Il ne parvint pas à trouver le sommeil.

À six heures du matin, lavé et habillé, il téléphona à son adjoint Mimì Augello :

— Mimì ? Montalbano, je suis.

— Qu'est-ce qui fut ? Qu'est-ce qui se passa ? Mais putain, quelle heure il est ?

— Mimì, ne pose pas de questions. Si tu m'en poses encore une, quand j'arrive au commissariat, je te pète les dents. Compris ?

— Oui.

— Toi, quelquefois, tu vas pêcher ?

— Oui.

— Tu aurais une poche à me prêter ?

Silence total. La ligne n'avait pas été coupée, puisqu'il entendait distinctement la respiration d'Augello.

— Pourquoi tu réponds pas, con ?

— Parce que je devrais te poser une question.

— C'est bon, vas-y. Mais une seule.

— J'ai pas compris ce que tu entends par poche. Une poche à glace ?

— Une poche, une épuisette, ce que vous utilisez, vous, les pêcheurs.

— Ah ! Mais moi, je n'en ai pas, je m'en sers pas. Ou plutôt, j'en ai une.

— Tu l'as ou tu l'as pas ?

— Oui, mais c'est un machin de minots, c'est mon neveu qui l'a lâché quand il est venu se baigner.

— Ça n'a pas d'importance, prête-le-moi.

Il était atterré à l'idée que quelqu'un du pays pouvait le voir avec l'épuisette posée à terre et des jumelles de théâtre à la main, occupé à scruter, juste à la pointe du môle, non pas l'horizon, mais les rochers au-dessous de lui. Heureusement, il n'y avait personne en vue, le *Saint Pierre Pêcheur* avait largué les amarres. Peu après, il comprit que quelque chose ne tournait pas rond, qui rendrait inutile sa recherche. Il voulut le vérifier, prit un billet de train qui lui était resté en poche depuis qui sait combien de temps et le jeta à l'eau. Dans un mouvement lent mais décidé, le papier commença à se diriger à l'opposé des rochers, vers l'embouchure du port. Le courant était contraire, à cette heure, il avait déjà emporté tout ce qui pourrait avoir émergé depuis l'aube. Pouvait-il rentrer avec l'épuisette de minot à la main ? Il décida de la cacher au milieu des écueils, il dirait ensuite à Mimì Augello de revenir se la chercher. Il descendit avec précaution entre les roches, au risque de glisser sur le mucilage verdâtre et de dégringoler dans l'eau. Tandis qu'il se trouvait ainsi baissé pour repérer le meilleur recoin, il aperçut une autre carcasse de rat, encastrée entre deux saillies rocheuses. En se servant de l'épuisette, il réussit à la récupérer au bout d'une bonne demi-heure de besogne et de jurons. Il l'examina attentivement : à celui-là aussi, on avait fait une laparatomie. Il rejeta l'animal à la mer, il n'avait pas envie de le porter à Pasquano et de subir encore un autre savon.

Au lieu de rentrer au bureau, il était encore trop tôt, il s'assit et se mit à raisonner. À quatre-vingt-dix-neuf virgule quatre-vingt-dix-neuf pour cent, le deuxième rat aussi était mort gazé. Pourquoi utiliser le gaz ? se demanda-t-il. La réponse lui vint presque tout de suite : parce qu'il y avait la certitude que le gaz fonctionnerait mieux ; en se servant d'un bâton ou d'une pierre, on courait le risque que quelques bêtes réussissent à s'échapper, peut-être blessées. Et pour cette même raison, on ne pouvait utiliser de mort-aux-rats, l'animal, avec le poison dans le corps, tend à se cacher, à aller mourir loin. Celui qui les tuait avait besoin que les rats restent tous à l'endroit où ils étaient morts. Et pourquoi ? Là aussi, la réponse s'imposait d'elle-même : pour pouvoir leur ouvrir le ventre et en tirer ce qu'on leur avait fait manger. Mais comment faisaient-ils à convaincre les rats de se réunir tous au même endroit ? Est-ce qu'ils avaient engagé le joueur de flûte de Hamelin, celui qui, au son de son instrument, se faisait suivre par les rats ?

Ce fut à ce point de son raisonnement qu'il vit le pêcheur à la ligne rejoindre sa place habituelle et se préparer pour la pêche. Il se leva, s'approcha de lui.

— Bonjour, commissaire.

— Bonjour, monsieur Abate.

C'était un concierge d'école à la retraite qui le regardait maintenant avec curiosité, parce qu'ils n'étaient jamais allés au-delà d'un simple bonjour-bonsoir.

— J'aurais quelque chose à vous demander.

— À votre disposition.

— Hier, vous avez sans doute remarqué, amarré, un bateau de pêche de Mazara.

— Le *Saint Pierre Pêcheur*, oui.

— Il vient souvent à Vigàta ?

— Disons deux fois par mois. Vous me permettez une remarque ?

— Mais bien sûr.

— On m'avait dit que vous étiez un bon flic. Maintenant, vous m'en donnez la preuve.

— Pourquoi me dites-vous cela ?

— Parce que vous avez déjà découvert ce que font les hommes de ce bateau de pêche.

Montalbano éprouva deux sentiments contradictoires : le contentement d'avoir deviné qu'il y avait quelque chose de pas clair, la déception pour la facilité de la solution.

Mais il ne posa aucune question, il arbora un petit sourire malin et eut un geste comme pour dire qu'il devait encore naître, celui qui serait capable de le baiser.

— Ces cornards du bateau, expliqua Abate, ils arnaquent leurs collègues de la coopérative. Normalement, ils sont obligés de débarquer leur pêche à Mazara pour la mettre avec celle des autres membres de la coopérative. Il y en a qui ont pêché plus, d'autres moins, mais peu importe, tout va au même tas. Je me suis fait comprendre ?

— Très bien.

— Ceux-là, au contraire, au lieu d'aller à Mazara, ils s'arrêtent à Vigàta et se vendent la moitié de la pêche à des gens d'ici qui viennent avec le camion frigorifique. Et comme ça, ils ont double bénéfice : ici, le poisson, on le leur paie plus cher, à Mazara, le peu de pêche qu'ils déclarent avoir fait est compensé par la pêche de leurs collègues. Des gros, gros salopards, ce sont.

Le commissaire en convint.

— C'est un jeu ancien, dit-il, il s'appelle baise-collègues.

Ils rirent.

Huit jours plus tard, alors qu'il faisait encore nuit, le *Saint Pierre Pêcheur* s'amarra au môle de Vigàta. À l'attendre, il y avait un camion frigorifique anonyme, sans nom de société sur les côtés. On le remplit à ras bord de cageots de poissons et il repartit. Moins d'une demi-heure plus tard, le bateau de pêche appareilla et sortit du port. Sur la route de Caltanissetta, le camion fut arrêté par une patrouille de la garde des Finances pour ce qui, au début, parut un contrôle très normal.

Au volant, d'après le permis, il apparut que se trouvait un certain Filippo Ribèca, repris de justice, mais muni de papiers en règle. En règle aussi était le bulletin du chargement.

— Alors, je peux y aller ? demanda avec un sourire Filippo Ribèca, en dégageant le frein à main.

— Non, dit le chef de patrouille, range-toi sur le côté et attends.

En jurant, Ribèca obéit, tandis que les fonctionnaires opéraient un autre contrôle sur un camion qui transportait des légumes. Ce second contrôle fut long et minutieux, au point que Ribèca descendit de la cabine et s'alluma une cigarette. Visiblement, il était nerveux.

Dès qu'il vit arrêter un autre camion, chargé celui-là de briques, il n'y tint plus. Il s'approcha du chef de la patrouille.

— Mais enfin, je peux m'en aller, oui ou non ?

— Non.

— Et pourquoi ?

— Parce que ça me chante, dit le chef de patrouille, qui suivait à la lettre les instructions que le lieutenant lui avait données.

Ribèca tomba dans le piège.

— Mais va te faire enculer ! explosa-t-il.

Et comme c'était un homme violent, il se jeta sur le fonctionnaire en lui flanquant un coup de poing dans la poitrine. Il fut immédiatement arrêté pour outrage et résistance.

À la fouille en caserne, on lui trouva dans une poche du pantalon une sacoche de velours. Et à l'intérieur, des diamants pour des centaines de millions. Le lieutenant de la garde des Finances s'empressa de téléphoner à Montalbano.

— Mes compliments, commissaire. Vous aviez vu juste. Un original système de recyclage. Maintenant, nous allons à Mazara, choper ceux du *Saint Pierre*. Vous voulez venir avec nous ?

La combine était simple et géniale. Le *Saint Pierre Pêcheur* appareillait de Mazara muni d'une cage avec à

316

l'intérieur une vingtaine de rats affamés. Au large, la cage était approchée de l'ouverture d'un conteneur de zinc divisé en deux compartiments et là, dans le premier, ils restaient libres de se bouffer entre eux. Puis le bateau de pêche était rejoint, au large de la Libye, par une vedette de haute mer et la personne qui en était chargée remettait au commandant du *Saint Pierre* la sacoche de velours avec les diamants à l'intérieur. À ce point, chaque diamant était enfoncé à l'intérieur d'une boule de fromage rance. Les boulettes étaient jetées, par une ouverture du toit, dans le deuxième compartiment du conteneur. Ensuite, on soulevait la paroi de métal qui séparait les deux compartiments. Affamés, les rats avalaient tout. Après avoir mangé (assez peu, là résidait le secret), ils étaient remis en liberté. Ils restaient à faire tout ce qu'ils voulaient pendant les deux jours que le bateau passait à pêcher : un contrôle de routine des Finances n'aurait rien découvert d'anormal. Avant de se diriger vers Vigàta, on remplissait de fromage le deuxième compartiment et les rats s'empiffraient tout en mourant gazés par le moyen d'une bouteille de méthane reliée au conteneur. En vue du port, les rats, à présent morts, étaient éventrés, les diamants récupérés et remis à qui devait les porter ailleurs.

La vraie conclusion de toute l'histoire fut que Montalbano ne réussit plus à manger de fromage pendant au moins un mois : chaque fois qu'il se portait un morceau à la bouche, les rats lui revenaient en tête et son estomac se fermait.

Un coin de paradis

— Quel coin de paradis ! s'exclama Livia en descendant de la barque et en aidant Salvo à la pousser au sec sur le sable.

Ayant achevé les opérations de transbordement du sac à vêtements et de la glacière remplie de sandwiches et de bouteilles de bière, le commissaire Montalbano se laissa tomber comme mort sur le sable en se demandant ce qui lui avait pris de se laisser entraîner dans cette entreprise. Parce qu'il s'agissait d'une véritable entreprise. Six jours auparavant, cet imbécile de Mimì Augello, alors qu'il se trouvait à dîner au restaurant avec eux deux, s'était mis à vanter sa découverte : la minuscule plage, trois kilomètres après le phare du cap Russello, solitaire, ignorée de tous, accessible seulement par la mer. Il en parla avec un tel enthousiasme que Livia fut sous le charme : Mimì décrivait l'endroit comme une espèce d'île de Robinson sans même l'ombre d'un Vendredi, et de ce moment Montalbano n'eut plus de répit.

— Quand est-ce que tu m'emmènes à la petite plage ? était devenu la ritournelle de Livia qu'elle entonnait en moyenne neuf fois par jour.

À quarante-huit heures du retour de Livia à Boccadasse, faubourg de Gênes, après deux semaines de vacances

aoûtiennes à Vigàta, Montalbano s'était décidé à la satisfaire, en envoyant silencieusement et intérieurement des
injures et des souhaits de malheur à cette très grande tête
de con de Mimì qui l'avait fourré dans ce guêpier. À sept
heures du matin, ils étaient allés en voiture de Vigàta à
Monterreale-front de mer, là ils avaient loué une barque
à rames auprès d'un pêcheur qui devait avoir du sang
arabe : il dit un chiffre et aussitôt Livia contre-attaqua,
retrouvant dans sa plénitude sa nature de Génoise près de
ses sous. Les yeux du pêcheur se mirent à briller : il avait
deviné en elle une digne rivale. Le duel dura longtemps,
la victoire basculant tantôt dans un camp, tantôt dans
l'autre : à la fin, l'accord fut scellé par l'absorption de café
dans un bar où ils étaient absolument incapables de comprendre la différence entre caféine et extrait de chicorée.
La mauvaise humeur de Montalbano connut une accélé-
ration semblable à celle du vaisseau porteur d'un engin
spatial. Il l'exprima en ramant pendant trois heures tandis
que Livia, en bikini, prenait le soleil en chantonnant, les
yeux fermés. Malgré la fatigue de ramer, le commissaire
n'aurait jamais voulu arriver : il était atterré, littéralement,
par la perspective de devoir se sustenter avec des sandwiches ; quand il avait fait ça, c'était dans des situations
de nécessité extrême. Il ne concevait pas l'idée même du
pique-nique (que certaines fois, il appelait, sans se rendre
compte de son erreur, punniquic), la seule fois où il avait
dû y participer pour ne pas contrarier une fiancée de
jeunesse, il s'était fait une telle bouffe de pain, fromage
et fourmis qu'il en conservait encore le goût à la bouche.

— Quel coin de para…

Le sommeil qui submergea Livia sans crier gare
l'empêcha de terminer sa phrase : elle resta affalée sur le
ventre, les bras écartés, espèce de crucifixion vue de derrière. Ainsi faisait-elle quand elle se sentait pleinement
satisfaite ; certaines fois, au lit, Montalbano continuait
à parler une demi-heure avant de se rendre compte que

Livia voyageait dans *The Country Sleep*, suivant le titre d'une poésie de Dylan Thomas qui leur plaisait à tous deux.

Il s'alluma une cigarette et regarda autour de lui. Une trentaine de mètres de sable doré, si fin qu'on eût dit du talc, sur une largeur d'environ une vingtaine de mètres, l'ensemble dissimulé par une barrière d'écueils qui semblait compacte mais présentait en fait un tortueux canal d'accès, que ne pouvaient emprunter que des petites barques par temps de calme plat absolu. La plagette était entièrement entourée de parois rocheuses presque à pic, où l'on ne dénicherait pas un fil d'herbe, même à prix d'or. À main gauche, presque collés aux parois, quelques buissons épineux cuisaient au soleil ; à main droite, la mer léchait un gros tas de vieux filets de pêche, abandonnés parce qu'à présent inutilisables. Coin de paradis ou pas, l'endroit avait sa beauté, Montalbano avait l'impression que Silvia et lui étaient les seuls habitants de la Terre, si profond était le silence. Le soleil brûlait, le commissaire se leva lentement pour ne pas déranger sa compagne, avança jusqu'au bord de l'eau. Juste sur la ligne de brisement des vagues, il vit la surface sableuse parsemée de minuscules monticules. Il s'étonna. Se pouvait-il qu'il y eût des crabes cachés ? Il n'en voyait plus depuis sa petite enfance. Il se pencha et glissa deux doigts dans le sable juste à côté d'un petit tas. En faisant levier, il souleva un peu de sable et découvrit un crabe minuscule qui se mit aussitôt à courir sur le côté, pour se creuser une autre tanière.

L'eau n'était pas aussi chaude qu'il l'avait craint, un jeu de courants la rendait d'une fraîcheur tonifiante. Il nagea longtemps, lentement, savourant brasse après brasse jusqu'à la ceinture d'écueils et se hissa sur l'un deux avec difficulté, le mucilage vert qui le recouvrait le rendait glissant. La roche laissait un espace pour s'étendre. Il le fit, et resta un moment ainsi, à lézarder, le bruit de la mer qui s'ébrouait au milieu des écueils empêchait plaisamment les pensées d'accéder à son cerveau. Il était seulement furieux de devoir donner raison à Mimì Augello quand, au retour de Vigàta, il lui demanderait si l'endroit lui avait plu. Ou plutôt, non : Mimì le demanderait à Livia, pour laquelle il avait un faible, partagé. Et Livia gazouillerait :

— Un coin de paradis !

Et lui se mettrait doublement en colère : d'abord, pour l'inévitable attaque de jalousie à voir ces deux-là se sourire ; ensuite parce que les lieux communs l'ennuyaient et Livia souvent et volontiers en faisait un large usage. Il se souvenait qu'une fois, quand il était jeune, durant un séjour à Turin, il avait vu un gros panneau accroché à l'entrée d'un gros et vaste immeuble : N'ABUSEZ PAS DES LIEUX COMMUNS ! Il s'était précipité dans la loge, avait exprimé au concierge sa solidarité et sa communauté de pensée. Celui-ci, perplexe, lui avait répondu que le panneau, il avait été obligé de le mettre parce que les locataires abandonnaient dans « les lieux communs », tels que porche et escalier, des poussettes, des bicyclettes, des motocylettes qui finissaient par interdire le passage. Grande avait été sa déception, alors.

Il ouvrit les yeux et, regardant la position du soleil, comprit qu'il avait dû s'endormir une petite demi-heure. Il se releva à demi : de l'endroit où il était, la plagette, il la voyait entièrement. Livia dormait, toujours dans la même position. Mais en détournant à peine les yeux, il éprouva une véritable secousse électrique. Même en calculant le changement de perspective, il ne faisait aucun doute que le tas de vieux filets, qui d'abord se trouvait à une quinzaine de mètres de Livia, s'était visiblement déplacé, s'approchant davantage du centre de la plage. Ce ne pouvait être la mer. Et alors, quoi ? Il n'eut aucun doute : sous les filets devait se tenir quelqu'un, peut-être arrivé à la nage, qui voulait se dissimuler aux yeux du commissaire pour voler, ou pire, pour Livia. Certainement, aux yeux de Robinson Crusoé, quand il vit imprimé dans le sable l'empreinte du pied de Vendredi, le paysage qui l'entourait dut changer. Pour Montalbano aussi, il changea, mais en pire. Il se jeta aussitôt à l'eau, nageant avec une énergie désespérée vers la plagette puis, une fois sur la rive, et bien que le souffle lui manquât, il se mit à courir. Le tas de vieux filets, dans son mystérieux mouvement, avait diminué, au-dessous on voyait se dessiner distinctement une forme humaine. De laquelle venait une plainte très faible. Agenouillé sur le sable, le commissaire dégagea avec difficulté ce corps inerte des filets. C'était une petite jeune fille d'une quinzaine d'années, la teinte foncée de sa peau était naturelle, et non pas provoquée par l'exposition au soleil. Elle ne réussissait pas à tenir debout. Des hématomes et des blessures tourmentaient sa chair, son visage était couvert de sang coagulé. Et elle puait, terriblement : quand le commissaire réussit à la faire lever, des excréments glissèrent le long de son corps, tombèrent sur le sable. Surmontant son dégoût, Montalbano la chargea dans ses bras, elle était petite, fragile, il la porta au bord de l'eau, l'étendit, la nettoya soigneusement. Puis, en la soutenant, il la fit entrer dans l'eau et se rincer. Mais un filet de sang continuait à couler entre ses jambes. Il la fit monter dans la barque, courut prendre un grand tissu, une serviette et un caftan que Livia endossait parfois après le bain. Il l'invita, plus par des gestes que par des mots, étant donné que la fille ne parlait qu'un italien sommaire, à endosser le caftan, à se mettre le tissu mouillé sur la tête et la serviette entre les jambes. Il poussa la barque à la mer et se mit à ramer vers une plage, beaucoup plus grande, qu'il savait se trouver près de celle où il avait laissé Livia endormie. Durant le trajet, la jeune fille, un peu remise, raconta au commissaire qu'elle était capverdienne, qu'elle s'appelait Libania, avait seize ans, était au service de la famille Burruano, de Fiacca, de braves gens qui la traitaient bien. Ce matin-là, comme c'était son jour de liberté, elle s'était levée tôt, avait pris le bateau pour aller prendre un bain, était descendue à Seccagrande où ils étaient maintenant en train de revenir. Là, au bout d'un moment, deux jeunes gens qui s'étaient présentés comme Suisses l'avaient abordée, ils paraissaient vraiment deux braves garçons, venus en camping-car. Ils lui avaient offert une glace, puis lui avaient proposé d'aller prendre un bain au large. Elle avait répondu qu'elle ne savait pas nager, mais accepté quand même parce qu'il lui plaisait de se promener en barque. Ils en avaient loué une et étaient partis. Puis les deux garçons avaient vu la barrière d'écueils qui cachait la plage où Montalbano l'avait trouvée, ils avaient découvert le passage, y étaient entrés en expliquant par gestes qu'ils allaient pouvoir prendre un bain. À peine débarqués, l'attitude des deux garçons avait d'un coup changé : soulevée à bout de bras, tandis qu'elle criait inutilement, ils l'avaient emportée derrière les buissons, lui avaient arraché son maillot et l'avaient violée tour à tour, deux fois chacun. À un certain moment, elle avait tenté une fuite parfaitement vaine, ils l'avaient rejointe à la hauteur du tas de filets, l'avaient frappée de toutes leurs forces et puis, tandis qu'elle était à terre, avaient fait leurs besoins sur elle. La dernière chose qu'elle avait perçue, c'étaient les filets avec lesquels ils la recouvraient : elle avait entendu leurs rires tandis qu'ils s'éloignaient. Montalbano ne dit rien, la fureur aveugle qu'il ressentait en lui, par chance, il pouvait la faire passer en ramant.

Quand déjà ils étaient près de la plage, où l'on voyait distinctement les personnes, Libania étouffa un cri, montra une certaine direction :

— Mon Dieu ! Les voilà !

Le commissaire lui fit baisser le bras, il ne voulait pas que ces deux-là, sachant ce qui pesait sur eux, deviennent soupçonneux. Un camping-car était arrêté sur la route provinciale qui longeait la plage ; les deux jeunes, grands et blonds, prenaient le soleil, les yeux cachés derrière des lunettes noires. Bien qu'il fût certain qu'ils ne pourraient reconnaître Libania avec le peignoir de Livia et son visage à demi recouvert du tissu, le commissaire la fit s'étendre au fond de la barque. La jeune fille s'exécuta, en geignant : chaque mouvement lui était douloureux.

Une grande roulotte aménagée vendait des boissons et des glaces. Montalbano s'en approcha, commanda une bière glacée. Le marchand lui sourit en le servant.

— Comment ça se fait que vous voilà par ici ?

— Vous me connaissez ?

— Bien sûr. Moi, de Vigàta, je suis. Vous, le commissaire Montalbano, vous êtes.

Montalbano poussa un soupir de soulagement, à lui seul, il n'aurait pas réussi à arrêter les deux jeunes Suisses, athlétiques comme ils l'étaient.

— Je dois vous demander un service, dit-il en lui faisant signe de sortir de derrière son comptoir.

— À votre service.

L'homme confia la boutique à sa femme, qui lavait les verres, et s'éloigna de quelques pas à côté du commissaire.

— Vous les voyez, ces deux jeunes blonds qui prennent le soleil ?

— Oh que oui. Ils sont arrivés avec ce camping-car. Ce matin, ils sont venus s'acheter une glace. Ils étaient avec une petite du Cap-Vert, c'est ce que je les ai entendus dire.

— Ces deux braves garçons l'ont d'abord violée et ensuite ont essayé de la tuer.

L'homme sursauta, il se serait certainement jeté sur les deux jeunes si Montalbano ne l'avait pas retenu.

— Du calme. Il ne faut pas les laisser s'échapper. Vous savez si, sur la plage, il y a quelqu'un avec un téléphone mobile ?

— Autant qu'on veut.

À cet instant précisément, un monsieur, posant sur

le comptoir un téléphone portable, commanda un cône crème-chocolat.

— Permettez, dit Montalbano en s'en emparant.

— Mais, merde ?…

Le marchand de boissons intervint promptement.

— Monsieur est commissaire. Il a une urgence.

L'autre changea aussitôt de ton.

— Mais bien sûr ! Allez-y, sans problème.

Montalbano appela Fazio au commissariat, lui expliqua où il se trouvait, lui ordonna d'arriver d'ici un quart d'heure maximum, le chauffeur Gallo était autorisé à se croire à Indianapolis, il ajouta qu'il voulait aussi une ambulance.

Puis, avec le boutiquier, il mit au point un plan pour que les choses se fassent à coup sûr et avec discrétion. Le marchand coupa une corde solide en quatre morceaux, il en donna deux au commissaire, en garda deux pour lui. Puis il alla se faire remettre deux rames par le loueur de barques. Chacun avec une rame sur l'épaule, indolents, ils s'approchèrent des Suisses. Arrivé à la hauteur des pieds de l'un d'eux, Montalbano se retourna vivement et lui flanqua, de taille, un grand coup entre les jambes. En parfaite synchronie, le boutiquier fit de même. En moins de deux, qu'ils eurent même pas le temps de reprendre leur souffle pour se plaindre, les deux garçons se retrouvèrent à plat ventre sur le sable, mains et pieds liés. Et le plus beau est que personne parmi les baigneurs ne s'était rendu compte de rien.

— Restez là, dit le commissaire au marchand qui regardait autour de lui, un pied posé sur le Suisse qu'il avait capturé, comme un chasseur de lions photographié avec la bête abattue.

Montalbano se procura un verre en carton et une bouteille d'eau minérale, courut à la barque. La petite Libania tremblait, son front était bouillant, une forte fièvre lui était venue, elle gémissait. Le commissaire lui donna un verre d'eau, mais Libania s'empara directement de la bouteille, elle mourait de soif.

— D'ici peu l'ambulance va arriver et t'emmener à l'hôpital.

Libania lui prit une main et la baisa.

Pour rentrer, il lui fallut plus de temps qu'à l'aller, il se sentait les bras en compote. À l'approche de la plagette, au-delà des écueils, il croisa Livia qui nageait.

— Mais où étais-tu passé ?

— Je me promenais, répondit sombrement Montalbano.

Livia monta avec agileté dans la barque.

— Mon Dieu ! Quelle paix ! Quelle tranquillité ! Mimì aurait dû nous en parler avant, de cet endroit !

Ils tirèrent la barque au sec ; Livia, à l'évidence, ne s'était pas aperçue de la disparition de la serviette, du caftan et du tissu. Elle prit en chantonnant la glacière, l'ouvrit. Le punniquic ! Montalbano ferma les yeux pour ne pas en voir l'horreur.

— C'est prêt.

Et les voilà : la nappe à carreaux, les verres de plastique, les cannettes de bière, les serviettes de papier, les quatre petits pains déjà remplis.

Montalbano s'assit avec lassitude, il fallait boire l'amer calice jusqu'à la lie. Et à ce moment, Dieu, grand et miséricordieux, pris de pitié, décida d'intervenir. Violent, sans le moindre préavis, né orphelin de pourquoi et de comment, arriva un coup de vent, un seul, qui fit voltiger la nappe et les victuailles dans un tourbillon de sable. En roulant, les deux moitiés des sandwiches s'ouvrirent, laissant tomber leur contenu ; omelette, fromage, jambon se couvrirent d'une fine couche de sable. Trois petits pains allèrent carrément finir au bord de l'eau, et s'y baignèrent.

— Il va falloir qu'on rentre, dit Livia, désespérée.

— Oh, mon Dieu, comme je suis désolé ! s'exclama Montalbano.

Jour de l'An

Noël, Montalbano le passa à Boccadasse avec Livia; le 27 au matin, ils allèrent tous deux à l'aéroport Colombo, le commissaire pour rentrer à Vigàta et Livia, elle, pour passer le Jour de l'An à Vienne avec quelques collègues de bureau. Malgré l'insistance de sa compagne pour qu'il participe lui aussi au voyage, Montalbano avait résisté : à part le fait que, avec les amis de Livia, il se serait senti dépaysé, la vérité était qu'il ne supportait pas les rituels des fêtes. Une nuit du Jour de l'An passée dans le salon d'un hôtel avec des dizaines et des dizaines d'inconnus, à feindre la gaieté durant le réveillon et le bal, lui flanquerait à coup sûr la fièvre. Laquelle, toutefois, le prit tout aussi bien. Il se la sentit monter durant le parcours de l'aéroport de Punta Ràisi à Vigàta. Arrivé chez lui, à Marinella, il se mit le thermomètre : à peine 37,5 °C, pas de quoi s'inquiéter. Il alla au commissariat pour savoir s'il y avait du neuf, il était resté éloigné une semaine. Le 31 au matin, quand il se présenta au bureau, Fazio le dévisagea longuement.

— *Dottore*, qu'est-ce que vous avez ?

— Pourquoi, qu'est-ce que j'ai ?

— Vous avez le visage rouge et les yeux brillants. Vous, la fièvre, vous avez.

Il résista une demi-heure. Puis, il n'en put plus, il ne comprenait pas ce qu'on lui disait, quand il se mettait debout, la tête lui tournait. Chez lui, il trouva Adelina, la bonne.

— Ne me prépare rien. J'ai pas de pétit.

— Très sainte Marie ! Et pourquoi ? demanda la femme, alarmée.

— J'ai un peu de fièvre.

— Je vous fais une petite soupe légère ?

Il se mit le thermomètre : 40. Pas moyen d'y échapper : Adelina lui ordonna d'aller tout de suite se coucher et Montalbano dut obéir. La bonne était habituée à se faire obéir de ses deux fils qui étaient d'authentiques délinquants ; le cadet, qui se trouvait en taule, c'était le commissaire lui-même qui l'y avait fourré. Elle le borda, brancha le téléphone à la prise près du lit, énonça le diagnostic :

— Ça, l'influenza qui court en ce moment, c'est. La moitié du pays l'a.

Elle sortit, revint avec une aspirine et un verre d'eau, souleva la tête de Montalbano, lui fit avaler le cachet, ferma les volets.

— Qu'est-ce que tu fais ? J'ai pas sommeil.

— Et en fait, vosseigneurie doit dormir. Moi je suis par là, à la cuisine. Si vous avez besoin, appelez.

À cinq heures de l'après-midi se présenta Mimì Augello avec un médecin, lequel ne put que confirmer le diagnostic d'Adelina et prescrire un antibiotique. Mimì alla l'acheter à la pharmacie et une fois revenu, il ne se décidait pas à quitter son ami et supérieur.

— Passer une nuit de fin d'année comme ça, seul et malade !

— Mimì, ça, c'est le vrai bonheur, dit franciscainement le commissaire.

Quand enfin, on le laissa en paix, il se leva, passa un vieux pantalon et un tricot, s'installa sur le fauteuil et se mit à regarder la télévision. Devant laquelle il s'endormit. Il fut réveillé à neuf heures du soir par un coup de fil de Fazio qui demandait des nouvelles. Il réchauffa le potage léger d'Adelina et le mangea de mauvais gré, il sentait rien. Il rousina une heure, traînant en pantoufles, tantôt feuilletant un livre, tantôt le changeant de place. À onze heures du soir, entre deux journaux, Nicolò Zito, très très désolé : le commissaire aurait dû fêter l'an neuf chez lui. À minuit pile, tandis que les cloches sonnaient et qu'explosaient les pétards, Montalbano prit la deuxième pilule d'antibiotique (« Une toutes les six heures, faites attention », avait dit le médecin) et la jeta aux chiottes, comme il avait fait de la première. À une heure du matin, le téléphone sonna.

— Tous mes vœux, mon amour, lança Livia depuis Vienne. Je n'ai réussi à avoir la communication que maintenant.

— Moi, je viens juste de rentrer, mentit Montalbano.

— Et où as-tu été ?

— Chez Nicolò. Amuse-toi bien, mon amour. Je t'embrasse.

Il s'endormit au matin, pendant des heures il s'était tourné et retourné dans le lit, énervé et suant. À sept heures, le téléphone sonna.

— Allô, *dottori* ? C'est vous pirsonallement ?

— Oui, Cataré, moi je suis. Qu'est-ce que tu veux, putain, à cette heure ?

— En premier endroit, je vous présentasse mes vœux. Beaucoup de bonne heure et de bien-à-être, *dottori*. En seconde, je voulais vous dire qu'il y a un mort de passage.

— Et toi, laisse-le passer.

Il fut tenté de raccrocher, puis le sens du devoir l'emporta.

— Qu'est-ce que ça veut dire, de passage ?

— Ça veut dire qu'ils l'ont trouvé à l'hôtel Reginella,

celui qui est après Marinella, près de chez là où vous êtes chez vous.

— Bon, mais pourquoi tu as dit que c'était un mort de passage ?

— *Dottori*, à moi vous venez à le demander ? Un qui est à l'hôtel, cirtainement, un voyageur de passage c'est.

— Catarè, tu le sais que j'ai la fièvre ?

— Oh que si, *dottori*, je vous ademande pirdon. C'est l'effort de l'habitude qui me fit tiléphoner à vous. Maintenant, j'appelle le *dottori* Augello.

À partir de dix heures, commencèrent les coups de fil de bonne année, l'un après l'autre. Au milieu de la matinée arriva Adelina, qu'il n'attendait pas.

— Je veux bien que c'est la fête, mais je pouvais pas vous laisser seul, je suis venue vous donner un coup de main.

Elle refit le lit, lava la salle de bains.

— Maintenant, je prépare à vosseigneurie un potage moins léger que celui d'à hier.

Vers une heure, Mimì Augello frappa à la porte.

— Comment tu vas ? Les pilules, tu les as prises ?

— Bien sûr. Et ça me fait du bien. Ce matin, j'ai 39.

Naturellement, les pilules de six heures et celles de douze avaient connu le même sort que les deux premières.

— Dis-moi, Mimì, c'était quoi l'histoire du voyageur ?

— Quel voyageur ?

— Celui qui se trouvait à l'hôtel d'à côté. Catarella m'a téléphoné ce matin.

— Ah, celui-là !

Montalbano fixa son adjoint dans les yeux : comme acteur, Augello était nul.

— Mimì, je te connais comme ma poche. Toi, tu veux à profiter.

— Et de quoi ?

— Du fait que je suis malade. Tu veux me tenir à

l'écart de l'enquête. Allez, je veux que tu me racontes tout, dans le moindre détail. Comment il est mort ?

— On lui a tiré dessus. Mais c'était pas un voyageur. C'était le mari de Mme Liotta, la propriétaire de l'hôtel.

Rosina Liotta était une plaisante trentenaire, aux yeux fripons, que le commissaire connaissait de vue, mais de ce mari, il ne savait rien, il s'était même convaincu que c'était une jeunesse célibataire ou veuve. Mimì Augello lui expliqua ce qu'il en était. À seize ans, la Catanaise Rosina faisait la femme de chambre à l'hôtel Italia, où avait l'habitude de descendre le commandeur Ignazio Catalisano quand, pour ses affaires, il devait se rendre de Vigàta à Catane. Catalisano était un loup solitaire, il n'avait jamais voulu se marier et n'avait qu'un frère qu'il ne fréquentait pas. L'appétissante Rosina, qui pour l'occasion se montrait blanche et pure comme un agneau pascal, attendrit le cœur et le reste du loup qui, à cette époque, avait largement dépassé la soixantaine. En conclusion, après trois années de voyages toujours plus fréquents à Catane, le commandeur mourut d'un infarctus dans le lit de sa chambre de l'hôtel Italia, hors duquel avait bondi une Rosina terrorisée. Un certain temps après la mort de Catalisano, Rosina reçut une convocation d'un notaire de Vigàta. C'était une petite éveillée, elle mit en relation la mort de son amant avec l'appel du notaire, elle se fit congédier de l'hôtel et, sans rien dire ni à ses parents, ni à ses frères, qui, du reste se foutaient royalement d'elle, elle vint à Vigàta. Là, elle apprit que le commandeur, pour éviter des disputes et d'éventuelles contestations du testament, laissait tout à son frère, hormis la villa de Marinella et cent millions de lires en liquide qui lui revenaient en remerciement. Elle rentra à Catane, où elle résidait, et alla habiter dans une modeste pension. Les sous de l'héritage, sur le conseil du notaire, furent versés dans une banque catanaise. La première fois que Rosina s'y rendit pour se faire remettre le carnet de chèques, elle fit la connaissance du caissier Saverio Provenzano, de dix ans plus âgé qu'elle. Il n'y eut pas de coup de foudre, le caissier lui donna d'abord quelques bons conseils sur la manière d'investir l'argent et Rosina lui en fut reconnaissante, à sa manière. Quand la petite eut vingt-cinq ans, elle voulut que le caissier l'épouse. Trois ans plus tard, Provenzano quitta la banque. Avec l'argent de ses indemnités et celui de Rosina, ils décidèrent tous deux de transformer la villa à trois étages près de Marinella en un hôtel petit mais élégant : le Reginella, justement. Les affaires allèrent tout de suite bien.

Un an n'était pas passé depuis l'inauguration de l'hôtel, que Provenzano reçut d'un de ses ex-clients une offre de travail plutôt alléchante. Il s'agissait d'aller vivre à Moscou comme représentant d'une société d'import-export. Rosina ne voulait pas que son mari accepte, et il y eut même d'âpres discussions. Son mari l'emporta. Depuis trois ans qu'il besognait à Moscou, Provenzano était revenu une dizaine de fois à Vigàta et n'avait pas manqué une nuit du Nouvel An. Cette fois, il était arrivé en retard, le 31 au matin, à cause d'une grève des contrôleurs aériens.

À ce point du récit, Mimì Augello s'interrompit.

— Je te vois pâle et fatigué. Le reste, je te le raconterai plus tard.

Et il fit mine de se lever. Montalbano l'agrippa par un bras, l'obligea à se rasseoir.

— Toi, d'ici, tu sors pas.

— L'hôtel avait été loué tout entier par le *dottor* Panseca qui, depuis toujours, passe la dernière nuit de l'année avec ses amis au Reginella. Mais Mme Rosina avait gardé une chambre libre pour son mari, elle l'avait mis, provisoirement, au 22 qui…

— Arrête-toi là, dit le commissaire. Mme Rosina, où est-ce qu'elle dort, d'habitude ?

— Elle a une chambre dans l'hôtel.

— Et le mari ne dormait pas avec elle ?

— À ce qu'il semble, non.

— Qu'est-ce que ça veut dire, « à ce qu'il semble » ?

— Écoute, Salvo, moi, avec Mme Rosina, je n'ai pas pu échanger même une demi-parole. Quand je suis arrivé, elle était en pleine crise hystérique. Puis le médecin est venu et il lui a donné un puissant sédatif. Plus tard, j'y retourne et je l'interroge.

— Et toutes ces choses, comment tu les as apprises ?

— Par le personnel. Et surtout par le réceptionniste, qu'elle connaissait depuis l'époque où elle était femme de chambre à Catane et qu'elle a amené avec elle.

— Continue. Pourquoi tu as dit que l'installation du mari au 22 était provisoire ?

— Ça non plus, je peux pas te l'expliquer. Le fait est qu'à minuit et demi, l'ingénieur Cocchiara et sa femme, invités du *dottor* Panseca, libérèrent la chambre 28, qui leur avait servi pour se changer de vêtements, et s'en allèrent parce qu'ils étaient pris avec d'autres amis. Aussitôt, Mme Rosina envoya une employée nettoyer la chambre, qui se trouvait du côté opposé au 22, et y transférer les bagages. Vers les deux heures du matin, Provenzano, invoquant la fatigue du voyage, salua Panseca et les autres amis et monta dans sa chambre. Sa femme resta en bas, alla se coucher après quatre heures, quand tout fut terminé. Ce matin, à six heures et demie, un invité de Panseca, qui occupait la chambre 20, se fit porter un café parce qu'il devait partir. La femme de chambre, en passant, remarqua que la porte de la 22 était entrouverte. Prise d'un soupçon…

— Stop, Mimì. Tu te trompes ! Tu confonds la 22 avec la 28 !

— Sûrement pas ! Provenzano a été retrouvé tué d'un coup de feu dans la chambre 22, où il n'aurait pas dû se trouver. Pense que ses bagages étaient tous au 28 !

335

Peut-être qu'il s'est trompé, il était fatigué, il aura oublié le changement de chambre…

— Comment on lui a tiré dessus ?

— À la carabine. On l'a touché en plein front. Tu vois, devant l'hôtel, on est en train de construire, sans permis comme de juste, un grand immeuble. On lui a tiré dessus de là. Et personne n'a entendu la détonation, les invités de Panseca faisaient trop de bordel.

— Selon Pasquano, à quelle heure remonte la mort ?

— Tu le sais comment il est, notre médecin légiste. Celui-là, quand il n'est pas sûr à cent pour cent, il parle pas. En tout cas, étant donné que la fenêtre était grande ouverte et qu'il fait froid, il dit qu'il peut avoir été tué vers deux heures du matin. Selon moi, on lui a tiré dessus dès qu'il a allumé la lumière, il n'a même pas eu le temps de fermer la porte.

— Comment il était habillé ?

— Le mort ?

— Non, le Dr Pasquano.

— Salvo, qu'est-ce que t'es 'ntipathique quand tu t'y mets ! Il était en chemise et pantalon, la veste…

Il s'interrompit, regarda humblement Montalbano.

— Il peut pas s'être trompé de chambre, si la veste, nous l'avons retrouvée au 28 !

— Et les bagages, au 28, comment ils étaient ?

— Il avait tout rangé dans l'armoire.

— Les lumières de la salle de bains étaient allumées ?

— Oui.

Montalbano réfléchit là-dessus quelques secondes.

— Mimì, dit-il ensuite, la première chose que tu fais, dès que t'es de retour à Reginella, c'est que tu appelles la femme de chambre, tu remets tout ce qui appartenait à Provenzano au 22 et puis tu le fais reporter complètement au 28.

— Et pourquoi ?

— Comme ça, pour leur faire passer le temps, répliqua

le commissaire, désagréable. Et puis, tu me fais un rapport par téléphone. Les chambres 22 et 28 sont scellées, non ?

Non content de les avoir mises sous scellés, Mimì les avait fait garder par Gallo et Galluzzo.

Dès qu'Augello fut sorti de chez lui, Montalbano se prit deux aspirines, se descendit un bol de vin presque bouillant dans lequel il avait versé aussi un verre de whisky, tira de l'*armuàr* deux lourdes couvertures de laine, les mit sur le lit, se coucha en se couvrant jusque par-dessus la tête. Il avait décidé de se faire passer la fièvre en quelques heures, il ne supportait pas l'idée que Mimì Augello mène l'enquête en pirsonne, il lui semblait subir une injustice.

Quand la sonnerie du téléphone le réveilla, il se découvrit baignant tout entier dans une soupe de sueur, il lui sembla se trouver sous des draps imbibés d'eau chaude. Prudemment, il sortit un bras, répondit.

— Salvo ? J'ai fait faire à la chambrière comme tu avais dit, toi. Donc, dans la 22, Provenzano n'avait ouvert qu'une valise. Il s'est changé de vêtements. Mais avant, il était allé dans la salle de bains, s'était lavé, fait la barbe. Quand la femme de chambre a porté la valise à la 28, elle a pris aussi les choses que Provenzano avait laissées sur la tablette du lavabo et qui lui avaient servi pour se laver. Et là, il y a quelque chose qui paraît bizarre à la chambrière.

— Et c'est quoi ?

— Elle dit que sur la tablette, il y avait aussi un petit paquet enveloppé dans du papier et fermé avec du scotch. Elle est certaine de l'avoir apporté dans la chambre 28 et de l'avoir mis à nouveau sur la tablette du lavabo.

— Et qu'est-ce qu'il y a qui ne va pas ?

337

— Ben, tu vois, ce petit paquet, on le trouve pas. Dans la 28, il n'y est pas. Ni sur la tablette du lavabo, où la chambrière jure ses grands dieux qu'elle l'a mis, ni en aucun autre endroit. J'ai fait fouiller trois fois la 28.

— Tu as parlé avec Mme Rosina ?

— Oui, et je me suis fait expliquer le pourquoi du changement de chambre. Provenzano avait une ouïe tellement sensible que c'en était une véritable maladie. Ils dormaient séparés parce qu'il suffisait que la dame respire un peu plus fort pour que Provenzano se réveille et puisse plus se rendormir. Dans la 22, qui a la fenêtre sur la façade principale, Provenzano aurait été certainement dérangé sans arrêt par les voix de ceux qui, toute la nuit, seraient rentrés et sortis de l'hôtel, par le bruit des autos qui arrivaient et partaient. La 28, elle, était beaucoup plus tranquille, puisqu'elle donnait sur l'arrière.

— Toi, tu restes encore là ?

— Oui.

— Fais-moi plaisir, Mimì, j'attends ta réponse au téléphone. Demande à l'hôtel si Provenzano, dans l'après-midi d'hier, est venu à Vigàta.

Tandis qu'il attendait la réponse, il se mit le thermomètre. 36,7 °C. Il avait réussi. Il rejeta les couvertures, posa les pieds à terre et le monde tourbillonna autour de lui.

— Allô, Salvo ? Oui, vers cinq heures de l'après-midi, il s'est fait donner la voiture par sa femme, mais il n'a pas dit où il allait. Elle dit qu'il est revenu moins de deux heures plus tard. Comment tu te sens, Salvo ?

— Très, très mal, Mimì. Tiens-moi au courant, hein, j'y tiens.

— N'en doute pas. Soigne-toi.

Il se leva doucement. Première mesure : se descendre un demi-verre de whisky sec. Deuxième mesure : jeter à la poubelle la boîte d'antibiotiques. Il la prit à la main et se figea, sentant dans sa tête que les engrenages de sa coucourde tournaient à très haute vitesse.

— Fazio ? Montalbano, je suis.

— Commissaire, comment va ? Besoin de quelque chose ?

— D'ici cinq minutes, je veux savoir quelles étaient les pharmacies de garde hier. Si aujourd'hui, c'est leur tour d'être fermées, je veux les numéros personnels des pharmaciens.

Il gagna la salle de bains, il puait la sueur, il se lava soigneusement, se sentant tout de suite mieux.

— Fazio à l'appareil, *dottore*. Les pharmacies de garde hier sont au nombre de deux, Dimora et Sucato. Dimora est ouvert aujourd'hui aussi, Sucato est fermé mais j'ai le numéro du pharmacien.

Il téléphona d'abord à Dimora et mit tout de suite dans le mille.

— Bien sûr que je connaissais le pôvre Provenzano, commissaire ! À hier, il a acheté une boîte de boules Quies et une autre de somnifères très puissants qu'on ne peut vendre que sur ordonnance.

— Et qui lui avait fait l'ordonnance ?

Le pharmacien Dimora hésita à répondre et quand il le fit, ce fut en commençant d'un peu loin.

— Écoutez, commissaire, le pôvre Provenzano et moi, on était devenus très amis, à l'époque où il habitait à Vigàta. Il se passait pas un jour sans que…

— Compris, coupa Montalbano, il n'avait pas d'ordonnance.

— J'aurai des ennuis ?

— Sincèrement, j'en sais rien.

La grande porte du Reginella était à demi ouverte, sur le battant de gauche était apposé un grand ruban noir avec l'inscription « Fermé pour cause de décès ». Le commissaire, en entrant, ne rencontra pas âme qui vive, il se dirigea vers un petit salon d'où s'échappait le bruit d'une conversation. Quand il le vit, Mimì Augello, qui parlait avec un quadragénaire grand et distingué, en resta comme deux ronds de flan :

— Bon Dieu ! Qu'est-ce que tu fais ? T'es devenu fou ? Malade comme tu es !

Montalbano ne répondit pas un mot, mais renvoya à son adjoint un coup d'œil qui disait bien ce qu'il voulait dire.

— Ce monsieur est Gaspare, le réceptionniste de l'hôtel.

Montalbano le considéra. Il avait imaginé, va savoir pourquoi, un vieil homme un peu décati.

— On m'a dit que vous connaissez Mme Rosina Provenzano depuis longtemps.

— Depuis une éternité, dit Arnone avec un sourire étalant une denture d'acteur américain. Elle avait seize ans et moi vingt-six. Nous travaillions dans le même hôtel à Catane. Puis madame a fait fortune et a eu la bonté de m'appeler.

— Je veux te parler, annonça Montalbano à Mimì.

Le réceptionniste s'inclina et sortit.

— Tu es jaune comme un mort, assura Augello. Tu crois que ça vaut le coup ? Fais gaffe, que tu peux t'attraper quelque chose de grave.

— Parlons de choses réellement graves, Mimì. J'ai eu la confirmation d'une pinsée qui m'est venue. Tu le sais ce qu'il y avait dans le petit paquet qu'on ne trouve pas ? Des boules Quies et un somnifère.

— Comment tu l'as su ?

— C'est mes oignons. Et ça, ça ne signifie qu'une chose : Provenzano arrive à la 28, défait les valises, puis va à la salle de bains et voit que le paquet n'est pas là. Il ne peut pas s'en passer, s'il ne met pas les boules et ne prend pas le somnifère, avec tout le bordel qu'il y a à l'hôtel, ça signifie perdre une nuit de sommeil. Il se persuade que la femme de chambre a oublié le paquet à la 22. Il y va, allume la lumière et n'a pas le temps de faire ouf qu'on lui tire dessus.

— La fenêtre était grande ouverte, ajouta Mimì. C'est la chambrière qui l'avait laissée comme ça pour changer l'air.

— Je te pose une question, poursuivit Montalbano. Où as-tu trouvé la clé de la 22 ?

— À terre, près du mort.

— Mme Rosina a une idée sur la raison pour laquelle on a tué son mari ?

— Oui. Elle dit même que la dernière fois qu'elle est revenue à Vigàta, il lui avait avoué qu'il était inquiet.

— De quoi ?

— À Moscou, on l'avait menacé. Il paraît, toujours selon madame, qu'il avait dérangé la mafia russe.

— Mais quelle connerie ! Si la mafia russe voulait le tuer, quel besoin avait-elle de venir le faire ici ? Non, Mimì, c'était quelqu'un qui savait que Provenzano devait changer de chambre pour lui préparer le guet-apens. La femme de chambre a certainement porté le paquet au 28, mais là, quelqu'un l'a fait disparaître pour obliger Provenzano à aller dans la 22. Puis ce quelqu'un n'a plus eu la possibilité et le temps de remettre le paquet à sa place. Et c'est justement l'absence du paquet qui nous dit qu'il a servi d'appât. Toi qui es connaisseur, comment est Mme Rosina ?

— Potable, dit Mimì Augello ; malgré le deuil, elle met en vitrine de la belle marchandise. Tu penses qu'elle est mêlée à ça ?

— Bof ! répondit le commissaire. Le mari, au fond, il ne la dérangeait guère, il venait à Vigàta deux ou trois fois par an et pour quelques jours : un mari aussi commode, on le tue pas.

— Tu transpires. Rentre chez toi, n'exagère pas,

Salvo. Je pouvais te raconter tout moi-même, en venant te voir. La fatigue que tu t'es prise était inutile.

— C'est toi qui le dis. Provenzano avait des papiers avec lui ?

— Oui, un sac.

— Tu les as regardés ?

— Je n'ai pas eu le temps.

— Va les prendre. Et rends-moi service, demande au réceptionniste si je peux avoir un whisky sec.

Montalbano, à cause de sa faiblesse, avait l'impression d'en avoir déjà trop bu, des verres de whisky. Mais il ne se sentait pas la tête brouillée, bien au contraire.

L'élégant réceptionniste se présenta avec un verre vide et une bouteille neuve qu'il ouvrit.

— Servez-vous comme vous le souhaitez. Vous désirez autre chose ?

— Oui, une information. Hier soir, vous étiez de service ?

— Certainement. L'hôtel était plein et puis, il y avait les invités du Dr Panseca venus pour le dîner.

— Dites-moi exactement comment a été opéré le déplacement des affaires de Provenzano de la 22 à la 28.

— Pas de problème, commissaire. Entre minuit et demi et une heure, l'ingénieur Cocchiara et sa femme ont quitté la 28. Ils m'ont laissé la clé, que j'ai remise à sa place. J'ai prévenu la femme de chambre qu'il fallait qu'elle fasse la chambre et transporte les bagages du patron de la 22 au 28.

— Vous lui avez donné les clés ?

Le réceptionniste exhiba un sourire de trois cents dents qui parut un lustre de Murano allumé d'un coup.

— Les chambrières ont un passe-partout. Une demi-heure après, Pina, la femme de chambre, m'a dit que tout était prêt. Je suis allé au salon et j'ai averti le patron que, quand il voulait, il pouvait se retirer. Il était fatigué du voyage. Je lui ai aussi apporté la clé du 28.

— Et ce fut aussi vous qui lui avez remis la clé de la 22 ?

Un instant, Gaspare Arnone se troubla.

— Je ne comprends pas.

— Mon ami, qu'y a-t-il à comprendre ? Provenzano a été trouvé mort dans la 22, avec les clés à ses côtés. Vous, il y a une minute, vous m'avez dit que quand l'ingénieur Cocchiara est parti, il a remis les clés à leur place. Donc ma demande est plus que logique.

— À moi, il ne les a pas demandées, répondit le réceptionniste après une pause.

— Mais vous n'avez pas dit que vous avez été de service toute la nuit ?

— Oui, mais cela ne signifie pas que je suis resté tout le temps planté derrière le comptoir. Les clients ont beaucoup d'exigences, n'est-ce pas ? Il peut donc arriver qu'on soit contraint de s'absenter ne fût-ce que cinq minutes.

— Je comprends. Mais alors, la clé de la 22, qui la lui a donnée ?

— Personne. Il se l'est prise seul. Il savait où elle était : à la vue de tous. Et puis, il était le patron.

Entra Mimì Augello avec un sac plein de papiers. Le réceptionniste se retira. Montalbano se remplit un autre verre de whisky. Ils se répartirent les papiers en deux petits tas, en prirent un par tête, commencèrent à lire. Rien que des lettres commerciales, des factures, des rapports. À Montalbano, le sommeil venait quand Mimì Augello lui dit :

— Regarde-moi ça.

Et il lui tendit une lettre. Elle était de la Italian Export-Import, adressée, à Moscou, à Saverio Provenzano et signée par le *dottor* Arturo Guidotti, directeur général de l'entreprise. Dans cette dernière, était exposé comme et comment, vu l'insistance réitérée et les solides raisons apportées, l'entreprise se résignait à accepter la démission du collaborateur Saverio Provenzano, démission qui serait effective au 15 février de l'année à venir.

Montalbano se sentit heureux et s'envoya un troisième verre.

— Allons parler à Mme Rosina.

Il vacilla en se relevant, Mimì le soutint.

Le réceptionniste, au téléphone, était en train d'expliquer à son interlocuteur que l'hôtel ne pouvait accepter de clients.

Montalbano attendit qu'il ait posé le téléphone et lui sourit.

Gaspare Arnone lui rendit son sourire. Le commissaire ne parla pas. Gaspare Arnone n'ouvrit pas non plus la bouche. Ils se regardaient et se souriaient. La situation parut embarrassante à Mimì Augello.

— On y va ? demanda-t-il à Montalbano.

Le commissaire ne lui répondit pas.

— Vous avez été appelé par Mme Rosina au Reginella après que Provenzano est parti pour la Russie, n'est-ce pas ?

— Oui. Elle avait besoin d'une personne de confiance.

— Merci, dit Montalbano.

Son début d'ivresse le rendait poli et cérémonieux.

— Autre chose, par curiosité. Dans les chambres, il n'y a pas de sonnette pour appeler les chambrières, n'est-ce pas ?

— Non. Les clients doivent appeler ici, à la réception, s'ils ont besoin de quelque chose.

— Merci, dit encore Montalbano en se lançant même dans une demi-révérence.

L'appartement de la propriétaire du Reginella était situé au deuxième étage. À la fin de la première volée de marches, les jambes du commissaire se dérobèrent. Il s'assit sur l'un des degrés et Augello se mit à côté de lui.

— Je peux savoir ce qui te passe par la tête ?

— Je te le dis. Que Mme Rosina et le réceptionniste se sont mis d'accord pour tuer Provenzano.

— Mais quelles preuves tu as ?

— Je n'en ai pas. Tu vas les trouver, toi. Moi, je te dis comment ça s'est passé. Il y a quatorze ans, à l'hôtel de Catane où ils besognaient ensemble, Rosina et Gaspare se retrouvaient de temps en temps au lit ensemble. Elle a un vieil amant et, évidemment, quelquefois, il lui prend le désir de se rafraîchir. Bien. Quand le mari de Rosina va en Russie, la femme s'en souvient, de son ami de Catane, et l'appelle à son service. L'histoire, entre eux deux, recommence. Mais change d'intensité et devient amour, passion, ce que tu veux. La situation est de tout repos, le mari est toujours loin. Mais arrive un fait nouveau. Provenzano écrit ou téléphone à sa femme qu'il en a assez de rester à Moscou. Il a donné sa démission. Il va venir à Vigàta pour le Jour de l'An, retourner à Moscou pour passer la main et puis il reviendra définitivement fin février. Les deux amants perdent la tête et décident de le tuer. Le plan est suspendu à un fil de toile d'araignée, mais s'il fonctionne, il est parfait. Avant d'aller avertir Provenzano que la 28 est prête, le réceptionniste monte dans la chambre et emporte le paquet avec le somnifère. Que Provenzano est allé à la pharmacie, le réceptionniste l'aura su par sa maîtresse, qui nous ment quand elle dit ignorer la raison pour laquelle le mari voulait sa voiture. À ce point, Provenzano, prêt à aller se coucher, découvre que le paquet n'est pas là. Il téléphone à la réception mais personne ne lui répond parce que le réceptionniste s'est posté dans la maison en construction et attend qu'il se place dans sa mire. Provenzano, comme il ne peut pas non plus appeler une chambrière, décide de tout faire de lui-même. Il descend à la réception, prend la clé de la 22, remonte, ouvre la porte de la chambre pour récupérer le paquet, allume la lumière et le réceptionniste le descend.

Mais il a commis une erreur : il aurait dû, à tout prix, remettre le paquet dans la 28. On y va ?

Les quinze marches qui menaient au deuxième étage, le commissaire les fit en zigzaguant de gauche à droite et vice versa. Mimì le tenait sous l'aisselle. Ils s'arrêtèrent devant une porte, Augello frappa discrètement.

— Qui est-ce ?

— Augello, madame.

— Entrez, c'est ouvert.

Mimì céda le pas à son supérieur. Montalbano ouvrit la porte et resta sur le seuil, la main droite sur la poignée.

— Bonsoir, tout le monde, lança-t-il, joyeux.

La veuve le regardait, ébahie. Tout le monde ? Dans la chambre, il n'y avait qu'elle et cet homme, en outre, semblait soûl.

— Que voulez-vous ?

— Une petite question très très facile. Vous saviez que votre mari avait donné sa démission de son entreprise pour venir s'installer définitivement à Vigàta ?

Mme Rosina, assise au bord du lit, un mouchoir à la main, ne répondit pas tout de suite. À l'évidence, elle pesait le pour et le contre. Mais son décolleté montrait que sur sa poitrine potable un être malin passait une couche de couleur.

— Non.

— Réponse erronée ! exulta Montalbano.

Mike Bongiorno[1] n'aurait su faire mieux.

— Arrête-la, dit simplement le commissaire à Augello.

— Non ! Non ! se récria Mme Rosina en se levant d'un bond. Moi, je n'y suis pour rien ! Je le jure ! C'est Gaspare qui…

Elle s'interrompit pour tirer de sa poitrine un cri, soudain et très aigu, à faire vibrer les vitres. À Montalbano, ce hurlement perça les oreilles, tourna deux fois à

1. Animateur de jeux télévisés. *(N.d.T.)*

l'intérieur de sa cervelle, sortit par la gorge, glissa dans le ventre, arriva aux pieds.

— Arrête aussi le réceptionniste, réussit-il à articuler avant de tomber à plat ventre, évanoui.

Il fut raccompagné chez lui par Fazio qui le déshabilla, le coucha et lui mit le thermomètre[1]. Plus de 40.

— Cette nuit, je reste ici, dit Fazio, je m'installe sur le divan.

Le commissaire sombra dans un sommeil de plomb. Vers huit heures du matin, il ouvrit les yeux, il se sentait mieux. Fazio était là, avec le café.

— Cette nuit, le *dottor* Augello a téléphoné, il voulait de vos nouvelles. Il m'a dit de vous rapporter que ça s'est passé comme vous l'aviez pinsé. Tous deux ont avoué, il a même montré où était caché le fusil de précision.

— Pourquoi tu m'as pas réveillé ?

— Vous rigolez ? Mais vous dormiez comme un ange !

---

1. En Italie, comme dans presque tout le monde civilisé, c'est dans la bouche ou sous l'aisselle. *(N.d.T.)*

Vol à l'arraché

Les rarcs fois où le questeur, n'ayant personne d'autre sous la main, l'avait envoyé pour représenter la questure de Montelusa dans des congrès et conventions, le commissaire Montalbano avait pris la chose comme une punition et une offense personnelle. À écouter les propos des participants, les paroles de bienvenue, ceux qui souhaitaient et ceux qui désapprouvaient, ceux qui émettaient des vœux et ceux qui évoquaient l'apocalypse sans remède, il était sujet à une attaque d'humeur noire, qui lui faisait répondre aux questions des autres par des monosyllabes mâchouillés et distants. Ses contributions à la discussion générale se réduisaient à une quinzaine de lignes pondues avec effort, mal écrites et plus mal lues encore. Son intervention sur les règles communautaires en matière de police des frontières était programmée pour dix heures trente au troisième jour des travaux, mais dès la fin de la première journée, le commissaire était épuisé, il en était à se demander comment il ferait pour résister encore deux jours. À Palerme, il s'était installé à l'hôtel Central, soigneusement choisi en raison du fait que la totalité de ses collègues italiens et étrangers étaient descendus dans d'autres établissements. Unique lumière dans une obscurité si épaisse, l'invitation à dîner

349

de Giovanni Catalisano, son camarade des petites classes du lycée, à présent grossiste en tissus, père de deux enfants qu'il avait eus avec Assuntina Didio, sa femme, qui, de son père Antonio, légendaire *monzù*[1] dans les maisons princières palermitaines, avait hérité un dixième des dons culinaires. Mais ce dixième suffisait fort largement : des petits repas concoctés par Mme Assuntina, le commissaire était sorti convaincu qu'il se les rappellerait à l'article de la mort, ce qui lui rendrait plus douloureux le trépas. À la fin de la deuxième journée des travaux, après qu'eurent parlé les représentants de l'Angleterre, de l'Allemagne et de la Hollande, respectivement en anglais, allemand et hollandais, Montalbano se sentait la tête comme un ballon. Il ne se fit donc pas prier pour se jeter dans la voiture de son ami Catalisano qui était passé le prendre. Le dîner se révéla au-dessus de ses espérances et la conversation qui le suivit fut très relaxante : si Mme Assuntina était peu loquace, en compensation son mari Giovanni avait la repartie rapide et intelligente. En regardant par hasard sa montre, le commissaire découvrit qu'il était une heure du matin. Il se leva d'un bond, salua affectueusement le couple, endossa sa grosse veste de cuir et sortit, refusant de se faire accompagner par son ami.

— L'hôtel est à deux pas, dix minutes de marche me feront du bien, ne te dérange pas.

À peine la porte de l'immeuble franchie, il fit deux découvertes désagréables : il pleuvait et il régnait un froid à geler le sang. Alors, il décida de gagner son hôtel en coupant par certaines ruelles qu'il lui semblait se rappeler. Il tenait une mallette qu'on lui avait donnée au congrès : de la main gauche, il la maintint sur sa tête pour se protéger un peu le crâne de la pluie abondante. Après avoir

1. *Monzù* : de « monsieur ». Les cuisiniers des grandes maisons, à Palerme, étaient souvent d'origine française. (*N.d.T.*)

marché, pantalon trempé, le long de boyaux solitaires et mal éclairés, il perdit courage : il se trompait certainement de route. Il jura, s'il avait accepté l'offre de Catalisano, à cette heure, il serait déjà au chaud dans sa chambre. Tandis qu'il se tenait au milieu de la venelle, à se demander ce qu'il valait mieux, se mettre à l'abri sous un porche en attendant que la pluie se calme ou poursuivre courageusement, il entendit le bruit d'une moto qui s'approchait dans son dos. Il s'écarta pour lui laisser le passage, mais, d'un coup, le fracas puissant de l'engin, qui avait soudain accéléré, l'assourdit. Il eut un instant d'étourdissement et quelqu'un en profita pour essayer de lui arracher la mallette qu'il tenait encore sur sa tête pour se protéger de la pluie. Sous la poussée, le commissaire tournoya sur lui-même, se retrouvant parallèle au motocycliste, lequel, encore debout sur les pédales, essayait de lui arracher la mallette que les doigts de la main gauche de Montalbano agrippaient solidement. Les allées et venues entre les deux durèrent, absurdes, pendant quelques secondes : absurdes parce que la mallette, pleine de papiers sans importance, prenait un peu plus de valeur aux yeux du voleur justement parce qu'elle était ainsi éperdument défendue. Les réflexes du commissaire avaient toujours été rapides et cette fois encore, ils ne le trahirent pas, lui permettant de passer à la contre-attaque. Le violent coup de pied qu'il balança à la moto altéra l'équilibre déjà précaire auquel était contraint le voleur qui, à ce point, préféra abandonner, mettre les gaz et repartir. Mais il n'alla pas loin : presque à la fin de la venelle, il décrivit un demi-tour et s'arrêta, avec son moteur qui maintenant ronflait doucement, juste sous un lampadaire. Entièrement revêtu d'une combinaison, la tête cachée sous un casque intégral, le motocycliste était une silhouette menaçante qui défiait le commissaire de bouger.

« Et maintenant, qu'est-ce que je fais, putain ? » se demanda Montalbano tandis qu'il se rajustait la veste de cuir. La mallette, il ne se la remit pas sur la tête, de toute façon maintenant, il s'était complètement trempé, l'eau lui entrait par le col, lui descendait le long du dos et lui sortait au bas du pantalon, allant finir en partie dans ses chaussures. Tourner le dos et se mettre à courir, il n'y pensait même pas : à part la honte qu'il se ferait, le motard le rejoindrait quand et comme il voudrait pour lui faire sa fête. Il ne restait plus qu'à avancer. Avec lenteur, en balançant la mallette de la main gauche, Montalbano se mit en marche comme s'il allait se promener par une belle journée de soleil. Le motard le regardait venir sans bouger, on eût dit une statue. Le commissaire alla droit sur la moto ; arrivé devant la roue avant, il s'arrêta.

— Je vais te montrer quelque chose, dit-il au motard.

Il ouvrit la mallette, la renversa, les papiers tombèrent à terre, se trempèrent, se souillèrent de boue. Sans même la refermer, Montalbano jeta à terre la mallette vide.

— Si tu avais volé sa retraite à une petite vieille, c'est sûr que tu t'en sortais mieux.

— Moi, je pique pas aux femmes, ni vieilles ni minotes, rétorqua le voleur sur un ton offensé.

Montalbano ne réussit pas à comprendre quel genre de voix il avait, elle lui arrivait trop étouffée par le casque.

Le commissaire décida, qui sait pourquoi, de pousser plus avant la provocation.

Il glissa une main dans la poche intérieure de la veste, en tira son portefeuille, l'ouvrit, choisit un billet de cent mille lires, le tendit au voleur.

— Ça te suffit pour une dose ?

— J'accepte pas l'aumône, rétorqua le motard en repoussant violemment la main de Montalbano.

— Alors, bonne nuit. Ah, écoute, donne-moi un renseignement : quelle route je dois prendre pour arriver au Central ?

— Toujours tout droit, la deuxième à gauche, répondit le voleur avec un naturel extrême.

L'intervention de Montalbano, débutée à dix heures trente, devait finir à dix heures quarante-cinq pour laisser place à quinze autres minutes de débat. Au lieu de quoi, entre les attaques de toux, les raclements de gorge, les mouchages et les éternuements de l'orateur, l'intervention se termina à onze heures. Les interprètes en traduction simultanée passèrent les pires moments de leur vie, car le commissaire, aux balbutiements qui l'affectaient toujours quand il devait parler en public, cette fois, ajouta la *nànfara*, c'est-à-dire cette façon particulière de parler qui vient quand on a le nez bouché et qu'on étouffe la prononciation des consonnes. Personne n'y comprit rien. Après un instant de désarroi, le président en fonction eut un coup de génie et renvoya le débat. Ainsi le commissaire put quitter le congrès et aller à la questure. Il s'était souvenu qu'un an auparavant, le questeur de l'époque avait créé une équipe spéciale anti-agression dont les télés et les journaux de l'île avaient beaucoup parlé. Sur les photos et dans les sujets qui illustraient les émissions, on voyait de jeunes agents en civil sur patins à roulettes ou sur de grosses Vespa flambant neuves prêts à poursuivre les voleurs à l'arraché, à les arrêter et à récupérer le butin. À la tête de l'équipe avait été placé le commissaire-adjoint Tarantino. Puis, plus personne n'avait plus parlé de cette initiative.

— Tarantì, tu t'occupes encore de l'anti-agression ?

— T'es venu te foutre de ma gueule ? L'équipe a été dissoute deux mois après sa constitution. Évidemment : dix hommes à mi-temps contre une moyenne de cent agressions par jour !

— Je voulais savoir…

— Écoute, il est inutile que tu en parles avec moi. Moi, je signais les rapports et c'est tout, je les lisais même pas.

Il souleva le combiné, marmonna quelque chose,

353

raccrocha. Presque immédiatement, on frappa à la porte et sur le seuil apparut un trentenaire qui avait un petit air sympathique.

— Je te présente l'inspecteur Palmisano. Le commissaire Montalbano veut te demander quelque chose.

— À votre service.

— Juste un point, par curiosité. Vous avez déjà entendu parler de vols à l'arraché exécutés avec des motos de collection ?

— Qu'est-ce que vous entendez par moto de collection ?

— Bah, qu'est-ce que j'en sais, une Laverda, une Harley-Davidson, une Norton…

Tarantino éclata de rire.

— Mais qu'est-ce que tu t'es fourré dans la tête ? Ce serait comme d'aller voler les bonbons d'un minot avec une Bentley !

Mais Palmisano, lui, resta sérieux.

— Non, jamais entendu parler. Vous souhaitez autre chose ?

Montalbano resta encore cinq minutes à parler avec son collègue puis le salua et alla chercher Palmisano.

— Vous venez prendre un café avec moi ?

— J'ai peu de temps.

— Cinq minutes suffiront.

Ils sortirent de la questure, entrèrent dans le premier bar qu'ils rencontrèrent.

— Je veux vous raconter ce qui m'est arrivé à hier soir.

Et il lui raconta la rencontre avec le voleur à l'arraché.

— Vous voulez le faire arrêter ? Il ne vous a rien volé, il me semble, observa Palmisano.

— Non. Je voudrais seulement le connaître.

— Moi aussi, dit à mi-voix l'inspecteur.

— C'était une Norton 750, ajouta le commissaire, j'en suis plus que sûr.

— Eh oui, approuva Palmisano, et il portait une combinaison, et un casque intégral.

— Oui. La plaque, j'ai pas pu la lire parce qu'elle était couverte d'un bout de plastique noir. Et alors, vous, qu'est-ce que vous me racontez ?

— Ça s'est passé le deuxième mois où j'étais dans l'équipe. On était à quelques minutes de la fermeture des banques. Moi, j'étais devant la Commerciale, un homme en sortit avec un sac et un type, aux commandes d'une Norton 750 noire, le lui arracha. Je me lançai à sa poursuite, j'avais une belle Guzzi. Rien à faire.

— Il était plus rapide ?

— Non, *dottore*, plus fort. Par chance, il y avait peu de circulation. Nous sommes arrivés, lui toujours devant et moi toujours derrière, jusqu'à la bifurcation pour Enna. Là, il a pris une route de campagne. Et moi, je l'ai suivi. Visiblement, il voulait faire du moto-cross. Mais dans un virage, ma moto dérapa sur la pierraille et je m'envolai. Le casque m'a sauvé, mais je perdais du sang de la jambe droite, j'avais mal. En me redressant, la première chose que je vis, ce fut lui. Il s'était arrêté, j'eus l'impression que si je ne m'étais pas relevé, il aurait été capable de venir me donner un coup de main. En tout cas, tandis que je m'approchais de la Guzzi sans détacher mes yeux de lui, il a fait une chose à laquelle je ne m'attendais pas. Il a soulevé devant lui le sac volé et me l'a fait voir. Il l'ouvrit, jeta un coup d'œil à l'intérieur, le referma et le jeta au milieu de la rue. Puis il fit faire demi-tour à la Norton et s'en alla. J'allai récupérer le sac en boitant. Il y avait dedans cent millions de lires en billets de cent mille. Je rentrai à la questure et dans le rapport j'écrivis que j'avais récupéré le butin après qu'on s'est rentrés dedans et que malheureusement, le voleur avait réussi à s'échapper. Je ne signalai même pas la marque de la moto.

— Je comprends, dit Montalbano.

— Parce que ce type ne cherchait pas l'argent, dit

Palmisano, après un silence, comme en conclusion à un raisonnement.

— Et qu'est-ce qu'il cherchait, d'après vous ?

— Bof ! Peut-être autre chose, mais pas l'argent.

Ce Palmisano était vraiment quelqu'un d'intelligent.

— Vous avez entendu parler d'autres cas de ce genre ?

— Oui. Trois mois après mon affaire. C'est arrivé à un collègue qui a été transféré depuis. Lui aussi a récupéré le butin, mais c'était l'agresseur qui le lui avait restitué. Et lui non plus, dans son rapport, ne fournit pas d'éléments valables pour l'identification.

— Et ainsi, nous avons un voleur à l'arraché qui a l'habitude de se promener…

Palmisano secoua la tête.

— Non, commissaire, il ne va pas se promener « habituellement ». Il le fait seulement quand il ne peut se passer de lancer son défi. Vous avez d'autres questions à me poser ?

Le rhume lui faisait disparaître les saveurs, inutile de manger. Le congrès reprenait à trois heures et demie, il pouvait rester au moins deux heures au chaud sous les couvertures. Il se fit porter dans sa chambre une aspirine et l'annuaire téléphonique de Palerme. Il lui était venu à l'esprit que chaque hobby, de l'élevage du ver à soie à la fabrication à domicile de bombes atomiques, a toujours son association, son club, où les inscrits échangent des informations et des pièces rares et de temps en temps se font une belle partie de campagne. Il trouva un « Motocar » dont il ne comprit pas le sens, suivi d'un « Motoclub » dont il composa le numéro. Une aimable voix masculine lui répondit. Le commissaire expliqua confusément qu'il avait été transféré depuis peu à Palerme et demanda des informations pour une éventuelle inscription au club. L'autre lui répondit qu'il n'y avait pas de problèmes puis, baissant d'un coup la voix, s'enquit, sur le ton de quelqu'un qui demande à quelle secte secrète on appartient :

— Vous êtes harleyiste ?

— Non, non, dit le commissaire dans un souffle.

— Qu'est-ce que vous avez comme moto ?

— Une Norton.

— Ben, alors, mieux vaut que vous vous adressiez au Nor-club, qui est une de nos branches. Prenez le numéro, vous trouverez quelqu'un après vingt heures.

À tout hasard, il essaya tout de suite. Personne ne répondit. Il pouvait s'offrir une petite heure de sommeil avant d'aller assister à la clôture du congrès. Quand il se réveilla, il se sentait en pleine forme, le rhume avait presque complètement disparu. Il regarda sa montre et faillit avoir un coup de sang : sept heures. Comme il était maintenant inutile de se présenter au congrès, il prit son temps. À huit heures cinq, il téléphona du hall de l'hôtel, une voix fraîche de jeune fille lui répondit. Vingt minutes plus tard, il se trouva au siège du club, au rez-de-chaussée d'un petit immeuble élégant. Il n'y avait personne, à part la jeune fille qui lui avait répondu au téléphone et qui faisait fonction, de huit à dix heures du soir, de secrétaire bénévole. Elle était si sympathique que le commissaire n'eut pas le cœur de lui raconter la petite histoire du nortoniste transféré. Il se présenta, sans provoquer de réaction particulièrement inquiète chez la minotte.

— Pourquoi êtes-vous venu nous voir ?

— Voilà, écoutez, nous avons l'ordre de recenser toutes les associations, les clubs, sportifs ou pas, vous m'avez compris ?

— Non, dit la petite, mais dites-moi ce que vous voulez savoir et je vous le dis, moi. Notre association n'est pas une association secrète.

— Vous êtes tous aussi jeunes ?

— Non. Le chevalier Rambaudo, pour donner un exemple, a depuis longtemps passé la soixantaine.

— Vous l'avez, une photo du groupe ?

La petite sourit.

— Vous vous intéressez aux noms ou aux visages ?

Et elle indiqua le mur derrière Montalbano.

— Elle a deux ans, ajouta-t-elle, et nous y sommes tous.

Une photo claire et nette, prise en pleine campagne. Plus de trente personnes, toutes rigoureusement en uniforme, combinaison noire et bottes. Le commissaire observa les visages avec la plus grande attention, quand il arriva à la troisième tête de la deuxième file, il sursauta. Il n'aurait su s'expliquer le pourquoi du comment, mais il avait la certitude que ce trentenaire athlétique qui lui souriait était son agresseur.

— Vous êtes beaucoup, dit-il.

— N'oubliez pas que notre club couvre la province.

— Ah oui. Vous avez un registre ?

Elle l'avait. Et tenu parfaitement. Photo, nom, prénom, profession, adresse et téléphone du membre. Numéro de la moto possédée, caractéristiques principales et signes particuliers. Ajournement semestriel de la cotisation. Etc. Il feuilleta le registre en feignant de prendre des notes au dos d'une enveloppe qu'il avait dans la poche. Puis il sourit à la jeune fille qui parlait au téléphone et sortit. Dans sa tête, il avait trois noms et trois adresses. Mais celle de l'avocat Nicolò Nuccio, 32 rue de la Liberté, Bagheria, téléphone 091232756, était imprimée en gras.

Autant valait se débarrasser tout de suite de cette préoccupation. Il composa le numéro depuis la première cabine téléphonique qu'il rencontra et un enfant lui répondit.

— Allôôô ? Qui tu es, toi ? Qu'est-ce tu veux ?

Il ne devait même pas avoir quatre ans.

— Papa est là ?

— Je l'appelle.

Ils étaient en train de regarder la télévision, on entendait la voix de... de qui était la voix ? Il n'eut pas le temps de se répondre.

— Qui est à l'appareil ?

Bien qu'il l'eût entendue étouffée et déformée par le casque intégral, le commissaire reconnut la voix. Sans l'ombre d'un doute.

— Le commissaire Montalbano, je suis.

— Ah, j'ai entendu parler de vous.

— Moi aussi, de vous.

L'autre ne répondit rien, ne demanda rien. Montalbano perçut sa respiration profonde à travers le combiné. Au second plan, la télévision continuait. Voilà : c'était la voix de Mike Bongiorno.

— J'ai des motifs de croire que nous deux, la nuit dernière, nous nous sommes rencontrés.

— Ah oui ?

— Oui, maître. Et j'aurais plaisir à vous rencontrer de nouveau.

— Au même endroit que la nuit dernière ?

Il ne semblait nullement inquiet d'avoir été découvert. Et même, il se permettait de faire le malin.

— Non, trop peu pratique. Je vous attends à mon hôtel, au Central, mais vous connaissez déjà son nom, demain matin à neuf heures.

— Je viendrai.

Il mangea bien dans une trattoria près du port, retourna dans son hôtel vers onze heures, lut pendant deux heures un roman non policier de Simenon, à une heure, il éteignit et s'endormit. À sept heures du matin, il se fit porter un double express et le *Giornale di Sicilia*. La nouvelle qui le fit bondir sur ses pieds, trempé de sueur, était inscrite en caractères gras, en première page : visiblement, elle était arrivée juste à temps pour être imprimée. La veille, à vingt-deux heures trente, aux alentours de la gare, un voleur à l'arraché avait tenté de voler la mallette à échantillons d'un représentant de pierres précieuses qui avait réagi en tirant et en le tuant. Avec une surprise extrême, on avait identifié le voleur comme maître Nuccio Nicolò, trente-deux ans, homme riche de Bagheria. Nuccio, continuait le journal, n'avait aucun besoin de voler pour vivre, la moto même sur laquelle il avait tenté l'agression, une Norton noire, valait une dizaine de millions. S'agissait-il d'un dédoublement de la personnalité ? D'une blague qui s'était terminée tragiquement ? D'une bravade absurde ?

Montalbano jeta le journal sur le lit et commença à se vêtir. Nicolò Nuccio avait trouvé ce qu'il cherchait et lui, il y arriverait peut-être, à prendre le train de huit heures et demie pour Montelusa. De là, il téléphonerait au commissariat de Vigàta. Quelqu'un viendrait le prendre.

Mobile à double tranchant

Feu Attilio Gambardella, de son vivant, n'avait jamais été véritablement un homme de belle allure. Avec une mauvaise hanche et des béquilles, un œil qui disait merde à l'autre, d'énormes oreilles en chou-fleur, des mains de nain et des pieds de clown, la bouche tellement tordue qu'on ne comprenait jamais s'il pleurait ou s'il riait. Mais maintenant qu'il était recroquevillé sur le carrelage de la cuisine, massacré d'une trentaine de coups de couteau au visage, à la poitrine, au ventre, à l'aine, il semblait que la mort eût en quelque manière voulu effacer sa laideur ; l'obscénité de ce que l'assassin avait fait au corps du pôvre Gambardella le mettait à égalité avec tant d'autres morts poignardés. Dans la cuisine, on ne pouvait pas bouger sans risquer de se souiller de sang, il y en avait jusque sur l'écran du téléviseur qui montrait les images du journal télévisé du matin. L'arme du crime, un coupe-papier à manche d'os, avait été jetée dans un évier, la lame avait encore des traces de sang, le manche, en revanche, avait été soigneusement nettoyé pour faire disparaître les empreintes digitales.

— Alors ? demanda Montalbano au Dr Pasquano.
— Alors quoi ? s'énerva l'autre. Vous voulez savoir de quoi il est mort ? Indigestion de figues de Barbarie.

Mais ce matin-là, Montalbano n'avait pas envie de se chamailler avec le médecin légiste.

— Je voulais simplement savoir…

— L'heure de la mort ? Je peux me tromper de quelques secondes ou je dois dire pile pile ?

Le commissaire écarta les bras, désespéré. À le voir ainsi étonnamment soumis, le médecin sentit lui passer le plaisir de la querelle.

— Bon d'accord. Entre huit et onze heures hier au soir. Le premier coup de couteau, on le lui a donné dans le dos, il a eu la force de se retourner et le deuxième, il se l'est pris dans la poitrine. Il est tombé, à mon avis, il était déjà mort. Les autres coups de couteau ont été infligés par l'assassin pendant qu'il était à terre, pour se donner du bon temps ou se passer les nerfs. Vous êtes content ?

Fazio, qui avait donné un coup d'œil à toute la maison, s'approcha.

— À vue de nez, sans savoir ce qu'il y avait ici avant, ça me semble pas une histoire de vol, on ne doit pas avoir emporté quoi que ce soit. Dans le tiroir de la table de nuit, il y a deux millions de lires en liquide. Dans un coffret sur une commode, il y a des bagues, des boucles d'oreilles, des bracelets.

— Et puis, pourquoi un voleur aurait-il dû lui donner des coups de couteau à s'en faire mal au bras ? intervint Pasquano.

Dans la cuisine entra Galluzzo.

— J'ai été chez Filippo, le fils de Gambardella. Sa femme m'a dit que cette nuit, il n'est pas rentré.

— Cherche-le, dit le commissaire.

La maison où ça s'était passé, plutôt en périphérie, appartenait à Gambardella et consistait en un bâtiment à un étage. Au rez-de-chaussée, deux magasins, un grossiste en légumes et une quincaillerie ; au premier, deux appartements, celui du tué et l'autre, sur le même palier, loué à Mme Praticò Gesuina, veuve Tumminello. C'était elle qui avait découvert le meurtre, avait expliqué Fazio à Montalbano, et elle en avait été tellement secouée qu'elle s'était évanouie tout de suite après avoir appelé à l'aide sur son balcon. Qu'il y aille mollo, le commissaire : le grossiste en légumes l'avait averti que la dame avait le cœur très malade. Voilà pourquoi, sur la sonnette, le doigt de Montalbano eut la légèreté d'un papillon se posant sur une fleur. La porte fut ouverte par un curé avec une tête de circonstance. Voir, au jour d'aujourd'hui, un prêtre en soutane, cela impressionne : en général, ils s'habillent en employé de banque ou en punk, mais à se le voir là, devant lui, dans cet appartement et avec cette expression, le commissaire conclut qu'il était venu porter les saintes huiles à Mme Praticò.

— C'est grave ? balbutia-t-il.

— Quoi ?

— L'état de la veuve Tumminello.

— Mais pas du tout ! Je suis venu la trouver pour la réconforter, elle a éprouvé une forte émotion. Vous êtes le commissaire Montalbano, n'est-ce pas ? Je vous connais, je vous connais. Je suis don Saverio Colajacono. Gesuina est une de mes pieuses et dévotes paroissiennes.

Aucun doute, elle était pieuse et dévote. Dans l'antichambre, le commissaire nota un crucifix sur le mur, une Madone des sept douleurs, et un saint Antoine de Padoue sur un *tanger*. Il n'eut pas le temps d'identifier deux autres statuettes.

— Gesuina s'est mise au lit, annonça le père Colajacono en le précédant.

La chambre à coucher, derrière les volets de son balcon mi-clos, était pratiquement une crypte, avec ses dizaines d'images saintes punaisées au mur, éclairées chacune par une lampe à huile posée sur une tablette spéciale. D'un coup, à Montalbano, l'air manqua, il sua, il sentit le besoin de se déboutonner le col. Une espèce de baleine haletante et geignarde gisait sur un lit à deux places, sous une couverture à fleurs rouges qui laissait seulement voir la tête d'une sexagénaire décoiffée, certes, mais au visage rose et lisse.

— Gesuina, je te laisse en de bonnes mains, je repasse plus tard, dit le curé et, sur un signe de tête au commissaire, il sortit.

Montalbano s'assit sur un siège au pied du lit. Sur la table de nuit, un lumignon éclairait la photographie d'un type à tête de criminel digne d'un manuel de Lombroso : certainement M. Tumminello, celui qui, en mourant, avait fait veuve Gesuina Praticò.

— Vous vous sentez de répondre à quelques questions ? entama le commissaire.

— Si le Seigneur m'assiste et la Madone m'accompagne...

Le commissaire espéra ardemment que le Seigneur et la Madone fussent en cet instant disponibles : il ne supporterait pas de rester dans cette chambre une minute de plus que le strict nécessaire.

— C'est vous qui avez découvert le cadavre, n'est-ce pas ?

— Oui.

— Dites-moi comment ça s'est passé.

— Une histoire longue, c'est.

— Ne vous inquiétez pas, racontez-moi.

Soufflant par les narines comme une vraie baleine, la femme se releva à demi, tenant toujours la couverture pudiquement serrée sur cette place d'armes qu'était sa poitrine.

— Par où j'accommence ?

— Par où vous voulez.

— Il y a une vingtaine d'années, que déjà j'habitais dans cette maison avec mon pôvre mari Raffaele...

Le commissaire se maudit pour avoir donné la liberté

historique et chronologique à la veuve, mais il n'y avait rien à faire, il l'avait voulu.

— … Attilio eut un épouvantable accident de voiture.

Attilio. Ils s'appelaient par leurs prénoms, Mme Gesuina et le tué.

— Sa femme mourut, il eut les jambes fracassées et Filippo, le fils qui avait alors douze ans, se fendit le crâne et resta un mois entre la vie et la mort. L'année suivante, une double bronchite emporta mon pôvre Raffaele. Que voulez-vous que je vous dise, monsieur le commissaire ? Et que je te vois aujourd'hui, et que je te vois demain, et que je te salue aujourd'hui et que je te salue demain, ça finit que nous unîmes nos deux solitudes.

La phrase, lue à coup sûr dans quelque roman rose, eut le pouvoir d'égarer complètement Montalbano.

— Vous devîntes amants ?

La veuve écarquilla les yeux, se plaqua les mains aux oreilles et ses évents soufflèrent son indignation. Les quarante et quelque lampes à huile vacillèrent, risquant de s'éteindre.

— Non, mais ! Qu'est-ce que vous allez chercher ! Moi, une femme honorable, je suis ! Tout le monde me connaît, au pays ! Jamais Attilio ne me toucha et jamais je ne le touchai !

— Pardonnez-moi, madame. Je vous demande de m'excuser, dit le commissaire, atterré à l'idée que la chambre pût sombrer dans l'obscurité.

— Je voulais dire que nous commençâmes à nous tenir compagnie toute la journée. Certaines fois, Attilio qui, déjà, sortait presque pas, restait chez lui des semaines, à cause des douleurs aux jambes, surtout quand le temps changeait. Alors, moi, je lui faisais la cuisine, je lui rangeais ses affaires… tout ce qu'une femme peut faire à la maison.

— Et pour faire bouillir la marmite…

— Moi, j'ai la pinsion que m'a laissée le pôvre Raffaele.

— Non, je voulais dire, lui, Gambardella.

— Mais Attilio était riche ! Ici, à Vigàta, il avait une dizaine de magasins, une quinzaine d'appartements et d'autres choses, il avait aussi, à Fela. Il n'avait pas besoin d'une pinsion misérable, lui !

— Et ses rapports avec son fils, comment étaient-ils ?

Point douloureux. Cette fois, une dizaine de lumignons s'éteignirent, Montalbano trembla.

— C'est lui qui le tua !

— Mais vous en êtes sûre, madame ?

— C'est lui, lui, lui !

Les lampes à huile s'éteignirent toutes ensemble. À tâtons, le commissaire gagna le balcon, ouvrit les volets.

— Madame, mais vous vous rendez compte de ce que vous dites ?

— Bien sûr, que je m'en rends compte ! C'est comme si je l'avais vu de mes yeux, vu !

La baleine était secouée de sursauts et de tremblements et la couverture paraissait un champ de coquelicots agité par le vent.

— Expliquez-vous mieux.

— Ce Filippo est un vaurien, un criminel, un sans-le-sou, un bon à rien qui, à trente ans, vit aux crochets de son père ! Et il a voulu se marier, en plus ! En bref, il se passait pas une semaine sans qu'il s'aprésente ici pour ademander de l'argent à son père. Et lui, il donnait, il donnait. À moi, il disait qu'il avait de la peine pour son fils, s'il était comme ça, c'était tout de sa faute, la responsabilité de l'accident, il disait qu'elle retombait sur lui, que son fils s'était fait mal au cerveau qu'il ne pouvait plus s'appliquer à rien parce qu'il avait pas toute sa tête. Et ce très grand cornard de fils en profitait. Enfin, à Attilio, j'ai réussi à lui faire comprendre quel genre de salaud de profiteur il était, Filippo. Et Attilio a commencé à lui donner moins d'argent, quelquefois à lui en refuser. Et alors, ce criminel, il en est arrivé à minacer son père ! Une fois, la main sur lui, il porta ! À hier soir…

Elle s'interrompit, éclata en sanglots. De sous le coussin, elle tira un mouchoir grand comme une serviette de bain, se moucha. Les vitres du balcon tintèrent.

— À hier soir, Attilio vint manger chez moi, puis il alla chez lui, il dit qu'il voulait voir quelque chose à la télévision et puis il alla se coucher. Moi, la télévision, je la veux pas. Elle fait voir par traîtrise des choses qu'une femme honorable, elle en rougit !

Montalbano ne voulut pas se lancer dans un débat d'éthique télévisuelle.

— Vous me disiez que hier soir…

— Ma cuisine et celle d'Attilio sont séparées par un mur. Je faisais la vaisselle quand j'ai entendu les cris d'Attilio et de Filippo. Ils se querellaient.

— Vous êtes sûre qu'il s'agissait de la voix du fils ?

— La main au feu !

— Vous avez entendu des paroles précises, des phrases ?

— Bien sûr. J'ai entendu Attilio qui disait : « Rien, je te donne plus un sou ! » et Filippo qui criait : « Et moi, je te tue ! Je te tue ! » Puis il y a eu un bruit de… de…

— De corps à corps ?

— Oh que si, monsieur. Et une chaise qui tombait par terre. Moi, j'avais un cœur d'âne et un cœur de lion. Je savais pas quoi faire. Mais comme après, j'ai plus rien entendu que la télévision, je me suis rassurée. Et en fait…

Aux sanglots, cette fois se joignirent des gémissements et miaulements.

— D'après vous, comment a-t-il fait pour entrer chez Filippo ?

— Il avait la clé ! Mille fois, je lui ai recommandé, à Attilio, de se la faire redonner, mais lui, non !

— Comment avez-vous découvert ce qui s'était passé ?

— Ce matin, je suis allée à la première messe, mais comme je devais me faire la communion, je suis pas allée à la cuisine prendre le café. Quand je suis retournée, qu'il était même pas sept heures, j'ai entendu que la télévision dans la cuisine d'Attilio fonctionnait encore. Et ça, ça m'a paru étrange, lui, la télévision, le matin, il la regardait jamais. Alors, j'y suis allée voir et…

— Et qui vous a ouvert ?

La veuve Tumminello, qui s'apprêtait à sombrer de nouveau dans les sanglots, se figea.

— Personne. J'ai la clé.

La sonnette de l'entrée se fit entendre.

— J'y vais, dit le commissaire.

C'était Fazio. À côté de lui se tenait un trentenaire sec comme un coup de trique, le pantalon froissé, la veste déformée, les cheveux décoiffés, la barbe longue. Montalbano n'eut pas le temps d'ouvrir la bouche, dans son dos résonna un cri très fort.

La veuve Tumminello qui, outre son inclination pour les romans roses, devait avoir un certain goût pour la tragédie, s'était levée et maintenant, montrait le jeune homme, le bras tendu, l'index tremblant.

— L'assassin ! Le parricide !

Et elle s'écroula à terre, évanouie. Un tremblement de terre de faible intensité sembla secouer le bâtiment.

— Tirons-nous de là, dit Montalbano, inquiet. Emmène-le au commissariat.

— Donc, vous ne saviez pas que votre père avait été assassiné ?

— Oh que non.

— Et pourtant, intervint Fazio, dès que tu es entré dans l'appartement, la première chose que tu as dite, ça a été : « C'est vrai que papa… ? » et puis tu t'es mis à pleurer.

— Vrai, c'est. Mais ce qui est arrivé à papa, ça m'a été dit par le type qui tient la quincaillerie, quand il m'a vu entrer dans l'immeuble.

— Hier soir, vous avez eu une dispute avec votre père ?

— Oh que si.

— Pourquoi ?

— Il n'a pas voulu me donner l'argent que je lui demandais.

— Pourquoi est-ce qu'il n'a pas voulu le donner ?

— Il a dit qu'il ne voulait plus m'entretenir.

— Et toi, tu l'as menacé de mort. Tu l'as dit et peut-être, tu l'as fait, intervint encore Fazio.

Montalbano lui lança un regard mauvais. Il n'aimait pas être interrompu, et il ne lui paraissait pas juste qu'on se mette à tutoyer quelqu'un seulement parce qu'il se trouvait en position d'infériorité. Mais Filippo Gambardella réagit à peine aux paroles de Fazio, il était apathique, absent.

— C'est pas moi.

À voix basse.

— Quelle est la raison qui, ce matin, vous a poussé à retourner chez votre père ? Le croyant encore vivant, vous vouliez encore lui demander l'argent qu'il ne vous avait pas donné le soir précédent ?

— Ce n'était pas ça, la raison.

— Et qu'est-ce que c'était ?

Filippo Gambardella parut embarrassé, il murmura quelque chose que le commissaire ne comprit pas.

— Plus fort, s'il vous plaît.

— Je voulais lui demander pardon.

— De quoi ?

— De lui avoir dit que s'il ne me donnait pas l'argent, je le tuais.

— Mais vous ne vous étiez jamais disputés, avant ?

— Ces derniers temps, oui. Mais, moi, avant je ne lui ai jamais dit que je le tuerais.

— Écoutez, après la dispute, où êtes-vous allé ?

— À la taverne de Minicuzzo. Je me suis soûlé.

— Combien de temps y êtes-vous resté ?

— Je ne sais pas.

— Et puis, après vous être soûlé, où êtes-vous allé ?

— Je ne sais pas.

Ce n'était pas qu'il refusât de répondre, Montalbano le sentait sincère.

— Est-ce que vous avez eu l'occasion de vous changer de vêtements ?

Filippo Gambardella le fixa, ébahi.

— Ce matin, avant d'aller chez votre père, vous êtes passé chez vous ? Vous avez changé d'habits ?

— Et qu'est-ce que je devais changer ? Je n'ai que ça.

— Depuis quand est-ce que vous ne mangez pas ?

— Je ne sais pas.

— Emmène-le, dit le commissaire à Fazio. Fais-le laver, fais-lui porter du bar quelque chose à manger. Après, on reprend.

— Derrière un tableau que Gambardella avait dans sa chambre à coucher, j'ai trouvé ça, dit Galluzzo, revenu de la perquisition de l'appartement de la victime.

C'était une enveloppe jaune, de type commercial. Dessus, il était écrit : « À ouvrir après ma mort. » Étant donné que le scripteur était indiscutablement mort, le commissaire l'ouvrit. Quelques lignes. Elles disaient que Gambardella Attilio, en pleine possession de ses facultés mentales, laissait tout ce qu'il possédait, maisons, magasins, terrains et argent liquide à son fils unique Gambardella Filippo. La date remontait à trois années auparavant. À ce moment, Fazio entra.

— Il a mangé et s'est endormi. Qu'est-ce que je fais ?

— Laisse-le dormir, dit le commissaire en lui tendant le testament.

Fazio le lut, fit la grimace.

— Et ça, c'est une belle charge contre Filippo Gambardella, commenta-t-il.

— C'est-à-dire ?

— C'est-à-dire que nous avons un mobile.

— Je m'appelle Gianni Puccio, dit le quadragénaire distingué et de bonnes manières qui avait demandé à être reçu par le commissaire.

— Enchanté. Je vous écoute.

— Au pays, le bruit court que vous avez arrêté Filippo Gambardella pour le meurtre de son père. C'est vrai ?

— Ce n'est pas ça, répondit Montalbano, sec et agacé.

— Alors, vous l'avez remis en liberté ?

— Non. Il ne vaudrait pas mieux que vous me disiez ce que vous êtes venu me dire, sans poser de questions ?

— Peut-être qu'il vaut mieux, admit Gianni Puccio un peu effrayé. Donc, à hier soir, vers huit heures et demie, neuf heures un quart, ma voiture — je fais le représentant de commerce — s'est arrêtée juste devant la maison de Gambardella que je connais depuis des années. Son fils Filippo aussi, je le connais. Je suis descendu et j'ai ouvert le capot. À ce moment, j'ai entendu la voix d'Attilio Gambardella, altérée. J'ai levé les yeux. Attilio était sur le balcon et il criait à quelqu'un qui était dans la rue : « Ne te montre plus ! C'est qu'après ma mort que tu auras mes sous ! » Puis il est rentré et a fermé les volets du balcon.

— Vous avez vu à qui il s'adressait ?

— Bien sûr. À son fils Filippo. Maintenant, comme au pays, on dit que c'est lui qui l'a tué, après une discussion, moi, en conscience, je peux déclarer que ça s'est pas passé comme ça.

— Vous m'avez été très utile, monsieur Puccio.

— Et qu'est-ce que ça signifie ? Ça signifie rien, dit Fazio. Bon, d'accord, il l'a pas tué durant la discussion, mais il l'a fait après. Il est allé à la taverne, il s'est soûlé, le vin lui a donné du courage, il est revenu chez son père et l'a tué.

— Tu t'es mis dans la coucourde que c'est lui, hein ?

— Oh que si, monsieur !

— C'est possible. Gallo est allé interroger Minicuzzo, le propriétaire de la taverne. Il dit que Filippo est arrivé vers neuf heures, qu'il s'est descendu deux litres et qu'il est sorti qu'il était pas dix heures et demie.

— Et donc, vous voyez ? Il avait tout le temps qu'il voulait pour revenir en arrière et poignarder son père. Le Dr Pasquano a dit que le crime s'est passé entre huit et onze, non ? Ça tombe juste.

— Eh oui.

— Mais on peut savoir ce qui ne vous va pas ?

— En toute logique, ce qui me va pas, c'est le fait qu'il ne se soit pas pris les deux millions de lires conservés à la maison. Il avait besoin d'argent. Il tue le père. Et pourquoi, tant qu'il y était, il s'était pas emporté les deux millions ? Et puis, comment on fait pour donner trente coups de couteau à un type sans avoir la moindre petite tache de sang sur les vêtements ? Tu t'en souviens, du sang qu'il y avait à la cuisine ?

— Mon cher *dottore*, qu'est-ce que vous avez, envie de rigoler ? Si vous allez raconter tous ces doutes au juge, il vous rit au nez. Les deux millions, il se les est pas pris parce que ça n'a pas été un assassinat prémédité, quand il a vu son père mort, une fois passée la colère qui lui avait fait donner trente coups de couteau, il s'est affolé, il a paniqué et il s'est enfui. Après, ou bien il est rentré chez lui, contrairement à ce que raconte sa femme, et il s'est changé ses vêtements tachés de sang, ou bien il s'en est fait donner par un copain de taverne, et les siens, il les a balancés à la mer.

— Donc, tu es convaincu qu'il avait ses vêtements souillés de sang ?

— Il n'y a pas de doute.

— Suis-moi attentivement, Fazio. M. Puccio est venu nous dire qu'il a vu Filippo vers huit heures et demie, neuf heures un quart, devant la maison de son père. Et Gambardella était encore vivant. Minicuzzo a dit que Filippo est arrivé à la taverne à neuf heures. Donc, s'il avait tué son père en revenant en arrière tout de suite après avoir été vu par Puccio, il n'aurait pas eu le temps d'aller chez lui pour se changer si, dès neuf heures, il était chez Minicuzzo. Ça se tient ?

— Oh que si, monsieur.

— Alors, ça veut dire que le meurtre a été commis après qu'il s'est soûlé, n'est-ce pas ? C'est une hypothèse que tu as toi-même émise.

— Oh que si, monsieur.

— Mais s'il a agi ainsi, ça change tout. Ce n'est plus un coup de folie au cours d'une dispute. C'est une chose pinsée et raisonnée. Et donc, nous n'aurions pas trouvé les deux millions dans le tiroir. Car il avait le plus grand intérêt à les faire disparaître, ça nous aurait obligés à pinser à un vol.

— Qui parle de vol ? lança gaiement Mimì Augello en entrant dans le bureau de son supérieur.

Montalbano se renfrogna.

— Mimì, t'as vraiment un culot monstre ! Tu t'es pas montré de toute la matinée.

— Mais on t'a rien dit ? se récria Mimì, stupéfait.

— Qu'est-ce qu'on devait me dire ?

— Tôt ce matin, expliqua patiemment Augello, le commandeur Zuccarello est venu déclarer un vol dans sa maison, celle qui est à côté de la vieille gare. Sa femme et lui avaient dormi à Montelusa, chez leur fille mariée. Quand ils sont rentrés, ils ont découvert les dégâts. On avait volé l'argenterie et quelques bijoux. Étant donné que tu étais occupé par l'affaire Gambardella, je m'en suis occupé, moi.

— Alors, si la chose est entre tes mains, les voleurs peuvent dormir tranquilles et M. et Mme Zuccarello, il vaut mieux qu'ils disent au revoir à leur argenterie, commenta malignement le commissaire.

Mimì Augello, peu élégamment, allongea le bras droit, poing fermé, y apposa avec force la paume gauche à la saignée du coude.

— Tè, fume ! Moi, le voleur, je l'ai déjà arrêté !

— Et comment t'as fait ?

— Salvo, les cambrioleurs, dans tout Vigàta, ils sont à peine trois et chacun besogne avec une technique particulière. Toi, ces choses, tu les sais pas, parce que tu t'en occupes pas, ta coucourde affronte seulement des sujets de haute spéculation.

— Peppe Pignataro, Cocò Foti ou Lillo Seminerio ? demanda Fazio qui, en revanche, de Vigàta, connaissait vie, mort et miracles.

— Peppe Pignataro, répondit Augello et puis, se tournant vers le commissaire : Il veut te parler. Il est là, dans mon bureau.

Quinquagénaire, petit, sec, vêtu avec soin, Pignataro se leva en voyant entrer le commissaire. Celui-ci ferma la porte du bureau et alla s'asseoir dans le fauteuil de Mimì.

— Assieds-toi, assieds-toi, dit-il au voleur.

Pignataro se rassit, après s'être à demi incliné.

— Tout le monde sait qu'à vous, on peut se fier, dit-il.

Montalbano ne dit mot, ne bougea pas.

— C'est moi qui ai fait le vol.

Montalbano gardait une immobilité de mannequin de cire.

— Sauf que le commissaire Augello n'y arrivera pas, à le démontrer. Je n'ai pas laissé d'empreintes, l'argenterie

374

et les bijoux sont cachés en lieu sûr. Le commissaire Augello, cette fois, sauf votre respect, il va s'y rompre les cornes.

À qui parlait-il ? Le commissaire était certes physiquement dans la pièce, mais semblait momifié.

— Mais si le commissaire Augello me prend dans sa mire et ne me lâche plus d'un pas, moi, je peux plus bouger d'aucune façon, je peux plus aller chez qui je dois aller et me faire donner les sous en échange de l'argenterie et des bijoux. Alors que moi, ces sous, j'en ai besoin, et d'urgence. Vous me croyez, si je vous dis quelque chose ?

— Oui.

— Ma femme est au plus mal, vous pouvez vous renseigner. Les médicaments dont elle a besoin, on les lui donne pas, je dois me les acheter, moi, et ça coûte les yeux de la tête.

— Qu'est-ce que tu veux ?

— Que vous parliez au *dottor* Augello, qu'il me laisse tranquille un mois. Après, je me constitue prisonnier, je le jure.

Ils s'observèrent longuement, en silence.

— J'essaierai de lui parler, dit Montalbano en se levant.

D'un coup, Peppe Pignataro bondit de son siège, s'inclina, tenta de prendre la main de Montalbano pour la baiser. Le commissaire s'écarta à temps.

— Je veux vous dire une autre chose. À hier soir, vers neuf heures, je me suis mis à traîner autour de la maison de Zuccarello pour voir comment se présentait l'affaire. Je savais que le commandeur et sa femme étaient partis en voiture. Vers onze heures est apparu sur la route Filippo Gambardella. Je le connais bien. Il ne tenait pas sur ses jambes, il était mort soûl. À un certain moment, il n'a pas pu continuer à se traîner et il s'est recroquevillé par terre, près de la maison de Zuccarello. Il s'est endormi. Il dormait encore vers quatre heures du matin, quand je suis repassé, après le vol.

— Pourquoi tu me le dis ?

— En remerciement. Et pour vous éviter une erreur. Au pays, on dit que vous avez arrêté Filippo pour le meurtre du père et moi je voulais…

— Merci, dit Montalbano.

— Qu'est-ce qu'on fait, pour Filippo Gambardella ?

— Libère-le.

Fazio hésita puis écarta les bras.

— À vos ordres.

— Ah, écoute, appelle-moi le *dottor* Augello.

Pour convaincre Mimì, il lui fallut plus d'une demi-heure, Peppe Pignataro eut quartier libre pour un mois. Avec tout ça, il était presque deux heures et au commissaire, il lui était venu un appétit qui lui obscurcissait la vue.

— Par là, il y a de la place ? demanda Montalbano en entrant dans la trattoria San Calogero.

« Par là » signifiait une petite pièce, avec deux tables.

— Il n'y a personne, le rassura le propriétaire.

Il se tapa d'abord un abondant hors-d'œuvre de crevettes et de poulpes en sauce, ensuite, il s'engouffra quatre bars géants, à ne pas en croire ses yeux.

— Je vous porte un café ?

— Après. En attendant, si je dérange pas, je me ferais une demi-heure de sommeil.

Le propriétaire tira les volets et le commissaire s'endormit, la tête posée dans ses bras croisés sur la table, avec encore dans la bouche la saveur du poisson ultra-frais, dans les narines l'odeur de la bonne cuisine, dans les oreilles le lointain tintement des couverts qu'on lavait. Au bout d'une demi-heure pile, le propriétaire lui apporta le café, le commissaire se rafraîchit le visage, s'essuya avec le papier hygiénique et se dirigea vers le commissariat en chantonnant. Finalement, cette journée était une merveille divine.

Sur le seuil, Fazio l'attendait.

— Qu'est-ce qu'il y a ?

— Il y a que dans mon bureau, j'ai la veuve Tummi-nello. Elle veut parler avec vous, elle me paraît agitée.

— Bon, d'accord.

Il eut à peine le temps de s'asseoir derrière son bureau que l'éclairage de la pièce baissa. La veuve occupait toute l'embrasure de la porte de son énorme masse.

— Je peux entrer ?

— Mais bien sûr ! répondit galamment le commissaire en lui indiquant un siège, lequel grinça péniblement quand la femme s'y fut installée.

Elle se tenait au bord du siège, le sac à main sur les genoux, les mains gantées.

— Je vous demande bien pirdon, monsieur le commissaire, mais moi, quand j'ai quelque chose là...

Elle se porta une main au cœur.

— ... je l'ai aussi là.

La main rejoignit la bouche.

— Et moi, j'aimerais que cette chose-là, vous me la fassiez arriver ici, assura le commissaire en se touchant les oreilles.

— C'est vrai que vous avez renvoyé chez lui Filippo ?

— Oui.

— Et pourquoi ?

— Il n'y a pas de preuves.

— Comment ? ! Et tout ce que je vous ai raconté, moi ? L'engueulade, les gros mots, la chute de la chaise ?

— Il y a un témoin qui dit que quand Filippo est sorti de la maison, M. Gambardella était encore vivant.

— Et qui est ce très grand cornard ? Certainement un complice, un copain du parricide ! Faites attention,

377

commissaire, que tout le pays est convaincu que ce fut lui et tout le pays s'étonna que vous le relâchiez !

— Madame, moi, je dois m'intéresser aux faits et pas aux paroles. À propos de faits, vous savez que cet après-midi, je m'étais mis en tête de passer chez vous ?

Mme Praticò Gesuina, veuve Tumminello, qui, un instant auparavant gesticulait encore beaucoup, au point que le sac à main était tombé deux fois à terre, se pétrifia. Elle ferma à demi les yeux.

— Ah oui ? Et que vouliez-vous de moi ?

Montalbano ouvrit le premier tiroir de son bureau, en tira une enveloppe commerciale, la montra à la veuve.

— Vous faire voir ceci.

— Et qu'est-ce que c'est ?

— Le testament, les dernières volontés de Gambardella.

La veuve pâlit, mais pâlit… tellement que le commissaire songea à une méduse morte au bord de la mer.

— Vous l'avez trou…

Elle s'arrêta, se mordant les lèvres.

— Eh oui. Nous avons eu plus de chance que vous, madame, qui certainement l'avez cherché chaque fois que Gambardella vous en a donné l'occasion.

— Et quel intérêt j'y aurais eu, moi ?

— Je ne sais pas, peut-être simple curiosité. Regardez, vous reconnaissez l'écriture de Gambardella ?

Il lui mit l'enveloppe sous les yeux.

— « À lire après ma mort », déchiffra la femme et elle ajouta : C'est la sienne.

— Si vous aviez trouvé le testament, vous auriez eu une surprise. Vous voulez que je vous le lise ?

Il tira la feuille avec lenteur et avec une lenteur plus grande, en articulant exagérément, il lut :

— « Vigàta, je soussigné Gambardella Attilio, en pleine possession de mes facultés mentales, désire que, après ma mort, tous mes biens meubles et immeubles aillent à Mme Gesuina Praticò veuve Tumminello qui, pendant des années, m'a été une amie dévouée. Mon fils Filippo doit être considéré comme déshérité. En foi de quoi, je signe… »

Le hurlement de joie de la veuve fut tel qu'il provoqua quelques effets désastreux, parmi lesquels : Caratella se brûla avec du café bouillant ; Galluzzo laissa tomber à terre une machine à écrire qu'il portait d'une pièce à l'autre ; Miliuzzo Conti, arrêté sur le soupçon d'un vol d'autoradio, croyant qu'au commissariat, on avait commencé à pratiquer la torture (le soir précédent, il avait vu un film avec des nazis), tenta une fuite désespérée qui se conclut par la perte totale de ses dents de devant.

Montalbano, tout priparé qu'il fut, en eut les oreilles assourdies. Cependant la veuve s'était dressée et dansait, se balançant maintenant d'un pied sur l'autre. Fazio, qui était aussitôt accouru, la regardait, bouche bée.

— Donne-lui un verre d'eau.

Fazio revint immédiatement, mais la veuve ne semblait pas voir le verre qu'il lui tenait devant la bouche en se déplaçant avec elle. Enfin, elle le remarqua, le but cul sec. Elle revint s'asseoir. Elle était écarlate, trempée de sueur.

— Lisez-le vous-même, dit le commissaire en lui tendant la feuille.

Elle la prit, la lut, la jeta, pâlit de nouveau, se leva, recula, les yeux toujours fixés sur ce bout de papier. L'air lui manquait, elle s'était pris la gorge, elle tremblait. Le commissaire se mit devant elle.

— Vous avez entendu ce que Gambardella a dit à son fils… qu'il lui laisserait tout à sa mort… et alors, vous êtes allée lui demander des explications… parce que l'héritage, il vous l'avait promis à vous.

— Toujours, il me le disait, haleta la veuve, toujours, il me le répétait, ce porc… Ma petite Gesuina, je te laisse tout… et en attendant, prends-toi-le là… en attendant, je te le mets ici... un porc, un cochon, c'était... toujours à me faire des choses dégueulasses, il y pensait tout le temps... ça lui suffisait pas que je lui fasse la servante... Et à hier soir il a eu le courage de me dire qu'il laissait tout à son salaud de fils... Ils étaient comme deux gouttes d'eau, le père et le fils, deux affreux dégueulasses qui...

— Occupe-t'en, dit le commissaire à Fazio.

Il avait besoin de faire une promenade sur le môle, il avait besoin de bon air, de mer.

Note

Les nouvelles ici rassemblées sont au nombre de trente. Si on en lit une par jour, on passe précisément un mois : c'est ce que veut signifier le titre.

Elles ont été écrites entre le 1er décembre 1996 et le 30 janvier 1998. Le sujet du « Compagnon de voyage » m'a été offert par le Festival Noir de Courmayeur. Cette nouvelle est parue dans la revue *Sintesi* de mai 1997. « Miracles de Trieste », je l'ai composé sur l'invitation de mon ami triestin Piero Spirito pour la manifestaion Piazza Gutenberg et il a paru dans l'opuscule *Raccontare Trieste* (juin 1997). J'ai écrit « Le pacte » parce que j'y avais pris goût. Ce récit a été publié sur *La grotta della vipera* de Cagliari, automne-hiver 1997. Les vingt-sept autres sont inédites.

Les trente situations auxquelles se retrouve mêlé le commissaire Montalbano ne comportent pas toujours (heureusement) d'événements sanglants : il s'agit aussi de vols sans vol, d'infidélités conjugales, d'enquêtes sur la mémoire. Et toutes ne sont pas situées à Vigàta, quelques-unes remontent même aux débuts de la carrière du commissaire.

Il est inutile (et utile en même temps) de répéter que les lieux et les noms sont totalement inventés. À qui pourrait se plaindre d'une quelconque coïncidence, je rappellerai que la vie elle-même (très supérieure, en fait d'inventions, à l'imagination) n'est qu'une pure coïncidence.

TABLE DES MATIÈRES

POCKET – 12, avenue d'Italie
75627 Paris – Cedex 13

Achevé d'imprimer en Espagne
par Black Print CPI Iberica (Sant Andreu de la Barca)
Dépôt légal : janvier 2013
S23830/01